Due

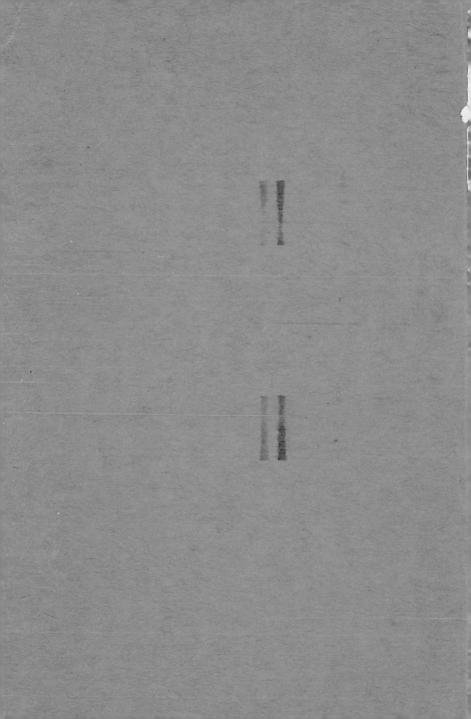

BIBLIOTHÈQUE BRENTANO'S
ÉTUDES D'HISTOIRE ET DE CRITIQUE LITTÉRAIRES

FERNAND BALDENSPERGER

Professeur à la Sorbonne

LA CRITIQUE ET L'HISTOIRE LITTERAIRES EN FRANCE

AU DIX-NEUVIEME ET AU DEBUT DU VINGTIEME SIECLES

EN COLLABORATION
AVEC
H. S. CRAIG Jr.

BRENTANO'S

L'esprit critique est, à propre-
ment parler, l'esprit français.
Paulin LIMAYRAC. *Revue des
Deux Mondes.*

(1 septembre 1847)

The great stumbling-block of literary criticism, alike for the
professional critic and the unprofessional reader, is the tacit as-
sumption that the opinions, preferences, and estimates of today
are not merely passing opinions, preferences, and estimates, but
will be permanent. There is no foundation, save self-complacency,
for such a surmise.

Alfred Austin, "The Essentials of Great Poetry," in *Quarterly Review*
(April, 1909), p. 427.

FERNAND BALDENSPERGER

Le titre de ce livre indique les limites précises que l'auteur a tracées pour cet ouvrage qu'il a mis au point avec l'aide d'un jeune collègue américain, M. H. S. Craig, Jr., qui enseignait à l'Université de Californie, à Los Angeles.

Il s'agit d'une histoire et d'une anthologie de la critique, et non pas d'une critique de la critique. L'étude ne porte que sur la critique en France non pas depuis ses origines, mais seulement au XIXème et au début du XXème siècles.

Mark Twain prétendait qu'il n'y avait en réalité qu'un seul critique : le public. Cette affirmation ne paraît pas être exacte ; les critiques sont aujourd'hui nombreux et bien vivants. Or les institutions, aussi bien que les professions, sont comme les organes du corps humain : elles s'atrophient, puis disparaissent si elles perdent leur sens ou leur utilité sociale.

La critique — qui est un art selon les uns et une science selon les autres — est loin d'avoir une origine récente, puisqu'on désigne encore du nom d'Aristarque de Samothrace le critique sévère et impartial, et du nom de Zoïle le critique envieux, jaloux et destructif.

Certains croient volontiers, comme Destouches, que la critique est aisée et que l'art est difficile. En réalité, chaque « Causerie du Lundi » coûtait à Sainte-Beuve une semaine entière de réclusion et de travail. L'exercice de cette fonction exige aussi parfois du courage, puisqu'il n'y a, paraît-il, rien de plus à craindre qu'un auteur enragé.

La publication de ce livre est opportune. A une époque où l'on parle chaque jour dans les démocraties occidentales de la liberté sacrée de la parole et de la plume, il importe de souligner les droits et les devoirs de la critique. Sans elle, on ne conçoit pas la liberté de la pensée, parce qu'elle en est la forme la plus expressive et parce qu'elle empêche l'adulation et le narcissisme stériles. Les critiques sont les gardiens de ce qu'ils croient être la vérité « dans le diocèse de la libre pensée ». C'est ce que pensait sans doute Longfellow lorsqu'il disait que « les critiques sont les sentinelles de la grande armée des lettres, postées au coin des journaux et des revues pour lancer un défi à chaque nouvel auteur ». Et le poète Matthew Arnold avait donné de la critique une définition devenue classique : « C'est un effort désintéressé pour apprendre et propager ce qu'il y a de mieux au monde dans le domaine de la connaissance et de la pensée. »

Pour l'auteur de ce livre, le bon critique doit avoir la faculté de discernement, affranchie à la fois d'un impressionnisme ignorant et d'une partialité aveugle. Mais cela ne doit pas le priver du droit d'exprimer en même temps ses propres goûts et même ses passions.

C'est, sans doute, parce qu'il est lui-même riche de ces diverses qualités que Fernand Baldensperger a attaché à son nom l'étiquette d'une grande réputation de professeur et par conséquent de critique, puisqu'une grande partie des fonctions du premier consiste à laisser parler le second.

Né dans les Vosges, à Saint-Dié, en 1871, c'est aussi dans l'Est, à l'Université de Nancy, qu'il fit, en 1894, ses débuts dans l'enseignement universitaire. En 1900, il passa à l'Université de Lyon, et de 1910 à 1935, il occupa la chaire de littérature comparée à la Sorbonne. Mais dans ce quart de siècle, il y eut la parenthèse de la première Guerre mondiale, pendant laquelle il fut officier de réserve et décoré de la Croix de Guerre, et diverses autres parenthèses : une mission en Extrême-Orient en 1912, l'enseignement à Harvard en 1913, à Columbia en 1917, à Princeton en 1932. En 1939, il fut nommé professeur à l'Université de Californie, à Berkeley, puis à Los Angeles, et c'est sur la côte du Pacifique qu'il apprit la nouvelle de l'armistice de 1940. Il put ainsi faire partie de cette équipe de Français à l'étranger, grâce aux efforts desquels l'étude et *l'amour de la langue et de la culture françaises survécurent aux conséquences désastreuses qu'aurait pu avoir l'accident de la défaite militaire et aux efforts de la propagande ennemie qui essaya d'en tirer parti hors de France.*

En 1921, il avait fondé la Revue de littérature comparée *et sa* Bibliothèque. *Il en fut le co-directeur jusqu'en 1935 et, là aussi, il appliqua sa méthode : la démonstration par les faits, les textes et les dates du passé, méthode qui faisait ressortir les éléments communs sur lesquels devrait être fondée la solidarité internationale.*

Martial reprochait à Laelius de ne pas publier ses propres vers et de critiquer les siens. « Cesse de critiquer mes vers, je te prie, ou bien publie les tiens. » Ce reproche ne peut pas être adressé à Fernand Baldensperger par ceux dont il a critiqué l'œuvre. Sous un nom de plume fort transparent, il a publié des recueils, des contes et des traductions poétiques : l'érudition pure ne le satisfaisait pas. La jonction de ces deux activités, résumée dans Une vie parmi d'autres, *est assez exactement représentée par sa traduction en vers, avec un commentaire et un classement nouveau des* Sonnets de Shakespeare, *publiés récemment, en 1943.*

La guerre qui vient de s'achever avait interrompu une édition critique des Oeuvres complètes *d'Alfred de Vigny et une His-toire universelle de la Littérature qu'il avait entreprise en col-laboration avec vingt spécialistes et qui va bientôt être reprise à Paris.*

« Comprendre ce qu'un auteur a voulu faire et comment il l'a fait », telle est, semble-t-il, la devise des grands critiques qui a servi de fil conducteur à Fernand Baldensperger, l'historien littéraire, l'auteur d'une quinzaine de volumes, le curieux de documents authentiques et le bibliographe constant.

Robert Tenger
New-York, septembre 1945

AVANT-PROPOS

L'histoire de la critique littéraire en France, surtout aux XIXᵉ et XXᵉ siècles, reflète si évidemment les vicissitudes de l'esprit public, les progrès de la science et les variations de la société, que le cours des choses intellectuelles, durant cent vingt années, est peut-être mieux jalonné par un choix d'échantillons de ce type, empruntés à nos auteurs notables, que par d'autres témoignages.

« Auteurs notables » plutôt que critiques étroitement « spécialisés » : nulle barrière n'a séparé en France des activités qui, de fait, relèvent toutes d'une inspiration cohérente et claire, ou — même chez les poètes les plus « inspirés » — de vues susceptibles d'être défendues logiquement. Chateaubriand ou Baudelaire, Zola ou Villiers de l'Isle-Adam sont très capables d'user de la même plume pour créer, attaquer ou démontrer, et méritent d'être invoqués au même titre qu'un maître du genre comme Sainte-Beuve, ou que des professionnels à la Gaston Deschamps.

D'elle-même vient d'ailleurs s'ajouter, à la *critique*, l'*histoire littéraire* : une étroite connexion unit ces deux formes de clairvoyance, l'une plutôt attentive aux écrits des vivants, l'autre vouée à des zones périmées du Temps. Les services mutuels que se sont rendus *critique* et *histoire littéraire* sont évidents : si la première s'efforce d'échapper au simple impressionnisme, c'est que le but majeur des recherches historiques ne lui demeure pas étranger ; si l'histoire littéraire s'efforce de dépasser, par des jugements de valeur, le simple alignement des œuvres et leur explication par des « causes », c'est que la tâche essentielle de la critique ne lui semble point vaine. Et sans doute une telle mutualité de services a-t-elle permis à ces deux formes importantes de l'*humanisme* d'échapper en général à un danger permanent, celui des explications fausses et des simplifications faciles, « génie », «conditions matérielles », « race », « loi de l'offre et la demande », etc., etc.

Laisser la parole aux auteurs cités a semblé le moyen de faire apprécier au plus juste le mérite propre de leurs points de vue respectifs. Aussi n'a-t-on pas cru devoir faire place à certains commentateurs, de singularité médiocre, même si leur renommée saisonnière, grâce au journal, à la revue, à la chaire professorale, leur faisait toucher d'amples publics. Ni Jules Janin, par exemple, « prince des critiques » au gré de lecteurs aisément séduits, ni Saint-Marc Girardin, si applaudi de la jeunesse du Second Empire, ni Paul de Saint-Victor, au style brillanté revêtant des notions assez convenues, n'ont semblé fournir une note essentielle à un ensemble fait pour démontrer la diversité du concert, non pour augmenter son volume.

Les notes bibliographiques, d'autre part, n'ont pas été multipliées au-delà de ce qui touche à l'activité particulière des auteurs cités.

Los Angeles 1944.

CHAPITRE PREMIER

CRITIQUE
DE RECONSTRUCTION

> La critique est un exercice
> méthodique du discernement.
> Joubert, *Pensées*,
> Titre XXIII, Maxime CXLIII

Après plusieurs décades de polémiques plus ou moins acerbes et d'intellectualité partisane — cléricale ou encyclopédiste, jacobine ou réactionnaire — et quelques années de discordes intestines, il ne semblait pas moins urgent, à la France de 1800, de scruter les assises d'une littérature digne de ce nom que d'asseoir les fondements administratifs d'un pays « révolutionné ». Parallèlement à la « reconstruction » du Consulat et à peine moins nécessaire, se poursuit donc une œuvre plus discrète et dont les résultats n'apparaîtront qu'insensiblement : un triage des « valeurs » vitales, un examen des principes nécessaires, une police attentive des mœurs littéraires — tout ce qui, dans un pays riche d'un beau passé mais inquiet de cet héritage même, fait partie des activités inévitables d'une époque de rénovation.

La critique du présent et l'histoire vigilante d'un récent passé ont donc à jouer un rôle important — que l'on comparerait sans exagération à celui que le conseil d'État ou le comité de rédaction du Code avaient à remplir dans l'ordre législatif ou judiciaire. Va-t-on relever simplement les ruines d'hier ou d'avanthier ? Va-t-on regarder davantage en arrière ? Va-t-on s'abandonner aux innovations, ou biaiser avec l'impulsion du temps ?

15

De Voltaire, de Rousseau, de Diderot, de Bernardin même ou de Laclos, quoi prendre et quoi jeter par-dessus bord ? Va-t-on surtout remonter loin dans le passé, au XVIIᵉ siècle intégral, ou jeter des yeux pleins d'envie sur des littératures voisines, qui ont paru plus tutélaires que la française vers 93 ? Autant de problèmes que se posaient, plus ou moins ouvertement, les classes cultivées de France, et surtout ceux des écrivains qui prenaient au sérieux leurs responsabilités, même quand elles n'étaient pas liées à des fonctions officielles ou à des nécessités académiques.

Comme aux temps où se préparaient les grandes époques littéraires, cette critique est en grande partie verbale, épistolaire, privée et en quelque sorte *prémonitoire* — c'est-à-dire que l'activité créatrice des écrivains se soumet pour une part à des avis qui n'ont dès lors plus besoin, une fois les œuvres publiées, de se transformer en apologies ou condamnations. Le Chateaubriand du *Génie* aura été « débarbouillé », par Joubert et ses amis, d'Ossian, de Milton et même des Pères de l'Eglise ; Delille et Chênedollé se sentiront appuyés par des groupes sympathiques mais avisés — trop peut-être ; bien des « lectures » précéderont les publications de Mme de Staël, de Ballanche ou de Benjamin Constant ; des romancières de plus d'audace que de génie se soumettront à la décision bénigne d'aréopages qui leur feront éviter ainsi de venimeuses semonces. Heureux les temps où l'inspiration est assez docile et la censure préalable assez compréhensive pour ainsi faire, de la critique, une auxiliaire de la création ! Même si les vingt premières années du siècle manquent d'éclat à notre gré, elles représentent un certain équilibre, un tassement des rudesses et des violences dont on pouvait désespérer aux jours du *Père Duchêne* et du mélodrame triomphant ; l'inspiration, protégée contre elle-même, pouvait prendre des forces pour de nouvelles audaces, et surtout le lien n'était pas rompu entre une tradition rafraîchie et les curiosités d'esprit du public.

Surtout en France, où les lettres font authentiquement partie des éléments de la société, le rôle joué par des critiques à peine professionnels et des historiens littéraires sans pédanterie a donc une importance qui peut ressortir d'un choix, même exigu, de citations : celles-ci démontreront deux points de vue principaux : l'attachement à des qualités moyennes, faites pour ne pas décevoir le cœur en même temps que pour contenter l'esprit ; la défense de ce qui peut confirmer la personnalité dans la conscience du rôle que lui assignent les temps nouveaux. Par ailleurs, c'est derechef une société *mixte,* c'est-à-dire où les classes et les sexes se mêlent, qui s'efforce de faire valoir des principes ou des applications favorables à leurs vues.

JOSEPH JOUBERT
(1754-1824)

Lorsqu'en 1800 revint de son long exil François Auguste René de Chateaubriand, ou plutôt le chevalier de Combourg avec un faux passeport, il fut vite attiré par un groupe séduisant de femmes meurtries par la Révolution et d'hommes qui, pour la plupart, n'avaient eu que le mérite de la traverser. Les ruines, de toutes parts et malgré la reconstruction commençante, étaient plus évidentes que les indices des temps nouveaux, et les débris plus manifestes que les germes d'avenir. « La petite et admirable société du Luxembourg », à la fois lettrés et gens du monde « sans envie », avait pour principal souci le sauvetage d'un des plus précieux agréments de Paris : la discussion diserte entre gens de bonne éducation « Ces personnes qui causent si naturellement de matières communes peuvent traiter les plus hauts sujets, et... cette simplicité de discours ne vient pas d'indigence mais de choix. »

Joubert est nettement l' « âme du rond », et soit qu'il se promène aux Tuileries avec Chateaubriand, Fontanes et Molé, soit que Mmes de Custine, de Beaumont ou la douloureuse

Lucile de Chateaubriand se plaisent à l'entendre causer dans leurs salons, cet ancien juge de paix en province, d'esprit et de caractère « frileux », comme il disait, jadis épris de Diderot et même des conséquences sociales les plus extrêmes de la « philosophie », rendu prudent par les expériences de la Révolution, met « sa tête aimante et son cœur têtu » au service d'une incessante vérification des idées et des formes.

Il connaît admirablement ses limites ; son incapacité à bâtir et fonder est balancée, et au delà, par son aptitude à éveiller les idées et à donner la frappe de « maximes » à des réflexions qu'il apparenterait, dans leur décousu, à la désinvolture lucide de Montaigne. Mais venant après un siècle qui, lui semble-t-il, « a cru faire des progrès en allant dans des précipices », il scrute avant tout la valeur durable, humaine, authentique pour la société autant que pour l'individu, des œuvres les plus disparates. « Tout ce qui me paraît faux n'existe pas pour moi » : une telle devise serait terriblement personnelle, entachée de subjectivisme périlleux, si Joubert n'était parvenu, proche de la soixantaine et après des expériences opposées, à une tolérance qui n'exclut de son accueil que l'excessif, le guindé, le sophistique ; mais comme il ne se sent « de vertu qu'une certaine incorruptibilité », il reste intraitable sur ces points-là. Autrement, perspicace autant que libéral d'accueil, il a compris Kant et dégonflé Delille, regardé en face les gloires du XVIII\u{e} siècle et, tout en censurant Chateaubriand, admis « qu'il fasse son métier, qu'il nous enchante » : sa lettre à Mme de Beaumont, le 12 septembre 1801, est une manière d'avis indirect donné au susceptible « enchanteur ». Mais surtout, « harpe éolienne rendant quelques beaux sons mais qui n'exécute aucun air », il a maintenu, en une époque de crise qui pouvait mal tourner pour la société française, les droits de la critique improvisée, et aussi ces privilèges du cœur dont Vauvenargues avait été, en somme, le dernier défenseur disert et « non rousseauiste ». Aussi commencerait-on, en bonne justice, un choix de maximes de Joubert par son opinion réfléchie sur ce grand enjeu lui-même : la formation d'une élite dans la société. Sainte-Beuve le proclamera bon gré mal gré : la famille d'élite — il n'y a de force et de chance en littérature que là.

Sainte-Beuve. « M. Joubert », *Portraits littéraires*, II (Paris, 1862).
Matthew Arnold. *Essays in Criticism* (London, 1865).
Irving Babbitt. *Masters of Modern French Criticism* (Cambridge, 1912).
V. Giraud. « Un moraliste d'autrefois : Joubert, d'après des documents inédits », *Revue des Deux Mondes* (15 août 1910) ; Joubert (Paris, 1914).

Epurer son goût, en écumant son esprit, est un des avantages de la bonne compagnie et de la société des lettres, à Paris. Les idées médiocres s'y dépensent en conversation ; on garde les exquises pour les écrire.

L'attention de celui qui écoute sert d'accompagnement dans la musique du discours.

Le but de la dispute ou de la discussion ne doit pas être la victoire, mais l'amélioration.

Ceux qui ne se rétractent jamais s'aiment plus que la vérité.

Quiconque vit dans des temps incertains a beau être ferme, invariable dans ses principes, il ne peut pas l'être dans toutes leurs applications ; ferme dans ses plans, dans sa marche, il ne pourra garder toujours ni les mêmes résolutions ni les mêmes chemins. Il faut qu'il abandonne aux vents (cela veut dire aux circonstances) quelques parties de lui-même, qu'il laisse flotter ses cheveux et tienne la tête hors d'atteinte. Je le compare à ces gros arbres, à ces noyers dont les rameaux viennent et vont pendant l'orage, se ployant et se laissant fléchir en haut, en bas, à droite, à gauche, agités dans toutes leurs feuilles quoique leur tronc reste immobile. Il y a dans cette comparaison une image de moi qui me plaît parce qu'elle excuse en me les expliquant des variations que je n'aime ni en moi ni dans les autres.

Où le siècle tombe, il faut l'appuyer.

Le médiocre est l'excellent pour les médiocres.

Il y a des esprits-machines qui digèrent ce qu'ils apprennent comme le canard de Vaucanson digérait les aliments : digestion mécanique et qui ne nourrit pas.

La critique sans bonté trouble le goût et empoisonne l'âme.

La critique est un exercice méthodique du discernement.

La connaissance des esprits est le charme de la critique ; le maintien des bonnes règles n'en est que le métier et la dernière utilité.

L'imaginative, faculté animale, est fort différente de l'imagination, faculté intellectuelle. La première est passive, la seconde, au contraire, est active et créatrice. Les enfants, les têtes faibles, les peureux, ont beaucoup d'imaginative. Les gens d'esprit, et de beaucoup d'esprit, ont seuls beaucoup d'imagination.

L'imagination est tellement nécessaire, dans la littérature et dans la vie, que ceux mêmes qui n'en ont pas et la décrient sont obligés de s'en faire une.

Jamais les mots ne manquent aux idées. C'est les idées qui manquent aux mots. Dès que l'idée en est venue à son dernier degré de perfection, le mot éclot ; ou, si l'on veut, elle éclot du mot qui se présente et la revêt.

(25 août 1800)

Les uns passent par les belles idées, et les autres y séjournent ; ceux-ci sont les plus heureux ; mais les premiers sont les plus grands.

Une pensée est tantôt un moment simple et tantôt une action de l'âme.

La religion est la seule métaphysique que le vulgaire soit capable d'entendre et d'adopter.

En toutes choses, gardons-nous de fouiller sous les fondements.

Demander la nature humaine infaillible, incorruptible, c'est demander du vent qui n'ait point de mobilité.

La politesse est la fleur de l'humanité. Qui n'est pas assez poli n'est pas assez humain.

Le bon goût est nécessaire à la moitié de la morale, car il règle les bienséances.

Il ne faut jamais pousser hors de soi toute sa pensée (excepté celle dont il est bon de se délivrer). Il faut toujours retenir en soi une portion de ce que l'esprit a produit afin qu'il s'en nourrisse. Laissez un peu de son miel à cette abeille. Exhalez la colère toute entière, mais non pas l'amitié, l'injure et non pas la louange. En un mot, vomis la bile et garde ton sang.

(9 octobre 1803)

En effet, les idées claires servent à parler ; mais c'est presque toujours pour quelque idée confuse que nous agissons. C'est elles qui mènent la vie.

Il est un style *livrier,* qui sent le papier et non le monde, les auteurs et non le fond des choses.

Sans emportement, ou plutôt sans ravissement d'esprit, point de génie.

(7 novembre 1818)

Ils prennent les progrès de je ne sais quelle industrie pour un progrès des lumières.

« D'un divertissement on fait une fatigue. » Se lisent vite ; ne doivent contenir que des pensées qui ne puissent arrêter l'esprit du lecteur. Un journaliste, pour être bon, ne doit pas être trop supérieur au public, mais un *primus inter pares.* Et de là, les jeunes gens qui ont de l'esprit et du talent sont propres à bien écrire un journal. Car toutes les pensées (même communes) étant pour eux des nouveautés, des découvertes, ils leur donnent de bonne foi du relief par l'expression ; et par le bienfait de leur âge ils écrivent bien ce qui ne mérite que peu d'être bien écrit.

(6 mars 1804)

Il me semble beaucoup plus difficile d'être un moderne que d'être un ancien.

Aux Grecs, et surtout aux Athéniens, le beau littéraire et civil ; aux Romains, le beau moral et politique ; aux Juifs, le beau religieux et domestique ; aux autres peuples, l'imitation de ces trois-là.

L'antiquité ! J'en aime mieux les ruines que les reconstructions.

La vogue des livres dépend du goût des siècles. Même ce qui est ancien est exposé aux variantes de la mode. Corneille et Racine, Virgile et Lucain, Sénèque et Cicéron, Tacite et Tite-Live, Aristote et Platon n'ont eu la palme que tour à tour. Que dis-je ? Dans la même vie, selon les âges, dans la même année, selon les saisons, et quelquefois dans le même jour, selon les heures, nous préférons un livre à un autre, un style à un autre style, un esprit à un autre esprit.

C'est à la mode des portraits qu'on doit les *Caractères* de La Bruyère. Plus d'un mauvais genre a été, en littérature, l'origine d'un chef-d'œuvre.

Pascal a le langage propre à la misanthropie chrétienne, misanthropie forte et douce. Comme peu ont ce sentiment, peu aussi ont eu ce style. Il concevait fortement ; mais il n'a rien inventé, c'est-à-dire rien découvert de nouveau en métaphysique.

On reproche à Corneille ses grands mots et ses grands sentiments ; mais pour nous élever, et ne pas être salis par les bassesses de la terre, il nous faut en tout des échasses.

Racine est l'homme du monde qui s'entend le mieux à filer les mots, les sentiments, les pensées, les actions, les événements ; et chez lui, les événements, les actions, les pensées, les sentiments et les paroles, tout est de soie.

Molière est comique de sang-froid ; il fait rire et ne rit pas ; c'est là ce qui constitue son excellence.

Il y a, dans La Fontaine, une plénitude de poésie qu'on ne trouve nulle part dans les autres auteurs français.

Montesquieu avait les formes propres à s'exprimer en peu de mots ; il savait faire dire aux petites phrases de grandes choses.

La phrase vive de Montesquieu a été longtemps méditée ; ses mots, légers comme des ailes, portent des réflexions graves. Il y a en lui des élans, comme pour sortir d'une profondeur.

Voltaire a répandu dans le langage une élégance qui en bannit la bonhomie. Rousseau a ôté la sagesse aux âmes, en leur parlant de la vertu. Buffon remplit l'esprit d'emphase. Montesquieu est le plus sage ; mais il semble enseigner l'art de faire des empires ; on croit l'apprendre en l'écoutant, et toutes les fois qu'on le lit, on est tenté d'en construire un.

Voltaire, esprit habile, adroit, faisant tout ce qu'il voulait, le faisant bien, mais incapable de se maintenir dans l'excellent. Il avait le talent de la plaisanterie, mais il n'en avait pas la science ; il ne sut jamais de quelles choses il faut rire, et de quelles il ne le faut pas. C'est un écrivain dont on doit éviter avec soin l'extrême élégance, ou l'on ne pensera jamais rien de sérieux. A la fois actif et brillant, il occupait la région placée entre la folie et le bon sens, et il allait perpétuellement de l'une à l'autre. Il avait beaucoup de ce bon sens qui sert à la satire, c'est-à-dire une grande pénétration pour découvrir les maux et les défauts de la société, mais il n'en cherchait point le remède. On eût dit qu'ils n'existaient que pour sa bile ou sa bonne humeur... J.-J. Rousseau. On apprend dans ses livres à être mécontent de tout hors de soi-même.

(25 novembre 1798)

Après *la Nouvelle Héloïse,* les jeunes gens eurent des prétentions à être amants, comme ils en avaient auparavant à être buveurs ou bretteurs. C'est à la honte du siècle, plutôt qu'à l'honneur des livres, qu'il arrive que les romans exercent un tel ascendant sur les habitudes et les mœurs.

Raynal était amoureux de paroles et de *grandisonance*.

Diderot et les philosophes de son école prenaient leur érudition dans leur tête, et leurs raisonnements dans leurs passions ou leur humeur.

Delille moule assez fortement les vers, mais il ne les anime pas.

En littérature, aujourd'hui, on fait bien la maçonnerie, mais on fait mal l'architecture.

En littérature, rien ne rend les esprits si impudents et si hardis que l'ignorance des temps passés et le mépris des anciens livres.

Toutes les formes de style sont bonnes, pourvu qu'elles soient employées avec goût ; il y a une foule d'expressions qui sont défauts chez les uns, et beautés chez les autres.

J'aime à voir deux vérités à la fois. Toute bonne comparaison donne à l'esprit cet avantage.

Les poètes sont plus inspirés par les images que par la présence même des objets.

Rien de ce qui ne transporte pas n'est poésie. La lyre est, en quelque manière, un instrument ailé.

Vous allez à la vérité par la poésie, et j'arrive à la poésie par la vérité.

L'esprit dominant la matière, la raison domptant les passions, et le goût maîtrisant la verve, sont les caractéristiques du beau.

Il n'est rien de plus beau qu'un beau livre.

Il n'y a pas eu un seul siècle littéraire dont le goût dominant ne fût malade. Le succès des auteurs excellents consiste à rendre agréables à des goûts malades des ouvrages sains.

La direction de notre esprit est plus importante que son progrès.

P. de Raynal, *Pensées de Joubert*, 2 vols. (Paris, 1842).

L. DE FONTANES (1757-1821)
et J.-F. DE LA HARPE (1739-1803)

Rendu sans doute moins libéral que son ami Joubert par la triple responsabilité, assumée vers le même temps, de rédacteur en chef du *Mercure,* de Grand Maître de l'Université, de ré-

organisateur de l'Académie française, le « sanglier » du petit
groupe a sacrifié à une tâche difficile d'anciennes dispositions
élégiaques, peut-être un vieux fonds huguenot sympathique à
Jean-Jacques, et un intérêt solide pour les lettres anglaises. C'est
sans doute là le drame intérieur de ce haut fonctionnaire, qui
suscitera plus d'une affection que ne mériterait guère une roideur
d'esprit intégrale.

Chateaubriand dira de lui que Fontanes l'empêcha de
« tomber dans l'extravagance d'invention et le rocailleux d'exé-
cution de ses disciples » : c'est reconnaître que l'action intellectuelle de ce conseiller littéraire, commencée à Londres dès
1798, n'a pas été sans effet sur le plus aventureux des écrivains
de la nouvelle génération française. Mais l'auteur d'*Atala* savait
bien maintenir, à l'égard du classicisme prôné comme la seule
tradition salutaire par son ami, quelques libertés malgré tout.

On pourra dire que le Voltaire du *Siècle de Louis XIV* avait
désigné Laharpe comme son successeur esthétique dans la
stricte obédience classique, et que celui-ci s'était donné Fontanes
pour continuateur dans la même direction, avec peut-être Villemain comme héritier... Une tradition d'enseignement et d'Académie, donc, plus encore que de goût et de création, se poursuit
dans la critique et bénéficie, en 1800, des conditions propices à
une reconstruction vigilante et un peu systématique.

Le rôle joué par Fontanes dans les orientations nouvelles
des lettres françaises à l'aube du XIXe siècle, surtout dans le
groupe dont Chateaubriand devait être la gloire et l'éclatant
représentant, dépasse sans doute sa valeur propre de critique :
l' « homme aux habiles pressentiments » s'était de bonne heure
rendu compte que le peuple français ne pouvait s'en tenir, après
dix ans de révolutions, aux notions théoriques impliquées dans la
« philosophie » de l'âge antérieur. Mais, s'il a bien compris que
« donner des ridicules aux philosophes » était de bonne guerre
au *Mercure* et ailleurs, ce « dernier des Grecs » (Chênedollé)
envisageait une sorte de retour au classicisme du XVIIe siècle

comme souhaitable et possible, et les développements annoncés par *La Littérature* de Mme de Staël ne lui paraissaient pas moins extravagants que le matérialisme pur et simple de certains contemporains. D'où une renommée fort inférieure à la valeur propre de l'homme, « sanglier » avec le sourire dans un cercle qui profita de ses leçons, mais fut vite distancé par le goût du siècle.

A. Wilson. *Fontanes* (Paris, 1928), en particulier le chapitre V : « La lutte contre les Philosophes. »

F. Baldensperger. « Chateaubriand et l'Emigration française à Londres », *Etudes d'Histoire littéraire*, II (Paris, 1910).

Cet ouvrage longtemps attendu, et commencé dans des jours d'oppression et de douleur, paraît quand tous les maux se réparent, et quand toutes les persécutions finissent. Il ne pouvait être publié dans des circonstances plus favorables. C'était à l'époque où la tyrannie renversait tous les monuments religieux, c'était au bruit de tous les blasphèmes, et, pour ainsi dire, en présence de l'athéisme triomphant, que l'auteur se plaisait à retracer les augustes souvenirs de la Religion... Du fond de la solitude où son imagination s'était réfugiée, il entendait naguère la chute de nos autels : il peut assister maintenant à leurs solennités renouvelées.

Article sur le *Génie du Christianisme, Mercure* (25 germinal an X) et *Moniteur universel* du 28 germinal (18 avril 1800).

On a rejeté toutes les règles comme les tyrans du génie, quoiqu'elles ne soient en effet que ses guides ; on a prêché le néologisme, en soutenant que chacun avait le droit de se faire une langue pour ses pensées, quoique avec ce système on courût risque, au bout de quelque temps, de ne plus s'entendre du tout. On a décrié le goût comme timide et pusillanime, quoique ce soit lui qui enseigne à oser heureusement. Ces nouvelles doctrines ont germé pendant quelque temps dans une foule de têtes, surtout dans celles des jeunes gens : il semblait que le talent et le goût ne pussent désormais se montrer ensemble : on vantait avec une sorte de fanatisme ceux qui avaient, disait-on, *dédaigné d'avoir du goût.*

Et Laharpe observe que les vrais classiques se gardaient de

donner un sens absolu à ces termes *goût* et *génie,* tout en sachant fort bien quel dosage de l'un et l'autre est indispensable. Ces modèles indiscutables feront l'objet des leçons du *Lycée* ; c'est à ces ancêtres reconnus seuls que peut se référer une saine continuation de la tradition littéraire.

> Ici paraîtront ces auteurs immortels que le temps a consacrés, non plus comme dans les écoles, hérissés de tout l'appareil du pédantisme ; non plus comme sur notre théâtre, entourés d'illusions et de prestiges, mais avec la pudeur qui leur est propre, et la simple majesté de leur génie. Ici leurs noms ne seront prononcés qu'avec les témoignages d'une vénération qui n'affaiblira point l'aveu de quelques fautes mêlées à tant de beautés.
>
> J.-F. de Laharpe. « Introduction ». *Lycée, ou Cours de Littérature ancienne et moderne* (Paris, an VII- an XIII).

FRANÇOIS-RENE DE CHATEAUBRIAND
(1768-1848)

Avec moins de coquetterie rétrospective qu'on ne pourrait croire, Chateaubriand déplorait qu'un « mauvais génie » lui eût arraché des mains le bâton du voyageur ou l'épée du soldat et lui eût mis la plume aux doigts. A plus forte raison l'auteur du *Génie du Christianisme* et de l'*Itinéraire* devait-il considérer comme très secondaire son activité intermittente de critique, et la subordonner à ce qui pouvait justifier son œuvre d'écrivain : le « rétablissement des saines doctrines religieuses et monarchiques » ; puis, « dans le silence du monde subjugué », le maintien de « quelques vérités négligées » ; enfin, vis-à-vis de la Légitimité restaurée ou de l'orléanisme triomphant, un combat chevaleresque pour des prestiges méconnus, et une magnifique hypothèque d'outre-tombe pour finir.

Ne lui demandons pas, en conséquence, l'exercice d'un jugement serein ; mais plutôt une sorte de moyen terme entre sa sensibilité d'artiste et ses prédilections d'homme et de partisan. Même lorsqu'il parle d'abandonner « la petite et facile critique des défauts » pour la « grande et difficile critique des beautés », il n'entend pas, à vrai dire, instaurer une critique admirative et s'en tenir au *nil nisi bene*. Un choix préalable permet presque toujours l'appréciation sympathique : celui de la « restauration chrétienne » s'il s'agit des auteurs de son bord ; celui de l'amitié quand il rend compte, au *Mercure de France* dirigé par Fontanes, d'ouvrages de Laborde, de Forbin, de Barante et même de Mme de Staël ; celui d'une gratitude assez informée quand il traite de littérature anglaise — même en dehors de Milton.

Son originalité serait dans ses choix plus que dans son objectivité, et il faut lui savoir gré d'une impartialité relative — due à son sens artiste dans bien des cas — et par-ci par-là à cette veine, démocratique malgré tout, qui courait sous la peau du gentilhomme breton, et ques les *Mémoires d'outre tombe* seront loin de réprimer.

C. Lynes, Jr. « Chateaubriand, revitalizer of the French classics. » *Romanic Review*, XXXI (Dec. 1940), pp. 355-363.

Les jugements que l'on porte sur notre littérature moderne nous semblent un peu exagérés. Les uns prennent notre jargon secret et nos phrases ampoulées pour les progrès des lumières et du génie ; selon eux, la langue et la raison ont fait un pas depuis Bossuet et Racine : quel pas ! Les autres, au contraire, ne trouvent plus rien de passable ; et si on veut les en croire, nous n'avons pas un seul bon écrivain. Cependant, n'est-il pas à peu près certain qu'il y a eu des époques en France où les lettres ont été au-dessus de ce qu'elles sont aujourd'hui ? Sommes-nous juges compétents de cette cause, et pouvons-nous bien apprécier les écrivains qui vivent avec nous ? Tel auteur contemporain dont nous sentons à peine la valeur sera peut-être un jour la gloire de notre siècle. Combien y a-t-il d'années que les grands hommes du siècle de Louis XIV sont mis à leur véritable place ? Racine et La Bruyère furent presque méconnus de leur vivant. Nous voyons Rollin, cet homme plein de goût et de savoir, balancer le mérite de Fléchier et de Bossuet, et faire assez comprendre qu'on donnait généralement la préférence au premier. La manie de tous les âges a été de se plaindre de la rareté des bons écrivains et des bons livres. Que n'a-t-on dit contre le *Télémaque*, contre les *Caractères* de La Bruyère, contre les chefs-d'œuvre de Racine ? Qui ne connaît l'épigramme sur *Athalie* ? D'un autre côté, qu'on lise les journaux du dernier siècle ; il y a plus : qu'on lise ce que La Bruyère et Voltaire ont dit eux-mêmes de la littérature de leur temps : pourrait-on croire qu'ils parlent de ces temps où vécurent Fénelon, Bossuet, Pascal, Boileau, Racine, Molière, La Fontaine, Jean-Jacques Rousseau, Buffon et Montesquieu ?

La littérature française va changer de face ; avec la révolution vont naître d'autres pensées, d'autres vues des choses et des hommes. Il est aisé de prévoir que les écrivains se diviseront. Les uns s'efforceront de sortir des anciennes routes ; les autres tâcheront de suivre les antiques modèles, mais toutefois en les présentant sous un jour nouveau. Il est assez probable que les derniers finiront par l'emporter sur leurs adversaires, parce qu'en s'appuyant sur les grandes traditions et sur les grands hommes, ils auront des guides bien plus sûrs et des documents bien plus féconds.

M. de Bonald ne contribuera pas peu à cette victoire : déjà ces idées commencent à se répandre : on les retrouve par lambeaux dans la plupart des journaux et des livres du jour. Il y a de certains sentiments et de certains styles qui sont pour ainsi dire contagieux, et qui (si l'on nous pardonne l'expression) teignent de leurs couleurs tous les esprits. C'est à la fois un bien et un mal : un mal en ce que cela dégoûte l'écrivain dont on fane la fraîcheur et dont on rend l'originalité vulgaire ; un bien quand cela sert à répandre des vérités utiles.

Chateaubriand. *Mercure de France* (novembre 1802).

Mme DE STAEL
(1766-1817)

Germaine Necker, devenue Mme de Staël, ambassadrice de Suède, sans renoncer à aucun des enthousiasmes qui chez elle tenaient souvent lieu d'opinions et d'idées, ne pouvait manquer d'apporter son témoignage à un débat de cette importance.

Cette « mademoiselle de Sainte-Ecritoire » que, petite fille, son père le grand financier taquinait pour sa manie écrivassière, était-elle mieux faite pour la conversation avec des comparses de choix, pour l'idéologie écrite ou pour la confidence romanesque ? Bien des contemporains, et surtout des contemporaines, jalousaient pour sa célébrité cette femme sans beauté et trouvaient « amphigouriques » ses exposés d'idées, *Essai sur les Fictions*, maintenant *De la Littérature*, plus tard *De l'Allemagne*, et la critiquaient aussi pour ce qui se glissait de revendications passionnées dans *Delphine* et *Corinne*. Elle ripostait fièrement que « ceux qui ne la comprenaient pas n'étaient pas dignes de la lire » : c'est que son indiscutable « féminisme » avant la lettre s'impatientait du rang subordonné auquel était maintenue, par des conventions sociales rétablies après le laisser-aller du Directoire, toute véhémence de femme comme la sienne. Aussi sa foi dans le progrès, dans une ligne ascendante qu'elle découvre jusque dans la raison d'être de la littérature, est-elle avant tout une forme de l'individualisme. Les temps nouveaux qu'elle salue en 1800 — quitte à honnir plus tard le général victorieux devenu un tyrannique empereur — n'ont pas à regarder nostalgiquement en arrière : une émancipation civique ajoute à leur expression littéraire de nouveaux sujets d'inspiration, inconnus des siècles salonniers, tantôt solennels et tantôt licencieux, qui ont précédé le renouvellement du millésime : 1800 n'a qu'à lutter contre le danger de la *vulgarité* — néologisme bon à introduire dans le vocabulaire — et contre d'autres conséquences du mélange des classes, et une littérature régénérée va faire l'admiration du monde par un sens plus fier de la personnalité masculine, par une entente plus pertinente de la personnalité féminine associée à l'autre ou, sinon, confessant avec pathétique son idéal et sa déception qui n'est pas une défaite.

Bien moins artiste que femme d'action, jetant sa véhémence parfois inconsidérée et son intelligence plus ardente que nuancée dans des luttes où l'entraînaient ses enthousiasmes ; héritière à la fois de son compatriote genevois Jean-Jacques pour la revendication des droits de la conscience, et de Condorcet pour la foi en un développement rationnel de l'Humanité, Germaine Necker devenue Mme de Staël se fait historien littéraire pour défendre, en 1800 dans *De la Littérature,* la marche en avant malgré tout, puis ethnographe sentimentale pour l'Italie dans *Corinne,* enquêteuse intellectuelle dans *De l'Allemagne.* Mais au cours d'une existence traversée de mainte aventure passionnée, dominée en même temps par l'amour indéfectible de la liberté, l'étude, la discussion critique, les entretiens et les interviews tiennent une place que pourraient envier bien des « professionnels ». Cette activité, le dogmatisme conservateur aussi bien que la vigilance totalitaire l'estimaient dangereuse ; mais elle atteignait le grand public de l'Empire, puis de la Restauration, par son irrégularité même, par la forme, souvent insupportable de « subjectivité », toujours vivante et palpitante, d'ouvrages variés.

De la Littérature en particulier, rattachant l'effort successif de chaque ère notable à un enrichissement social, religieux ou politique, abandonnant dès lors la simple estimation des qualités de forme, impliquait un sophisme en même temps qu'une vérité. Certes, des institutions sociales changeantes ont avec la littérature des « rapports » variables, mais qui empêchent, par exemple, de déclarer « barbares » les siècles médiévaux qui font à la « courtoisie », à la dévotion et à l'honneur une place nouvelle. Mais, d'autre part, l'équilibre atteint, à certaines époques privilégiées, par le sens du beau, du grand style, de l'humanisme supérieur, n'a pas grand chose à voir avec le « progrès des lumières » ou le simple déroulement du Temps.

La foi qui lui tenait à cœur explique certains épisodes de son existence, de même qu'elle anime les meilleures parties de son œuvre critique :

« Je sais combien il est facile de me blâmer, de mêler ainsi les affections de mon âme aux idées générales que doit contenir ce livre ; mais je ne puis séparer mes idées de mes sentiments ; ce sont les affections qui nous excitent à réfléchir, ce sont elles qui peuvent seules donner à l'esprit une pénétration rapide et profonde... »

J. Henning. *L'Allemagne de Mme de Staël et la polémique romantique* (Paris, 1929).
C. Pellegrini. *Les Idées littéraires de Mme de Staël et le romantisme* (Ferrara, 1929).
A. Soumet. *Les Scrupules littéraires de Mme de Staël* (Paris, 1814).

La première partie de cet ouvrage contiendra une analyse morale et philosophique de la littérature grecque et latine ; quelques réflexions sur les conséquences qui sont résultées, pour l'esprit humain, des invasions des peuples du Nord, de l'établissement de la religion chrétienne et de la renaissance des lettres ; un aperçu rapide des traits distinctifs de la littérature moderne, et des observations plus détaillées sur les chefs-d'œuvre de la littérature anglaise, italienne, allemande et française, considérée selon le but général de cet ouvrage, c'est-à-dire d'après les rapports qui existent entre l'état politique d'un pays et l'esprit dominant de la littérature. J'essayerai de montrer le caractère que telle ou telle forme de gouvernement donne à l'éloquence, les idées de morale que telle ou telle croyance religieuse développe dans l'esprit humain, les effets d'imagination qui sont produits par la crédulité des peuples, les beautés poétiques qui appartiennent au climat, le degré de civilisation le plus favorable à la force ou à la perfection de la littérature, les différents changements qui se sont introduits dans les écrits comme dans les mœurs par le mode d'existence des femmes avant et depuis l'établissement de la religion chrétienne, enfin le progrès universel des lumières par le simple effet de la succession des temps : tel est le sujet de la première partie.

Dans la seconde, j'examinerai l'état des lumières et de la littérature en France depuis la Révolution, et je me permettrai des conjectures sur ce qu'elles devraient être et sur ce qu'elles seront si nous possédons un jour la morale et la liberté républicaines... Ce sujet ramène nécessairement quelquefois à la situation politique de la France depuis dix ans ; mais je ne la considère que dans ses rapports avec la littérature et la philosophie, sans me livrer à aucun développement étranger à mon but.

En parcourant les révolutions du monde et la succession des siècles, il est une idée première dont je ne détourne jamais mon attention, c'est la perfectibilité de l'espèce humaine. Je ne pense pas que ce grand œuvre de la morale ait jamais été abandonné ; dans les périodes lumineuses, comme dans les siècles de ténèbres, la marche graduelle de l'esprit humain n'a point été interrompue.

Ce système est devenu odieux à quelques personnes par les conséquences atroces qu'on en a tirées à quelques époques désastreuses de la révolution ; mais rien cependant n'a moins de rapport avec de telles conséquences que ce noble système. Comme la nature fait quelquefois servir les maux partiels au bien général, de stupides barbares se croyaient des législateurs suprêmes en versant sur l'espèce humaine des infortunes sans nombre, dont ils se promettaient de diriger les effets, et qui n'ont amené que le malheur et la destruction. La philosophie peut quelquefois considérer les souffrances passées comme des leçons utiles, comme des moyens réparateurs dans la main du temps ; mais cette idée n'autorise point à s'écarter soi-même, en aucune circonstance, des lois positives de la justice. L'esprit humain ne pouvant jamais connaître l'avenir avec certitude, la vertu doit être sa divination. Les suites quelconques des actions des hommes ne sauraient ni les rendre innocentes, ni les rendre coupables ; l'homme a pour guide des devoirs fixes, et non des combinaisons arbitraires, et l'expérience même a prouvé qu'on n'atteint point au but moral qu'on se propose, lorsqu'on se permet des moyens coupables pour y parvenir.

Après une autre apologie du « progrès indéfini » :

J'adopte de toutes mes facultés cette croyance philosophique... Je suis donc revenue sans cesse, dans cet ouvrage, à tout ce qui peut prouver la perfectibilité de l'espèce humaine. Ce n'est point une vaine théorie, c'est l'observation des faits qui conduit à ce résultat.

Mme de Staël. Discours préliminaire, *De la Littérature considérée dans ses rapports avec les Institutions sociales*. (Paris, 1842), pp. 238-240.

Mme de Staël à Charles de Villers, le 1er août 1802 :

...Il faut distinguer dans ce XVIIIe siècle, dont les esclaves disent tant de mal aujourd'hui que les amis de la liberté doivent le défendre, il faut distinguer la philosophie de Diderot et d'Helvétius de celle de Rousseau, de Montesquieu et même de Voltaire dans son bon temps. Les uns ont voulu détruire un grand ennemi, le catholicisme, les autres nous ravir le premier des biens, les idées religieuses, les uns et les autres marchaient ensemble pour faire la guerre, mais ils ont suivi des routes très différentes dans les opinions qu'ils voulaient mettre à la place des superstitions vaincues. Quant à Condillac, c'est un homme qui me paraît avoir parfaitement raisonné dans la branche de la métaphysique qu'il a traitée ; il inscrivait pour ainsi dire à la porte toutes les idées qui peuvent entrer dans la tête de l'homme, mais il ne s'est point occupé de la faculté qui les change à sa manière ; il me semble que l'on aurait pu faire une supposition métaphysique inverse de la sienne. Lorsqu'il représente une statue gagnant des idées à mesure qu'elle acquiert un sens de plus, on aurait pu calculer tout ce que l'homme privé successivement de chacun de ses sens pourrait non seulement conserver mais acquérir d'idées sans eux.

...le goût arbitraire, le goût du monde mérite tout ce que vous en dites, mais le bon goût est Grec, Romain, Français, quelquefois Allemand, Anglais, car il se trouve dans toutes les beautés de ces littératures, le bon goût est la vérité, la mesure et le choix ; c'est quand les Allemands sont fleuris et affectés qu'ils sont de mauvais goût. Ce n'est point les hardiesses heureuses que je condamne, à Dieu ne plaise ! mais c'est de se faire vif, pour me servir de l'expression d'un Allemand très connu en France. Je crois avec vous que l'esprit humain qui semble à présent voyager d'un pays à l'autre est à présent en Allemagne...

M. Isler. *Briefe von Benjamin Constant, Gœthe, Mad. de Staël und vielen*

Anderen (Hamburg, 1879), pp. 269-271.

« Le génie, répondit Corinne, est essentiellement créateur ; il porte le caractère de l'individu qui le possède. La nature, qui n'a pas voulu que deux feuilles se ressemblassent, a mis encore plus de diversité dans les âmes ; et l'imitation est une espèce de mort, puisqu'elle dépouille chacun de son existence naturelle.

— Ne voudriez-vous pas, belle étrangère, reprit le comte d'Erfeuil, que nous admissions chez nous la barbarie tudesque, les *Nuits* d'Young des Anglais, les *concetti* des Italiens et des Espagnols ? Que deviendraient le goût, l'élégance du style français, après un tel mélange ? » Le prince Castel-Forte, qui n'avait point encore parlé, dit : « Il me semble que nous avons tous besoin les uns des autres ; la littérature de chaque pays découvre à qui sait la connaître une nouvelle sphère d'idées. C'est Charles-Quint lui-même qui a dit qu'*un homme qui sait quatre langues vaut quatre hommes.* Si ce grand génie politique jugeait ainsi les affaires, combien cela n'est-il pas plus vrai pour les lettres ! Les étrangers savent tous le français ; ainsi leur point de vue est plus étendu que celui des Français, qui ne savent pas les langues étrangères. Pourquoi ne se donnent-ils pas plus souvent la peine de les apprendre ? Ils conserveraient ce qui les distingue, et découvriraient ainsi quelquefois ce qui peut leur manquer.

— Vous m'avouerez au moins, reprit le comte d'Erfeuil, qu'il est un rapport sous lequel nous n'avons rien à apprendre de personne. Notre théâtre est décidément le premier de l'Europe, car je ne pense pas que les Anglais eux-mêmes imaginassent de nous opposer Shakespeare. — Je vous demande pardon, interrompit M. Edgermond, ils l'imaginent. — Et, ce mot dit, il rentra dans le silence. — Alors je n'ai rien à dire, continua le comte d'Erfeuil avec un sourire qui exprimait un dédain gracieux, chacun peut penser ce qu'il veut, mais enfin je persiste à croire qu'on peut affirmer sans présomption que nous sommes les premiers dans l'art dramatique : et quant aux Italiens, s'il m'est permis de parler franchement, ils ne se doutent seulement pas qu'il y ait un art dramatique dans le monde. La musique est tout chez eux, et la pièce n'est rien...

« Le seul genre qui appartienne vraiment à l'Italie, ce sont les arlequinades : un valet fripon, gourmand et poltron ; un vieux tuteur dupé, avare ou amoureux, voilà tout le sujet de ces pièces. Vous conviendrez qu'il ne faut pas beaucoup d'efforts pour une telle invention, et que *le Tartufe et le Misanthrope* supposent un peu plus de génie. »

[Corinne a beau jeu, après cette sortie du ci-devant Français, à démontrer que la gaîté de la *commedia dell'arte* est loin d'épuiser le mérite dramatique de l'Italie.]

Mme de Staël. *Corinne, ou l'Italie*, Livre VII, ch. I et II (Ed. Paris, 1931), pp. 125-128.

ETIENNE DE SENANCOUR
(1770-1846)

On a pu dire qu'en face de Chateaubriand et de son envol d'aigle blessé mais tenace, Sénancour était comme « l'oiseau plaintif incapable de se détacher de son rocher, faute d'ailes vigoureuses ». C'est aussi à la sagesse contemplative de l'Inde qu'il convient de comparer, dans *Obermann*, les « *Rêveries sur la nature primitive de l'homme* », etc. une résignation clair-voyante, le sens douloureux du flux des choses, et la palpitation ralentie qu'on accuserait de pessimisme et d'atonie vitale, si l'ascétisme n'en était en réalité banni au bénéfice d'une modéra-tion sagace souvent digne de l'antique.

Destiné d'abord à l'état ecclésiastique et menant pendant la Révolution une calme existence dans les hautes vallées de la Suisse et aux environs de Fribourg où il devait se marier, Sénan-cour devait collaborer, de retour en France, à divers périodiques. Sans faire de concessions de principes à la religiosité renaissante, il tenait à lutter, lui aussi, contre la « corruption des mœurs » et les déformations de l'esprit public à quoi étaient dûs les excès de la Révolution. Haine des villes immorales, indifférence à l'argent, appel incessant à la simplicité « qui seule est har-monique », à la modération dans les désirs normaux, au respect de la femme et de l'amour : tels sont les *leitmotifs* — le mot convient fort à ce dégustateur des « sons romantiques » — de sa critique des lettres associées aux mœurs, au tournant des deux siècles et, d'ailleurs, durant toute une existence à la fois incolore et vigilante. On sait que pour Matthew Arnold *Obermann* — confession d'individualisme fort éloignée de toute prétention de « surhomme » — devait être l'un des livres les plus significatifs de la littérature moderne.

M. Arnold. *Essays*, third series (London, 1910).
A. Monglond. « Sénancour en Suisse », *Revue d'Histoire littéraire de la France*, X (1930), 634.

I. E. Sells. *Matthew Arnold and France* (Cambridge, 1935).
Sénancour. *Obermann* (Paris, 1931). G. Michaut, éd.

Quelle manière adopterai-je ? Aucune. J'écrirai comme on parle, sans y songer ; s'il faut faire autrement, je n'écrirai point. Il y a cette différence néanmoins, que la parole ne peut être corrigée, au lieu que l'on peut ôter des choses écrites ce qui choque à la lecture.

Dans des temps moins avancés, les poètes et les sophistes lisaient leurs livres aux assemblées des peuples. Il faut que les choses soient lues selon la manière dont elles ont été faites, et qu'elles soient faites selon qu'elles doivent être lues. L'art de lire est comme celui d'écrire. Les grâces et la vérité de l'expression dans la lecture sont infinies comme les modifications de la pensée ; je conçois à peine qu'un homme qui lit mal puisse avoir une plume heureuse, un esprit juste et vaste. Sentir avec génie, et être incapable d'exprimer, paraît aussi incompatible que d'exprimer avec force ce qu'on ne sent pas.

Quelque parti que l'on prenne sur la question si tout a été ou n'a pas été dit en morale, on ne saurait conclure qu'il n'y ait plus rien à faire pour cette science, la seule de l'homme. Il ne suffit pas qu'une chose soit dite, il faut qu'elle soit publiée, prouvée, persuadée à tous, universellement reconnue. Il n'y a rien de fait tant que la loi expresse n'est pas soumise aux lois de la morale ; tant que l'opinion ne voit pas les choses sous leurs véritables rapports.

Il faudra s'élever contre le désordre, tant que le désordre subsistera. Ne voyons-nous pas tous les jours de ces choses qui sont plutôt la faute de l'esprit que la suite des passions, où il y a plus d'erreurs que de perversité, et qui sont moins le crime d'un particulier qu'un effet presque inévitable de l'insouciance ou de l'ineptie publique ?

De Sénancour. *Obermann*, II « Lettre LXXX, le 2 août 1801 », (éd. critique de Michaut), p. 171.

M.-J. CHENIER
(1764-1811)

« Les poètes chrétiens sont les seuls inspirés », avait annoncé en ricanant, dans les *Nouveaux Saints* (1802), cet irréductible adversaire du renouveau spiritualiste. Membre de la plupart des législatures successives, M.-J. Chénier reste toujours attaché, forme et fond, à une littérature rationaliste, déclamatoire et humanitaire.

En achevant un vaste tableau dont le temps ne nous permet de tracer aujourd'hui qu'une esquisse incomplète, mais au moins fidèle, des considérations générales sur l'époque entière nous arrêteront un moment. Elles se communiquent aux littératures ces secousses profondes qui remuent et décomposent les nations vieillies, en attendant que le génie puissant vienne les recomposer et les rajeunir. Nous suivrons, dans les diverses parties de l'art d'écrire, les effets du mouvement universel. Nous chercherons quel fut sur l'époque l'ascendant du dix-huitième siècle, et comment l'époque, à son tour, put influer sur l'avenir. Nous avons indiqué, nous prouverons qu'elle mérite une étude approfondie. En vain les ennemis de toute lumière, proscrivant la mémoire illustre du siècle philosophique, annoncent chaque jour une décadence honteuse, qu'ils opéreraient si leurs cris imposaient silence au mérite, et qui serait démontrée s'ils avaient le privilège exclusif d'écrire. Il sera facile de confondre ces assertions injurieuses, dont quelques étrangers crédules auraient tort de se prévaloir. Non, cette étrange catastrophe n'est point arrivée. La France agrandie n'est pas devenue stérile en talents. Nous rassemblerons sous les yeux des Français les éléments actuels de cette littérature française, dont une envieuse ignorance dénigrait, à chaque époque, et les chefs-d'œuvre et les classiques, mais qui fut toujours honorable, et qui même aujourd'hui, malgré des pertes nombreuses, demeure encore, à tous égards, la première littérature de l'Europe.

Et si l'esprit de parti, décoré, dans les temps de trouble, du nom d'opinion publique, avait autrefois donné de fausses directions aux idées les plus généreuses ; si ce même esprit, non moins funeste en agissant d'une autre manière et par d'autres hommes, avait depuis arrêté l'essor des talents et paralysé la pensée, il nous resterait des espérances qui ne seront point déçues. L'art d'écrire s'applique à tous les arts ; il facilite l'accès de toutes les sciences ; il embrasse toutes les idées ; il les éclaircit par la justesse, il les étend par la précision. Il présente en première ligne ce qui touche de plus près les hommes mémorables : l'histoire qui raconte les grandes actions, l'éloquence qui les célèbre, et la poésie qui les chante. Il refleurira dans le siècle qui commence.

M.-J. Chénier. « Introduction », *Tableau historique de l'Etat et des Progrès de la Littérature française depuis 1789*, 2e édition (Paris, 1817), pp. xxii-xxiv.
Rédigé à la demande de la deuxième Classe de l'Institut.

Suivait, en douze chapitres assez inégaux, un « dosage » de la production française — et étrangère incidemment, pour un rappel de *Werther* et une critique de *Wilhelm Meister* voisinant avec les romans d'Auguste Lafontaine —, depuis 89. Intention louable s'il s'agissait de justifier une production assez abondante, et aussi de défendre en cours de route Voltaire et Jean-Jacques ; partialité, aisément percée à jour si *la Pucelle* de Voltaire égale l'Arioste et si *Atala* est prise à parti pour des détails de pittoresque. La forme pseudo-classique de Delille fait encore l'affaire du frère d'André Chénier — d'*Abel* Chénier, est-on presque tenté de dire. La philosophie issue de Condillac, Cabanis et Destutt de Tracy est secrètement opposée, pour l'inspiration qui en peut sortir comme pour sa valeur intrinsèque, aux principes spiritualistes trop exclusivement proclamés ailleurs ; et si, dans le milieu de Joubert on pensait avec celui-ci que « nous sommes éclairés parce que Dieu luit sur nous », la raison humaine semblait à des philosophes, devenus plus ou moins « idéologues », très suffisante pour une telle illumination.

JULIEN-LOUIS GEOFFROY
(1743-1814)

Convaincu, ainsi qu'on va le voir, de la nécessité d'une critique sévère, et pas du tout de la louange complaisante des beautés et de l'indulgente rémission des *défauts*, Julien Louis Geoffroy a-t-il vraiment aidé le théâtre français sous l'Empire à retrouver la voie difficile tracée par les maîtres ? Le *Père Feuil-*

leton, ancien élève des Jésuites à Rennes et à Paris, professeur de rhétorique au collège de Navarre et au collège Mazarin, émergeant des années révolutionnaires pour créer, aux *Débats,* une critique suivant de près la production théâtrale, a-t-il barré la route au mélodrame et à la pitrerie, servi d'auxiliaire aux tentatives les plus nobles de persistance classique, ou simplement accompagné au cimetière une littérature qui aurait pu envisager plus noblement les exigences nouvelles des temps ? Du moins Geoffroy, inébranlable dans sa haine des pauvretés, des bêtises, et surtout des gâcheurs qui exercent leur métier avant de l'apprendre, des prétentieux qui forcent leur talent et des heureux indignes de leur bonheur, a-t-il manié une férule équitable en plein désarroi du goût, en pleine rééducation des publics — celui de la Comédie Française tout le premier ? Du moins a-t-il mis à une juste place Corneille, Racine et Voltaire auteurs dramatiques — principalement en détrônant ce dernier...

Ch. M. Desgranges. *Geoffroy et la Critique dramatique sous le Consulat et l'Empire* (Paris, 1897).

Quand la gendarmerie fait bien son devoir, les voleurs crient que la terreur est sur les grands chemins ; quand la critique sévit contre l'insolente médiocrité, les barbouilleurs de papier crient que la terreur est dans la littérature, que les lettres sont opprimées, que les talents sont écrasés sous un joug de fer. J'imagine bien que les chenilles doivent se plaindre aussi de la tyrannie, quand on les empêche de ronger les arbres. Les mauvais auteurs sont une vermine qui ronge la société et l'Etat... Toute république sagement constituée doit redouter cette racaille turbulente qui, n'ayant rien à faire, s'ameute dans les tripots littéraires, corrompt l'esprit public, égare l'opinion, répand dans la société des idées fausses qui sont autant de germes de discorde. Tous ces fainéants, soi-disant poètes ou écrivains, doivent attirer l'attention de la police autant que les aventuriers, les aigrefins, les quidams, les chevaliers d'industrie, et tous les gens sans aveu qui n'attendent qu'une bagarre pour faire un coup de main.

Et après un hommage aux auteurs dont s'honore la France ·

CRITIQUE DE RECONSTRUCTION

Quant à la basse-cour littéraire, quant aux champions très dignes d'elle qui prennent sa défense dans leurs rapsodies appelées journaux, j'aurais bien mérité de la patrie si je réussissais à la purger de cette foule d'insectes qui renaissent à mesure qu'on les écrase, et qu'on peut regarder comme une plaie de l'Etat.

J. L. Geoffroy. *Grande conspiration des petits barbouilleurs.* « Variété » des *Débats* (25 janvier 1804).

Chapitre Deux

CRITIQUE RETROSPECTIVE

LES DEBUTS DE L'HISTOIRE LITTERAIRE

> De cette façon on verra facilement les progrès des différentes parties de la littérature et de quelle manière chacune a pu agir sur les autres, les aider ou leur nuire.
>
> *Boissonade*

Les curiosités médiévistes, surtout représentées, au XVIIIe siècle, par les Bénédictins de Saint-Maur, rédacteurs de l'*Histoire littéraire de la France,* et par les membres de l'Académie des Inscriptions et Belles-Lettres, avaient besoin de passer à ce stade de la connaissance qui propose des connexions entre des textes, des noms, des dates, que nomenclature et chronique se contentaient de relever et d'aligner sans grand souci ni recherche d'interdépendances.

On a pu dire que la Révolution française, en accentuant les préoccupations rétrospectives et le goût de la recherche des causes, donnait aux esprits une tournure que n'ignoraient pas les spécialistes d'autres époques, mais qui devait contribuer à faire du XIXe siècle « le siècle de l'histoire », avec tout, en bien et en mal, ce que ce terme comporte.

La vogue du « primitif », dont avaient profité tant de résurrections, de rééditions, d'exhumations et même de supercheries, apporte également, avec le goût du « bon vieux temps », des éléments d'investigation moins détachée : la nouvelle apprécia-

tion sympathique de la Bible, d'Homère, des monuments de
l'Inde et de la Perse, du folklore, puis d'Ossian et de ses analogues, pose le problème des « origines » d'une façon qui
souvent déplacera l'axe même de l'explication des choses de
l'art et des lettres.

CLAUDE FAURIEL
(1772-1844)

La personnalité de Claude Fauriel et la nature décousue de
ses années d'apprentissage devaient faire de lui l'un des fondateurs authentiques d'une discipline promue à un assez bel avenir.
Ernest Renan a pu dire de lui que ce prédécesseur involontaire
avait « devancé sur presque tous les points la critique moderne ».
Cévenol d'origine, né à Saint-Etienne juste à temps pour sortir
d'adolescence quand se renouvelle une société, il doit sa première
éducation aux Oratoriens ; admirateur d'Ossian, d'Homère
« primitif », traducteur du *Vicaire de Wakefield,* ami du plein
air montagnard, il garde un fonds indéniable de fraîcheur qui
lui fait traverser sans dommage des fonctions bureaucratiques,
des affectations militaires (à l'Armée des Pyrénées et à l'Armée
des Alpes). Il y a de l'autodidacte dans l'énergie avec laquelle
il se familiarise avec des langues telles que l'italien et l'arabe,
nécessaires à son principal dessein, une histoire de la poésie au
moyen âge. En même temps, une sensibilité fort vive fera de cet
érudit un ami pour Manzoni et bien d'autres, un confident affec-
tueux pour Mme de Condorcet, miss Clark et diverses femmes,
en un temps où les agréments sociaux avaient du mal à reprendre
le dessus sur une certaine indifférence à la vie de société amène
et diserte.

Un des mérites évidents de Fauriel est d'avoir rattaché — sans
romantisme excessif à l'allemande — la vie des littératures à des

traditions vivant dans le peuple « illettré ». Ses *Chants populaires de la Grèce moderne*, publiés en 1824 et 1825, devaient aider la cause hellénique au point de valoir à Fauriel l'épithète du « meilleur des philhellènes » lors de sa mort. L'Anglais Bowring en même temps que le vieux Gœthe ont admiré ces recueils de persistant hellénisme en dehors de la Grèce subjuguée. Pour Sainte-Beuve, ses cours de la Faculté des Lettres de Paris, qui devaient aboutir à l'*Histoire de la Littérature provençale* (3 volumes publiés en 1840) ont contribué à faire pénétrer des méthodes plus objectives dans la présentation du passé. Comme le dira l'orientaliste Jules Mohl : « L'école... qui ne s'attachait qu'aux chefs-d'œuvre de quelques littératures pour les juger selon des règles absolues » dut céder plusieurs de ses positions dans les esprits jeunes et curieux devant son influence et ses démonstrations. « C'est... une critique littéraire née d'une école philosophique, d'une école déjà plus psychologique qu'idéologique, c'est une critique au vrai sens d'Aristote, qui parle chez nous pour la première fois », dit Sainte-Beuve à propos du « discours » mis par Fauriel en tête de sa traduction de la *Parthénéide* de Baggessen, et où il distingue les genres poétiques « non d'après la considération de leur forme extérieure, mais d'après la nature des choses qu'ils expriment et de l'impression surtout qu'ils produisent ».

Plus tard, quand seront publiées les notes d'un cours ultérieur, la première leçon donnera ce qui était évidemment la méthode suivie par Fauriel à travers sa carrière ; elle se gardait d'isoler la linguistique — qu'il était loin d'ignorer — des autres faits humains qui la conditionnent et la font vivre :

> « Le sentiment, le sens du beau et les autres facultés qui se développent en nous par la culture des lettres et des arts, se développent, comme toutes les facultés humaines, selon certaines lois nécessaires... Le climat, le sol, l'état social, la croyance religieuse, les relations de commerce, les résultats des guerres et des conquêtes, et mille autres circonstances, modifient à l'infini le fonds

commun, les données primitives de toutes les littératures, pour communiquer à chacune une physionomie locale, un caractère d'individualité, des beautés et des défauts propres, un rang déterminé dans l'échelle de l'art.

« C'est sous ce point de vue que l'histoire des littératures se rattache d'une manière intime et directe à l'histoire générale de la civilisation. »[1]

Sans parler de Sainte-Beuve, qui doit à cet historien, semble-t-il, l'abandon décisif de toute fausse « dogmatisation » *a priori*, Fauriel a certainement contribué à faire admettre la possibilité d'écrire l'Histoire littéraire comme une discipline autonome, en même temps que strictement rattachée à des causes que l'historien tout court ne voit souvent que dans leur aspect matériel. D'où l'importance pratique (en pleine lutte pour la liberté hellénique) de ses *Chants populaires* grecs. D'où l'intérêt attaché par Gœthe, Chateaubriand, Guizot, W. Schlegel, Manzoni, Fr. Bopp, aux travaux de cet apparent « érudit ». D'où la flatteuse déclaration par laquelle James Mackintosh, considérant le progrès fait depuis Hume par ce genre de recherches, en saluait la distinction en 1813 : « The philosophy of literature is one of the most recently opened fields of speculation. »

Pour que l'histoire littéraire soit traitée convenablement, il faut, je crois, la partager en certains âges dont chacun ait un génie, un caractère bien particulier. Les limites de ces âges doivent être fixées d'après les grands changements arrivés dans les lettres, et non d'après les mouvements politiques, car, quoique souvent les révolutions de la littérature et celles de la chose publique se confondent, le contraire, cependant, se remarque aussi quelquefois. Dans la disposition des écrivains de chaque âge, l'ordre chronologique ne sera pas uniquement considéré : les écrivains de chaque genre pourront former autant de classes, et ces classes être distribuées suivant le plus ou moins, d'influence que chaque genre aura exercé sur les autres. De cette façon on verra facilement les progrès des différentes parties de la littérature et de quelle manière chacune a pu agir sur les autres, les aider ou leur nuire.

1. J.-B. Galley. *Claude Fauriel* (Paris et Saint-Etienne, 1909), p. 330.

P.-L. GINGUENE
(1748-1816)

Ni la personnalité, ni l'œuvre de Ginguené ne semblaient de
nature à passer de la zone réticente de l'érudition à une région
plus active de l'esprit. Sa personnalité, un peu effacée et in-
timidée, dirait-on, par les événements de la Révolution, semble
exprimée au juste par ses *Fables*, son *Journal*, des traductions
de la poésie italienne. Mais son œuvre, une *Histoire d'Italie* en
9 volumes (1811-19) qu'avait précédés un Cours à l'Athénée, a
le mérite de ne rien céder à l'apostasie politique, à une déférence
quelconque à des maîtres ou à des courants que les « girouettes »
du temps suivaient trop souvent. Le meilleur témoignage de la
vitalité de sa présentation de la Renaissance italienne, c'est que
Musset lui devra son Machiavel des *Vœux stériles* et son *Lorenzo
de Medicis* : supériorité que son contemporain suisse Sismondi
aurait pu revendiquer pour ses *Républiques italiennes,* si importantes pour Stendhal et plus tard Burckhardt et Nietzsche.

Machiavel et ses *Discours sur la première décade de Tite-Live.*

J'ai dit que dans cet ouvrage écrit pour des républicains, il était
beaucoup plus d'accord que dans l'autre avec la morale ; il y
paraît même quelquefois avoir pris à tâche de démentir ses premières maximes, ou du moins d'avertir qu'il ne les a établies que
pour ces princes nouveaux, qui, de quelque manière qu'ils s'y
prennent, ne peuvent être que des tyrans.

Tantôt, parlant de la véritable gloire, il verse la honte et le
blâme sur ceux qui, pouvant se faire un honneur immortel en
fondant ou une république ou une monarchie régulière, se déci-
dent pour une tyrannie...

Tantôt répétant quelques-uns des conseils qu'il a donnés à un
nouveau prince, non comme bons en eux-mêmes, mais comme les
seuls qui convinssent à ce prince, dans la position où il s'était mis
en usurpant le pouvoir, il ajoute, du ton le plus propre à détourner
d'une telle entreprise : « Ces moyens sont cruels et contraires à
la vie, non seulement d'un chrétien, mais d'un être humain. Tout
homme, quel qu'il soit, doit les fuir ; et il vaut mieux vivre dans

une condition privée que d'être roi pour la ruine de tant d'hommes. Néanmoins celui qui ne veut pas prendre la route du bien doit, s'il veut se maintenir, entrer dans ce chemin du mal. »

Tantôt enfin, comme s'il craignait qu'on ne se trompât sur ce qu'il a dit ailleurs de la ruse, il ne veut pas qu'on le soupçonne de confondre, avec les ruses de guerre qu'il approuve, la perfidie qui fait rompre la foi donnée et les traités conclus. « Cette sorte de ruse, dit-il, peut bien quelquefois vous faire acquérir un état, un royaume entier, mais elle ne vous procurera jamais de la gloire. » (Liv. III, ch. XL).

Mais il lui arrive encore trop souvent d'approuver les crimes les plus odieux ou les plus vils. Romulus, massacrant son frère, et consentant ensuite à l'assassinat de Tatius, son associé au trône, est complètement justifié par des considérations de bien public, attendu que, pour fonder un état, il est nécessaire d'être seul. Brutus contrefaisant l'insensé pour tromper la tyrannie, et se résignant à servir de jouet au fils de Tarquin, le conduit par une série d'idées qui lui appartiennent plus qu'à Tite-Live, à conseiller aux ennemis secrets d'un prince, qui ne sont pas assez forts pour l'attaquer ouvertement, de s'insinuer adroitement dans son amitié, d'épier ses goûts, de prendre part à ses plaisirs : moyen doublement avantageux, dit-il, puisque d'abord il vous fait partager sans aucun risque la vie agréable du prince, et qu'ensuite il vous procure l'occasion favorable pour vous venger de lui. Ce moyen est celui que Lorenzino employa quelques années après pour asservir son cousin, le duc Alexandre de Médicis ; Alexandre était un odieux tyran, mais il n'y a certainement rien de plus lâche que de donner ou de suivre un semblable conseil...

Ce mélange du mal avec le bien désole dans la lecture d'un si bon ouvrage...

Ginguené. *Histoire littéraire d'Italie* VIII (Paris, 1824), p. 145.

CHAPITRE TROIS

CRITIQUE DE MOUVEMENT

> Que les adversaires du romantisme prennent
> garde : deux brochures par an comme celle de
> M. de Stendhal pourraient ébranler leur empire.
>
> *le Globe*, 7 avril 1825

Rien de plus confus, on le sait, que le débat engagé *pour* ou
contre le Romantisme, surtout après que la Restauration eut
rendu à la Presse une liberté au moins provisoire, et que le retour
d'Emigration eut ajouté, à de vagues impatiences, des initiations
et des partis pris personnels qui réclameront leur expression
dans les lettres françaises.

Le besoin du « mouvement » semble, au fameux « mal du
siècle », la solution nécessaire. Mais quel mouvement ? La
critique, autant que les œuvres poétiques et théâtrales, contribuait à l'ardeur de la lutte — et à son obscurité. Fallait-il décidément en revenir à une « restauration » de la littérature, chercher
dans les traditions catholiques et dans un médiévisme de commande l'inspiration propre au renouvellement souhaité (*Muse
française*) ? Devait-on maintenir les résultats acquis, mais
donner une expression authentique à un individualisme plus
averti, à des qualités civiques fondées sur l'histoire (*Minerve*) ?
En tout cas, la relativité du goût (*Globe, Mercure*, etc.), était
un fait démontré et propice à bien des expériences, guidées par
une meilleure connaissance des chefs-d'œuvre étrangers. Et
d'ailleurs (P. Leroux dans *le Globe*) il était visible qu'un
style nouveau ne pouvait manquer de conférer, à la poésie contemporaine tout au moins, une couleur toute nouvelle.

On va lire la plus nette de ces revendications en faveur d'un

romantisme chrétien et méditatif, d'une *littérature « de restauration »* en somme, préconisée par beaucoup de guides avisés de
l'opinion, surtout aux environs de cette cérémonie symbolique :
le sacre de Charles X dans la cathédrale de Reims, où Nodier et
Hugo, entre autres, avaient été conviés. Guttinguer, qui en est
l'auteur (1785-1866), n'a guère été qu'un comparse de l'action
romantique : son attitude religieuse, aux heures où se définis-
saient les programmes, n'en est que plus significative en 1824.

Un an plus tard, quand d'autres opinions se sont fait jour,
le brave Ulrich écrit dans la *Préface* de ses *Mélanges poétiques,*
2ᵉ édition :

> A parler franchement, je me croyais romantique ! j'avais pensé
> que la poésie rêveuse, tendre et méditative, doucement religieuse,
> continuerait particulièrement le genre ; mais depuis que j'ai lu
> M. de Stendhal, je ne sais plus où j'en suis. Le Romantisme, c'est
> le genre clair, vif, simple, allant droit au but ; et moi qui croyais
> l'avoir rencontré dans le *Génie du Christianisme,* dans *Corinne,*
> dans *les Méditations poétiques,* dans *Eloa,* dans les *Odes* de M.
> Victor Hugo !
>
> La guerre que l'on fait aux romantiques vient, chez les uns, de
> ce qu'ils ne les ont pas lus, chez les autres, de ce qu'ils ne les
> comprennent pas.
>
> Il y a, chez les premiers, préjugé et prévention ; chez les autres,
> difficulté et paresse à se faire à de nouvelles idées quand les
> anciennes leur suffisent.
>
> Je crois qu'on arriverait bien vite à un accommodement, à une
> tolérance, à quelque chose de mieux peut-être, si on étudiait avec
> quelque soin l'intime pensée des poètes romantiques et les grands
> desseins dont quelques-uns sont pénétrés.
>
> Mais, jusqu'à ce jour, j'ai cru remarquer qu'on choisissait les
> défauts de la littérature romantique pour la juger ; tactique com-
> mode, mais peu loyale, et qu'il serait facile d'imiter. Mais qui
> est-ce qui penserait à proscrire Racine, parce qu'il a fait *Alexandre,
> la Thébaïde,* et *brûlé Pyrrhus de plus de feux qu'il n'en allume ?*
> Est-ce parce que vous avez parmi les classiques les Campistron, les
> Pradon et leurs élèves, que je m'éloignerai d'eux ? Non, sans
> doute ; car, comme l'a dit un homme de beaucoup d'esprit :

« Passez-nous nos fous, nous vous passerons vos imbéciles. »

Ce n'est donc pas par haine des auteurs appelés classiques que je suis romantique, mais parce qu'il leur manque, selon moi, d'avoir été de leur temps, de s'être montrés plutôt Grecs, Romains, païens, que Français et chrétiens. Tel est le premier point de différence à établir.

Je déclare, avec les romantiques, me mettre en révolte contre la mythologie, et revendiquer comme nôtre cette légende du grand prévôt des classiques:

« Rien n'est beau que le vrai, le vrai seul est aimable. »

Je me demande si cette devise ne nous est pas plus légitimement acquise qu'à ceux qui s'attachent aux fictions d'Hésiode et aux mensonges gracieux d'Ovide.

Et serions-nous si coupables de vouloir qu'enfin l'aurore puisse se lever sans sortir des bras de Titon, et le soleil se coucher sans descendre dans ceux d'Amphytrite ?

Le serions-nous davantage, de permettre à la poésie de méditer, de réfléchir sur les destinées secrètes de l'homme (principale mission de la littérature romantique) après avoir tant raconté de faits et d'événements ?

Il est permis de croire, Messieurs, que des esprits comme Racine et Boileau nous eussent aidé dans cette lutte sacrée où nous avons le vrai Dieu pour nous. Ils eussent compris, comme les chefs de la nouvelle école, que les sujets de l'antiquité étaient épuisés, que les métaphores, les allégories, les combats de l'antique mythologie étaient à bout, que la part de la littérature du paganisme était faite, qu'elle était immense, riche, délicieuse, mais qu'elle laissait maintenant nos cœurs froids et désenchantés de choses qui, tout admirables qu'elles sont, n'apaisent pas la soif de connaître et de jouir dont le cœur de l'homme est plein.

Ulrich Guttinguer. « Un Mot sur la Littérature romantiques », Discours prononcé à l'Académie royale des Sciences, Belles-Lettres et Arts de Rouen, le 30 janvier 1824, *Du Classique et du Romantique* (Rouen, 1826) pp. 41-43.

CHARLES NODIER
(1780-1844)

Il y a, chez Nodier, tant d'aptitudes diverses, une curiosité si aventureuse, et (il faut l'avouer) un dilettantisme si amusé qu'on est assez en peine de trouver d'autres principes opérants, chez ce Comtois malin, que deux certitudes inébranlables parce qu'instinctives : la dévotion la plus touchante à la simplicité populaire en fait de savoir et d'intelligence, et un culte fort averti de la langue française, vivante et parlée autant qu'épurée et savante. La haine de tout pédantisme prétendant informer de haut des mentalités rustiques, ayant leur explication à elles des choses, n'avait d'égale chez l'auteur de *Trilby,* que son mépris pour les mauvais manieurs d'un trésor linguistique dont il avait scruté les ressources et observé le mécanisme.

En dehors de ces certitudes de base, tout est mobilité chez Nodier, de ses explorations en Illyrie à ses dilections romantiques, de ses curiosités vampiresques à ses rêveries systématiques. Les familiers de l'Arsenal, sur le tard, goûtaient le charme de ses récits de jeunesse, les encouragements que lui demandaient, entre deux contredanses, Hugo ou Musset. Mais, comme le disait malicieusement Henri Heine au sujet de Nodier, « comment n'aurait-on pas un peu perdu la tête quand on a été si souvent guillotiné ? » C'est pourtant à des vues pénétrantes sur le style oratoire de la Révolution, qu'il vit de près à Besançon et à Strasbourg, que nous empruntons un spécimen de sa critique, tendant vers l'*historique* à n'en pas douter, et ne s'en remettant pas au simple esprit de parti, ou à des préférences personnelles, du soin d'établir les filiations qui sont une des supériorités de l'histoire littéraire.

La révolution est donc le commencement d'une trouble ère littéraire et sociale qu'il faut absolument reconnaître, en dépit de toutes les préventions de parti. On s'imagine ordinairement qu'elle ne peut rappeler que du sang, et qu'on a tout dit quand on a épuisé la liste de ses excès et de ses proscriptions. C'est l'erreur de l'irréflexion et l'exagération de l'antipathie. Le pathétique, le grand, le sublime s'y rencontrent souvent à côté de l'horrible, comme on a vu les dieux assis à ce festin de Tantale, où l'on servit de la chair humaine.

Toutes les époques signalées de l'histoire sont remarquables par ce fait singulier, que des hommes investis d'une espèce de destination providentielle leur ont servi de précurseurs. Ainsi des génies audacieux avaient élaboré, pour ainsi dire à leur insu, vers la fin du XVIIIᵉ siècle, les matériaux d'une révolution prête à éclore dans la politique ; ainsi d'admirables écrivains composaient, peut-être sans le savoir, une langue énergique et naïve pour une révolution près d'éclore dans la littérature. Diderot est, selon moi, l'Isocrate qui a présidé aux exercices de notre tribune ; Beaumarchais est le maître de la nouvelle école de ces publicistes quotidiens qui arment de traits acérés, tantôt la saine logique des intérêts nationaux, tantôt les subtiles arguties des factions, auxiliaires légers et à peine connus du gros des combattants, mais dont l'intervention habile et opiniâtre ne contribue pas faiblement aux succès les plus décisifs.

Diderot et Beaumarchais étaient cependant des écrivains tout à fait isolés qui ne sortaient d'aucune école littéraire, qui ne ressemblaient qu'à eux seuls, mais dont l'originalité avait, dans le premier, quelque chose de solennel comme la rumeur d'un orage près d'éclater ; dans le second, quelque chose de cynique et de dérisoire comme l'inspiration d'un démon malicieux qui s'égaie aux angoisses d'un monde expirant. Toute la révolution était là, et cependant la révolution n'était pas encore, si ce n'est dans le style. Beaumarchais et Diderot n'appartenaient pas plus à l'Académie que Jean-Jacques Rousseau, le législateur, mal compris de cette régénération vaine et confuse ; et si les révélations hardies du philosophe n'avaient rien appris au cabinet des rois, la commission perpétuelle du Dictionnaire ne croyait pas avoir gagné un mot aux brûlantes compositions de l'enthousiaste, et aux saillies éblouissantes du bouffon. La députation de l'Académie aux tribunes politiques est assez curieuse. Elle se composait, je crois, de Bailly, dont le talent élevé n'avait rien de populaire, et qui n'obtint, en effet, dans son trop court passage aux affaires, que la popularité de la vertu ; de Target, académicien enté sur un avocat, qui ne se fit pas même distinguer au second rang des avocats, après le jeune Barnave ; et de Condorcet, dont l'inintelligible métaphysique aurait versé quelque ridicule sur sa vie, s'il ne s'était dérobé à tous les souvenirs antérieurs par l'intérêt qui s'attache à sa mort. C'est qu'une académie était un corps essentiellement en dehors du mouvement du pays, une institution que l'on aurait cru fondée par une habile prévision de Richelieu pour *immobiliser* l'esprit humain, pour pétrifier la parole, et qui représentait notre état littéraire précisément comme la cour représentait notre état social. On sait que les académies ont beaucoup profité depuis ce temps-là.

J'ai souvent entendu dire que l'Assemblée constituante avait été la plus éloquente de nos assemblées politiques, et je le croirais volontiers dans un sens relatif. A l'époque de la révolution personne n'était gâté par l'éloquence.

Charles Nodier. « Recherches sur l'Eloquence révolutionnaire », *Oeuvres Complètes*, VII (Paris, 1833), pp. 229-232. D'abord avec les *Souvenirs de la Révolution et de l'Empire*, « Sorte de glose à son *Dernier Banquet des Girondins* », a dit Nodier.

FRANÇOIS P. G. GUIZOT
(1787-1874)

La carrière politique de Guizot ne pouvait manquer de porter ombrage à une œuvre littéraire qui, néanmoins, a son importance et sa valeur : si l'on songe que Chateaubriand, « rénovateur du catholicisme », fut satisfait de la critique faite, des *Martyrs,* par le protestant Guizot, et que Gœthe, dans sa prétendue tour d'ivoire de Weimar, suivait avec grande sympathie la diffusion des cours de Sorbonne de Guizot en même temps que de Villemain et de Cousin, on n'hésite pas à faire une place au jeune critique du *Publiciste,* au traducteur et au préfacier de bien des œuvres de langue anglaise, à l'historien de la civilisation, et au haut esprit donnant leur unité à tant d'activités diverses : le progrès des « lumières », au sens que le XVIIIe siècle avait donné à ce mot mais sans l'antispiritualisme qu'il y mettait, et le degré de collaboration, si l'on peut dire, que les lettres devaient apporter à cette marche générale des idées.

Huguenot cévenol, élevé dans la calviniste Genève, non sans des sympathies rousseauistes développées par une mère admirable, il continue à sa manière une critique « moralisante » que Vinet, dans une carrière entièrement helvétique, repré-

sentera à fond ; fils d'un père guillotiné en 1794 et homme de
« juste milieu », il continue à espérer, de l'enseignement populaire, le remède aux violences des foules : encore faut-il que
cet enseignement mesure ses espoirs et ses préceptes à l'état
même des cerveaux auxquels il s'adresse — et les lettres, à cet
égard, ont leur responsabilité.

Cofondateur, en 1828, de la *Revue française* avec plusieurs
membres d'un groupe « staëlien », Guizot devait contribuer,
presque autant que *le Globe,* à préparer l'opinion à des formes
nouvelles de littérature dramatique ; et puisqu'en France surtout le théâtre est « la littérature debout », la nouvelle traduction de Shakespeare (sur la base de celle de Letourneur) et sa
préface par Guizot ont à leur façon rendu possible « la soirée
d'Hernani ».

Tant de sentiments, tant d'intérêts, tant d'idées, conséquences
nécessaires de la civilisation moderne, pourraient devenir, même
sous leur plus simple expression, un bagage embarrassant et difficile à porter dans les évolutions rapides et les marches hardies
du système romantique.

Cependant il faut satisfaire à tout ; le succès même le veut. Il
faut que la raison soit contente en même temps que l'imagination
sera occupée. Il faut que les progrès du goût, des lumières, de
la société et de l'homme enfin, servent, non à diminuer ou à
troubler nos jouissances, mais à les rendre dignes de nous-mêmes,
capables de répondre aux besoins nouveaux que nous avons con-
tractés. Avancez sans règle et sans art dans le système romantique ;
vous ferez des mélodrames propres à émouvoir en passant la
multitude, mais la multitude seule, et pour quelques jours ; comme, en vous traînant sans originalité dans le système classique,
vous ne satisferez que cette froide notion littéraire qui ne connaît,
dans la nature, rien de plus sérieux que les intérêts de la versifi-
cation, ni de plus imposant que les trois unités. Ce n'est point
là l'œuvre du poète appelé à la puissance et réservé à la gloire ; il
agit sur une plus grande échelle et sait parler aux intelligences
supérieures comme aux facultés générales et simples de tous les
hommes. Sans doute il faut que la foule accoure aux ouvrages
dont vous voulez faire un spectacle national ; mais n'espérez pas

devenir national si vous ne réunissez pas dans vos fêtes ces classes d'esprits dont la hiérarchie bien liée élève une nation à sa plus haute dignité. Le génie est tenu de suivre la nature humaine dans son développement. Sa force consiste à trouver en lui-même de quoi satisfaire toujours le public tout entier. Une même tâche est imposée aujourd'hui au gouvernement, à la poésie ; l'un et l'autre doivent exister pour tous, suffire à la fois aux besoins des masses et à ceux des esprits les plus élevés.

François Guizot. « Vie de Shakespeare », *Oeuvres Complètes de Shakespeare, Traduites par Le Tourneur*, I, Nouvelle édition (Paris, 1821), p. cxlix-cl).

ABEL-FRANÇOIS VILLEMAIN
(1790-1867)

Dans la triade Guizot-Cousin-Villemain, si populaire parmi la jeunesse des Ecoles sous la Restauration, si intimement liée aux destinées de la Monarchie de Juillet, Guizot représentait un « juste milieu » de civilisation et Victor Cousin, philosophe de l' « éclectisme », une sorte de séduisante indécision ; Villemain est nettement l'*orateur*, et l'orateur académique. *Les avantages et les inconvénients de la critique* avaient été l'un de ses premiers écrits, encadré de deux « éloges » ; les six volumes du *Cours de littérature française* (1828-29) consacraient quatre volumes au XVIIIe siècle, considéré dans ses mérites sociaux plus que dans ses réussites purement littéraires. Une critique persuasive par son accent plutôt que par ses preuves ; une magnifique carrière faisant de l'académicien précoce un secrétaire perpétuel de la Compagnie, un député, un pair de France et un ministre : cette destinée, brillante plus que féconde, était comme inscrite, pourrait-on dire, dans les leçons de libéralisme et de rationalisme qui lui valaient tant d'applaudissements avant la Révolution de Juillet.

E. Despois. « La critique au XIXe siècle : Villemain » (*Rev. bleue*, 3 juin 1876).

Singularité remarquable ! Tandis que la société française était travaillée de l'espérance de s'affranchir, de s'élever, tandis qu'on aspirait à retrouver presque la vertu civique, une partie des écrivains faisaient dominer dans leurs ouvrages les opinions les plus contraires à toute dignité, à toute indépendance de l'âme. En effet, Messieurs, ce n'est point la croyance de l'intérêt personnel et de la nécessité, ce n'est pas la doctrine qui enlève à l'homme son âme, et le réduit à n'être que l'instrument de ses propres organes ; ce n'est pas cette doctrine qui pourra jamais inspirer le courage des grands dévouements, l'héroïsme des grands devoirs : réformation sociale et matérialisme semblent deux choses contradictoires.

Ici nous apercevons encore à côté des torts de la pensée libre les torts du pouvoir. En effet, sous quelle forme de gouvernement, sous quel régime politique s'est produite cette licence de doctrines ? Etait-ce à la faveur d'une liberté illimitée ? était-ce sous des institutions parlementaires qui permettaient la discussion, l'examen ? Non, ce fut sous les auspices d'une censure très rigoureuse, sous le calme du pouvoir absolu. Le droit commun était le silence, le respect du rang et de la faveur ; mais comme la philosophie sceptique invoquait la licence des mœurs, comme elle consacrait et encourageait tous les plaisirs d'une vie élégante et polie, il y eut bientôt une complicité naturelle entre la cour qui défendait d'écrire, et les écrivains qui bravaient cette défense, au profit de l'amusement et du scandale.

Quand vous voyez Voltaire encenser le maréchal de Richelieu, le nommer son héros, ou bien écrire cette pièce du *Mondain,* charmante si l'on veut, mais qui n'est que l'apothéose du vice élégant, ne reconnaissez-vous que la faiblesse du courtisan, la flatterie du gentilhomme de la chambre de Louis XV ? Une pensée plus sérieuse dictait ce frivole langage. C'était à l'appui du scepticisme et de la liberté d'opinion que Voltaire flattait ainsi les vices et les grands de la cour. Mais cette ruse de guerre, ce subterfuge de la stratégie philosophique, une postérité plus sévère ne l'admet pas pour excuse. Elle laisse peser sur une portion de la philosophie du XVIIIe siècle le tort d'avoir compris (*sic*) la métaphysique et dépravé la morale.

L'état de la société française, tel que nous l'avons esquissé devant vous, n'opposait aucune barrière à cette double influence ; car les amendes, les lettres de cachet, et même le brûlement des livres au pied du grand escalier du Palais, ne sont pas des obstacles contre les doctrines. La pensée a quelque chose de libre et d'insaisissable qui ne peut être dompté que par la pensée.

Villemain. « Cours de Littérature française : Tableau de la littérature au XVIIIe siècle », *Oeuvres Complètes*, III, nouvelle édition (Paris, 1855), pp. 183-185.

STENDHAL
(1783-1842)

Dès le début du siècle, Stendhal voyait les problèmes esthétiques — et par conséquent la critique de leur expression dans les lettres — d'un point de vue fort différent de celui des « platoniciens » ou des « rhéteurs », comme il semble tenté de dénommer deux groupes avec lesquels il n'a guère d'affinités ; mais aussi, ce que Gœthe appelle l' « essentiel » à propos de Stendhal, c'est-à-dire le sens de la beauté, lui fera en général défaut ; au lieu de cette « convention », la franchise, la sincérité, lui paraissent à rechercher d'abord si l'on est auteur, à vérifier en premier lieu si l'on est critique. C'est que la théorie de l' « illusion » de Hobbes (1588-1679), les vues de Cabanis sur les rapports de l'âme (simple réceptacle commun des mouvements passionnels) et du corps dominent toutes ses vues. Entre 1801 et 1804, sa *Filosofia nova,* qu'il faudrait pouvoir compléter par des entretiens avec tels contemporains (Daru, de Tracy) le classe à part de la « canaille actuelle de la littérature, Chateaubriand, Delille, Michaud », et lui ferait plutôt continuer le souci direct de représentation des Restif et des Mercier.

P. Hazard. « Romantisme italien et romantisme européen », *Revue de littérature comparée*, VI (1926), p. 224.

P. Martino. « Le 'Del Romanticismo nelle arti', de Stendhal », *Revue de littérature Comparée*, II (1922), pp. 578-582.

C. DeWitt Thorpe. « The Aesthetic Theory of Thomas Hobbes, » *University of Michigan Publications in Languages and Literature*, XVIII (Ann Arbor, 1940).

Le style n'est mauvais que parce qu'il n'est pas vrai. La première qualité du style est donc qu'il ne cause pas la plus petite idée fausse dans la tête du lecteur qui sait sa langue.

Le difficile est de décrire exactement la manière dont l'âme agit sur la tête.

L'âme de Corneille aimant l'admiration par-dessus tout, elle va à l'aveugle pour la produire. C'est vraiment le poète sublime. M'accoutumer à ne plus employer ce mot que dans son sens qui est celui-ci.

En observant mes sensations avec la même attention en lisant Racine, je trouve peut-être qu'il est le poète de l'anxiété comme Corneille l'est du sublime. (19 vendémiaire an XIV).

Dans ce moment-ci une des choses les plus profitables serait une bonne critique de Montesquieu. Ce grand homme avait une excellente tête, mais une âme assez faible à ce qu'il paraît. Son amour pour le bien et pour la vraie gloire n'était pas très violent, puisqu'il a souvent composé avec les tyrans dans son *Esprit des Lois*, souvent conclu du fait au droit, c'est-à-dire : on a fait cela, je vous le prouve, donc on pouvait le faire. Voilà pour son âme. Sa tête s'est souvent trompée. D'abord dans ses divisions vertu, honneur, cruauté. Il devait dire amour de soi, principe général, bien dirigé dans les républiques où il se confond avec l'amour de la chose publique, mal dans les monarchies, où la passion régnante est la cruauté. Voyez Alfieri, Mirabeau.

Il s'est lourdement trompé dans son style.

Ne pas me laisser dominer surtout par cette idée servile que répètent tous les Laharpe, Palissot, Geoffroy et autres dandies qui veulent juger ce qu'ils n'ont jamais connu ni senti, qu'il n'y a de bon en comique que ce qui est comme Molière, en tragique comme Corneille et Racine, en éloquence comme Bossuet, Fénelon et Pascal (An XII).

Les plus fortes émotions que j'ai éprouvées au théâtre depuis deux ans sont celles que je sentis dans *Hamlet* lorsque Talma tourna la tête vers sa mère, celle que je sentis lorsqu'il entra en scène (An XII).

Il faut distinguer les émotions que j'éprouve comme homme sensible et comme poète. Ces deux hommes sont bien différents.

« Poète » est certainement beaucoup dire, de la part d'un homme qui n'est jamais revenu de sa prévention contre l'alexandrin « cache-sottise » : c'est même ce désaveu radical du langage poétique par le prosateur Stendhal qui créera l'antagonisme majeur entre lui et les poètes Vigny, Hugo, etc. Quant au reste, il était prêt à se jeter dans l'arène avec des vues surtout italianisantes sur le *romanticisme* : d'où ses fameuses interventions de 1823 à 1825.

Le *romanticisme* est l'art de présenter aux peuples les œuvres littéraires qui, dans l'état actuel de leurs habitudes et de leurs croyances, sont susceptibles de leur donner le plus de plaisir possible.

Le *classicisme*, au contraire, leur présente la littérature qui donnait le plus grand plaisir possible à leurs arrière-grands-pères.

Sophocle et Euripide furent éminemment romantiques ; ils donnèrent aux Grecs rassemblés au théâtre d'Athènes, les tragédies qui, d'après les habitudes morales de ce peuple, sa religion, ses préjugés sur ce qui fait la dignité de l'homme, devaient leur procurer le plus grand plaisir possible.

Imiter aujourd'hui Sophocle et Euripide, et prétendre que ces imitations ne feront pas bâiller le Français du XIX⁰ siècle, c'est du classicisme. Je n'hésite pas à avancer que Racine a été romantique : il a donné aux marquis de la cour de Louis XIV une peinture des passions, tempérée par l'*extrême dignité* qui alors était de mode, et qui faisait qu'un duc de 1670, même dans les épanchements les plus tendres de l'amour paternel, ne manquait jamais d'appeler son fils *Monsieur*...

Shakespeare fut romantique parce qu'il présenta aux Anglais de l'an 1590, d'abord les catastrophes sanglantes amenées par les guerres civiles et, pour reposer de ces tristes spectacles, une foule de peintures fines des mouvements du cœur, et des nuances de passions les plus délicates. Cent ans de guerres civiles et de troubles presque continuels, une foule de trahisons, de supplices, de dévouements généreux, avaient préparé les sujets d'Elisabeth à ce genre de tragédie, qui ne reproduit presque rien de tout le *factice* de la vie des cours et de la civilisation des peuples tranquilles. Les Anglais de 1590, heureusement fort ignorants, aimèrent à contempler au théâtre l'image des malheurs que le caractère ferme de leur reine venait d'éloigner de la vie réelle. Ces mêmes détails naïfs, que nos vers alexandrins repousseraient avec dédain, et que l'on prise tant aujourd'hui dans *Ivanhoe* et dans *Rob Roy*, eussent paru manquer de dignité aux yeux des fiers marquis de Louis XIV.

Ces détails eussent mortellement effrayé les poupées sentimentales et musquées qui, sous Louis XV, ne pouvaient voir une araignée sans s'évanouir. Voilà, je le sens bien, une phrase peu digne.

Il faut du courage pour être romantique, car il faut *hasarder*.

Le *classique* prudent, au contraire, ne s'avance jamais sans être soutenu, en cachette, par quelque vers d'Homère ou par ne remarque philosophique de Cicéron dans son traité *De Senectute*.

Après quelques paradoxales attributions, Delille romantique, Dante faisant *la Divine Comédie* malgré son adoration pour Virgile, et la juste constatation des changements survenus dans les mœurs entre 1780 et 1825 :

Les romantiques ne conseillent à personne d'imiter directement les drames de Shakespeare.

Ce qu'il faut imiter de ce grand homme, c'est la manière d'étudier le monde au milieu duquel nous vivons, et l'art de donner à nos contemporains précisément le genre de tragédie dont ils ont besoin, mais qu'ils n'ont pas l'audace de réclamer, terrifiés qu'ils sont par la réputation du grand Racine.

Par hasard, la nouvelle tragédie française ressemblerait beaucoup à celle de Shakespeare.

Stendhal. *Racine et Shakespeare* (Paris, 1925. P. Martino, éd.).

EMILE DESCHAMPS
(1791-1871)

Les deux frères Emile et Antony Deschamps furent parmi les premiers membres du Cénacle de la *Muse française,* groupement qui, dès 1823, donne une signification croissante, avec une revue pour organe et le libraire Ambroise Tardieu pour répondant, aux réunions fraternelles de poètes romantiques de tendances. Tandis qu'Antony, plus méditatif et destiné à sombrer dans la mélancolie, s'éprenait de Dante et de son âcre génie, Emile infiniment plus sociable, représente une sorte d'adaptation mondaine d'un mouvement que ses détracteurs associaient aux prestiges frénétiques du *roman noir* et du *mélodrame* le plus sinistre.

Emile Deschamps était fait pour combattre sans virulence, mais avec une notion assez juste du progrès des lettres nationales, vouées par le génie français lui-même à ne pas perdre contact avec les littératures étrangères. En même temps, ce qu'il y avait chez lui de dilettantisme le rendait plus propre à goûter les innovations de ses amis qu'à fortement innover lui-même. On peut dire qu'il forme la transition entre une critique *théorique* de *combat* et cette critique d'invasion que va préconiser Sainte-Beuve très spécialement.

L. Séché. *Le Cénacle de la Muse française* (Paris, 1909).
H. Girard. *Emile Deschamps 1791-1871* (Paris, 1921).
   La Préface des Etudes françaises et étrangères d'Emile Deschamps (Paris, 1923).

Le Lyrique, l'Elégiaque et l'Epique étant les parties faibles de notre ancienne poésie, c'est donc de ce côté que devait se porter la vie de la poésie actuelle. Aussi M. Victor Hugo s'est-il révélé dans l'Ode, M. de Lamartine dans l'Elégie, et M. Alfred de Vigny dans le Poème. Mais avec quelle habileté ces trois jeunes poètes ont approprié ces trois genres aux besoins et aux exigences du siècle ! M. Alfred de Vigny, un des premiers, a senti que la vieille épopée était devenue presque impossible en vers, et principalement en vers français, avec tout l'attirail du merveilleux ; il a senti que les *Martyrs* sont la seule épopée qui puisse être lue de nos jours, parce qu'elle est en prose, et surtout en prose de M. de Chateaubriand ; et à l'exemple de lord Byron, il a su renfermer la poésie épique dans des compositions d'une moyenne étendue et toutes inventées ; il a su être grand sans être long. M. de Lamartine a jeté dans ses admirables chants élégiaques toute cette haute métaphysique sans laquelle il n'y a plus de poésie forte ; et ce que l'âme a de plus tendre et de plus douloureux s'y trouve incessamment mêlé avec ce que la pensée a de plus libre et de plus élevé. L'élégie, sur sa lyre, est devenue immense. Enfin M. Victor Hugo a non seulement composé un grand nombre de magnifiques odes, mais on peut dire qu'il a créé l'ode moderne ; cette ode, d'où il a banni les faux ornements, les froides exclamations, l'enthousiasme symétrique, et où il fait entrer, comme dans un moule sonore, tous les secrets de cœur, tous les rêves de l'imagination, et toutes les sublimités de la philosophie.

La grande poésie française de notre époque (toujours abstraction faite du théâtre) nous semble donc principalement représentée par M. M. Victor Hugo, de Lamartine et Alfred de Vigny, autant à cause de leur talent que parce qu'ils l'ont appliqué à des genres dont notre langue n'offrait pas d'exemples, ou dont elle n'offrait que des modèles incomplets. Il est encore un poète qu'il est impossible d'oublier : il n'a fait que des chansons, qu'importe ! il n'y a point de genre secondaire pour un talent de premier ordre. M. Béranger mériterait littérairement, par ses chansons non politiques, toute la célébrité que lui a faite l'esprit de parti, le plus bête de tous les esprits.

« Le Français, né malin, créa le vaudeville. »

Il ne voudra pas anéantir sa création. La chanson enflammait nos aïeux dans leurs combats, elle les servait dans leurs amours, les consolait dans leurs disgrâces, les égayait sous le chaume et même dans les palais... Ce ne seront jamais les amours ni les combats qui nous manqueront ; le frais laurier de la chanson ne peut pas vieillir ni mourir sur la terre de France.

Certes, il existe en ce moment plusieurs autres poètes qui cultivent avec un juste succès les quatre genres que nous venons de citer ; mais ceux d'entre eux qui ont le plus de droit aux hommages seront les premiers à sanctionner les nôtres ; certes, nous avons des écrivains distingués qui traitent encore des genres si admirablement traités par nos grands maîtres, mais, on ne saurait trop le répéter, ce ne sont pas ces écrivains qui peuvent caractériser l'époque actuelle.

Les censeurs classiques et moroses qui ne cessent de vanter le passé au préjudice du présent ont également tort et raison. Ils ont mille fois raison quand ils disent que les contes, les épîtres philosophiques, les poésies légères, les poèmes didactiques ou héroï-comiques, les satires et les fables, que l'on fait aujourd'hui, sont à cent lieues de ce que nos hommes de génie faisaient en ce genre il y a cent ans. Ils ont tort quand ils ne conviennent pas de la supériorité relative et absolue de notre siècle, dans tous les autres genres. Ils ont raison quand ils veulent que nos anciens chefs-d'œuvre soient étudiés et admirés avec enthousiasme ; ils ont tort quand ils veulent qu'ils soient continués perpétuellement et reproduits sous toutes les formes.

Au surplus, la comparaison du siècle vivant avec les siècles qui l'ont précédé manque toujours de justesse et de justice.

Emile Deschamps. « Préface » (1828) des *Etudes françaises et étrangères*, éd. Girard (Paris, 1923), pp. 12-14.

L'inconvénient majeur de la critique partisane n'est que trop évident : aux dangers de « relativité » et de subjectivisme déjà inclus dans tout jugement de goût peut s'ajouter celui d'un différend d'opinion, d'une brouille ou d'une simple froideur obligeant le critique à baisser ou à hausser le ton à propos du même objet. Emile Deschamps, mécontent du palmarès cité plus haut, avait préparé cet amendement : « Quand cette préface parut, en 1828, nous n'avions pas encore les *Confidences* de M. Jules Lefèvre, les *Contes d'Espagne et d'Italie* de M. Alfred de Musset, les *Poésies romaines* de M. Jules de Saint-Félix, les *Iambes* de M. Auguste Barbier, ni *Marie* de M. Brizeux, ni les *Dernières Paroles* de mon frère Antony Deschamps. »

D'autre part, à partir de la réédition de 1829, il a précisé son point de vue en ce qui concernait Béranger : « M. Béranger n'a point dénaturé la chanson, comme l'ont dit de prétendus classiques ; il l'a poétisée, et c'est ainsi qu'il mérite littérairement toute la célébrité, etc. »

VICTOR HUGO
(1802-1885)

Destiné à devenir le chef du chœur romantique pour des raisons évidentes, Victor Hugo (1802-1885) est sincère quand il affecte d'ignorer ce que c'est que le romantisme. « La liberté dans l'art » est de bonne heure la devise de Hugo : *liberté*, c'est-à-dire foi dans son propre génie, puissant, peu nuancé, coloré même à l'excès ; *dans l'art*, c'est-à-dire dans une forme

analogue à ce génie même, amie des contrastes et des oppositions, sûre d'elle et de ses ressources. Et sa critique sera presque
toujours une appréciation et une proclamation de son propre
pouvoir.

L'auteur de ce recueil n'est pas de ceux qui reconnaissent à la
critique le droit de questionner le poète sur sa fantaisie, et de lui
demander pourquoi il a choisi tel sujet, broyé telle couleur, cueilli
à tel arbre, puisé à telle source. L'ouvrage est-il bon ou est-il
mauvais ? Voilà tout le domaine de la critique. Du reste, ni louanges ni reproches pour les couleurs employées, mais seulement
pour la façon dont elles sont employées. A voir les choses d'un
peu haut, il n'y a en poésie ni bons ni mauvais sujets, mais de
bons et de mauvais poètes. D'ailleurs, tout est sujet ; tout relève
de l'art ; tout a droit de cité en poésie. Ne nous enquérons donc
pas du motif qui vous a fait prendre ce sujet, triste ou gai, horrible ou gracieux, éclatant ou sombre, étrange ou simple, plutôt
que cet autre. Examinons comment vous avez travaillé, non sur
quoi et pourquoi.

Hors de là, le critique n'a pas de raison à demander, le poète
pas de compte à rendre. L'art n'a que faire des lisières, des me-
nottes, des bâillons ; il vous dit : « Va ! » et vous lâche dans
ce grand jardin de poésie, où il n'y a pas de fruit défendu. L'espace
et le temps sont au poète. Que le poète donc aille où il veut, en
faisant ce qui lui plaît : c'est la loi. Qu'il croie en Dieu ou aux
dieux, à Pluton ou à Satan, à Canidie ou à Morgane, ou à rien ;
qu'il acquitte le péage du Styx, qu'il soit du sabbat ; qu'il écrive
en prose ou en vers, qu'il sculpte en marbre ou coule en bronze ;
qu'il prenne pied dans tel siècle ou dans tel climat ; qu'il soit du
midi, du nord, de l'occident, de l'orient ; qu'il soit antique ou
moderne ; que sa muse soit une Muse ou une fée, qu'elle se drape
de la colocasia ou s'ajuste la cotte-hardie. C'est à merveille. Le
poète est libre. Mettons-nous à son point de vue, et voyons.

L'auteur insiste sur ces idées, si évidentes qu'elles paraissent,
parce qu'un certain nombre d'Aristarques n'en est pas encore à
les admettre pour telles. Lui-même, si peu de place qu'il tienne
dans la littérature contemporaine, il a été plus d'une fois l'objet
de ces méprises de la critique. Il est advenu souvent qu'au lieu
de lui dire simplement : « Votre livre est mauvais, » on lui a
dit : « Pourquoi avez-vous fait ce livre ? Pourquoi ce sujet ?

Ne voyez-vous point que l'idée première est horrible, grotesque, absurde (qu'importe ?) et que le sujet chevauche hors des limites de l'art ? Cela n'est pas joli, cela n'est pas gracieux. Pourquoi ne point traiter des sujets qui nous plaisent et nous agréent ? les étranges caprices que vous avez là ! etc, etc. » A quoi il a toujours fermement répondu : que ces caprices étaient ses caprices ; qu'il ne savait pas en quoi étaient faites les limites de l'art ; que de géographie précise du monde intellectuel, il n'en connaissait point ; qu'il n'avait point encore vu de cartes routières de l'art, avec les frontières du possible et de l'impossible tracées en rouge et en bleu ; qu'enfin il avait fait cela, parce qu'il avait fait cela.

Un mois plus tard, la Préface de la 7e édition laisse tomber ce propos à la fois condescendant et dédaigneux :

D'ailleurs tous les inconvénients ont leurs avantages. Qui veut la liberté de l'art doit vouloir la liberté de la critique...

Victor Hugo. « Préface » des *Orientales*, Janvier 1829, *Oeuvres Complètes*, I (Paris 1912), pp. 616-617.

CHAPITRE QUATRE

CRITIQUE AVANT-COURRIERE, OU D'INVASION (SAINTE-BEUVE)

> ...donnant le signal aux esprits contemporains, cette Critique... C'est elle-même qui choisit, qui devine, qui improvise...
>
> *Sainte-Beuve* (1831)

> L'infidélité est un trait de ces esprits divers et intelligents : ils reviennent sur leurs pas, ils prennent tous les côtés d'une question, ils ne se font pas faute de se réfuter eux-mêmes.
>
> *Sainte-Beuve* (1835)

CHARLES-AUGUSTIN SAINTE-BEUVE
(1804-1869)

Entre les deux réflexions de Sainte-Beuve — également sincères à leur date respective — qu'on a lues en épigraphe de ce chapitre, il n'y a pas seulement la faillite d'une grande amitié confiante, celle qui lia pour un temps le critique, hésitant et peu sûr de ses vrais mérites, avec le jeune ménage de Victor Hugo, lui si énergique et confiant dans sa force, elle si disposée à mettre sa foi de Bretonne, son agissante sympathie au service de ce « Joseph Delorme » anxieux. Il y a, illustrée et symbolisée par cet épisode lui-même, toute une séduisante aventure de la critique française en général, la « grandeur et décadence » d'une conception fort justifiée de cette activité même de l'esprit.

Pour employer le langage des grands espoirs romantiques des années *trente* à leur début, teintés de saint-simonisme en même temps que de surenchère esthète, les *Cordes de la Lyre* humaine, pour sonner au complet, doivent comprendre des vibrations conjuguées : à côté de l'expression poétique, de l'exultation musicale, du souci humanitaire, de la plénitude du sens artiste, de la tendresse et de la moralité sincères, l'exercice critique aussi, non rétrospectif et venant après l'œuvre créatrice, mais antérieur et annonciateur. Tenu au courant de l'inspiration des poètes, le critique était simplement, plus spécialisé, plus avisé des tenants et aboutissants, la conscience vigilante du créateur littéraire : à lui revenait la tâche de héraut d'armes, de saint Jean, de prochain rédempteur. Surtout si elle se compliquait d'incessante clairvoyance et si elle découvrait les génies naissants, la critique jouait un rôle éminent dans l'association des talents.

Les auteurs n'avaient pas attendu, en des temps de luttes caractérisées, cet office auxiliaire pour faire connaître les vues qu'illustrait l'œuvre elle-même, et la *Préface* de *Cromwell* prouvait que Victor Hugo savait fort bien sonner son propre oliphant. Mais l'office ainsi rempli avait quelque chose de personnel qui pouvait aller à fins contraires : il n'était pas donné à tous les poètes de pratiquer une modestie aussi avisée que Vigny dans sa défense d'*Othello*. Aussi voit-on se multiplier des services mutuels, qui peu à peu sembleront caractériser ce genre même de critique laudative. Comment saurait-il, ce bon public, que la plus sincère bonne foi pouvait diriger des démarches que, plus tard, Sainte-Beuve caractérisera comme le rôle salubre joué par Boileau auprès de Racine, de Fontanes auprès de Chateaubriand ; que Vigny regrettera en souvenir des « lectures » qui réunissaient en effet, pour une première épreuve *in partibus,* des poètes qu'attendaient les feux de la rampe. Ces intimités charmantes durèrent assez peu : était-ce une raison pour en suspecter la sincérité ? Elle est de mai 1837 (et sa raillerie est,

dirait-on, posthume et d'autant plus malicieuse), la lettre de
Henri Heine à A. Lewald qui fait des gorges chaudes de la plus
évidente de ces dévotions, celle qui liait un temps le critique-
poète Sainte-Beuve à l'athlète du Romantisme triomphant,
Victor Hugo :

> « De même qu'en Afrique, lorsque le roi de Dafur fait une
> chevauchée officielle, un panégyriste galope en avant, qui ne cesse
> de crier à haute et intelligible voix : « Voyez là le buffle, le des-
> cendant du buffle, le Taureau des Taureaux, tous les autres ne
> sont que des bœufs — celui-ci est le seul buffle authentique » —
> de même il fut un temps où Sainte-Beuve courait à toute occasion
> en avant de Victor Hugo, quand se produisait en public une œuvre
> de celui-ci ; il sonnait de la trompe et célébrait le Buffle de la
> Poésie. Ce temps est passé : Sainte-Beuve ne célèbre plus que les
> veaux ordinaires et les vaches distinguées des lettres françaises. »

L'effet le plus fâcheux de la faillite d'une critique avant-courrière de ce type, ce fut principalement, à l'égard de Sainte-Beuve,
une extrême défiance de certains : Vigny, pour qui « ce crapaud
devait souiller les eaux qu'il hante » ; Hugo, plus magnanime
comme époux menacé que comme poète discuté, et l'auteur
A. Michiels, qui à Sainte-Beuve sera toujours hostile : comment
croire que cette perpétuelle mobilité n'était qu'une bonne foi
constante ? (G. Planche)

> Il est pour la critique de vrais triomphes ; c'est quand les poètes
> qu'elle a de bonne heure compris et célébrés, pour lesquels, se
> jetant dans la cohue, elle n'a pas craint d'encourir d'abord risées
> et injures, grandissent, se surpassent eux-mêmes, et tiennent au
> delà des promesses magnifiques qu'elle, critique *avant-courrière*,
> osait jeter au public en leur nom. Car loin de nous de penser que
> le devoir et l'office de la critique consistent uniquement à venir
> après les grands artistes, à suivre leurs traces lumineuses, à recueil-
> lir, à ranger, à inventorier leur héritage, à orner leur monument
> de tout ce qui peut le faire valoir et l'éclairer. Cette critique-là
> sans doute a droit à nos respects ; elle est grave, savante, défi-
> nitive ; elle explique, elle pénètre, elle fixe et consacre des admi-

rations confuses, des beautés en partie voilées, des conceptions difficiles à atteindre, et aussi la lettre des textes quand il y a lieu. Aristarque pour les poèmes homériques, Tieck pour Shakespeare, ont été, dans l'antiquité et de nos jours, des modèles de cette sagacité érudite appliquée de longue main aux chefs-d'œuvre de la poésie : *vestigia semper adora !* Mais outre la critique réfléchie et lente des Warton, des Ginguené, des Fauriel, qui s'assied dans une silencieuse bibliothèque, en présence de quelques bustes à demi obscurs, il en est une autre plus alerte, plus mêlée au bruit du jour et à la question vivante, plus armée en quelque sorte à la légère, et donnant le signal aux esprits contemporains. Cette critique n'a pas la décision du temps pour se diriger dans ses choix, c'est elle-même qui choisit, qui devine, qui improvise ; parmi les candidats en foule et le tumulte de la lice, elle doit nommer ses héros, ses poètes ; elle doit s'attacher à eux de préférence, les entourer de son amour et de ses conseils, leur jeter hardiment les mots de gloire et de génie dont les assistants se scandalisent, faire honte à la médiocrité qui les coudoie, crier place autour d'eux comme le héraut d'armes, marcher devant leur char comme l'écuyer : « Nous tiendrons, pour lutter dans l'arène lyrique, Toi la lance, moi les coursiers. » Quand la critique n'aiderait pas à ce triomphe du poète contemporain, il s'accomplirait également, je n'en doute pas, mais avec plus de lenteur et de plus rudes traverses. Il est donc bon pour le génie, il est méritoire pour la critique, qu'elle ne tarde pas trop à le discerner entre ses rivaux et à le prédire à tous dès qu'elle l'a reconnu. Il ne manque jamais de critiques circonspects qui sont gens, en vérité, à proclamer hautement un génie visible depuis dix ans ; ils tirent gravement leur montre et vous annoncent que le jour va paraître quand il est déjà onze heures du matin. Il faut leur en savoir gré, car on en pourrait trouver qui s'obstinent à nier le soleil, parce qu'ils ne l'ont pas prévu. Mais pourtant si le poète, qui a besoin de la gloire, ou du moins d'être confirmé dans sa certitude de l'obtenir, s'en remettait à ces agiles intelligences dont l'approbation marche comme l'antique châtiment, *pede poena claudo,* il y aurait lieu pour lui de défaillir, de se désespérer en chemin, de jeter bas le fardeau avant la première borne, comme ont fait Gilbert, Chatterton et Keats. Lors même que la critique, douée de l'enthousiasme vigilant, n'aurait d'autre effet que d'adoucir, de parer quelques-unes de ces cruelles blessures que porte au génie encore méconnu l'envie malicieuse ou la gauche pédanterie, lorsqu'elle ne ferait qu'opposer son antidote au venin des Zoïles, ou détourner sur elle une portion de la lourde artillerie des respectables *reviewers*, c'en serait assez pour qu'elle n'eût pas perdu sa peine, et qu'elle eût hâté efficacement, selon son rôle auxiliaire, l'enfantement et la production de l'œuvre. Après cela, il y aurait du ridicule à cette bonne critique de se trop exagérer sa part dans le triomphe de ses plus chers poètes ; elle doit se bien garder de prendre les airs de la nourrice des anciennes tragédies. Diderot nous parle d'un éditeur de Montaigne, si modeste et si vaniteux à la fois, le pauvre homme, qu'il ne pouvait s'empêcher de rougir quand on prononçait devant lui le nom de l'auteur des Essais. La critique ne doit pas ressembler à cet éditeur, bien qu'il y eût peut-être quelque mérite à elle de donner le signal et de sonner la charge dans la mêlée ; il ne convient pas qu'elle en parle comme ce bedeau si fier du beau sermon *qu'il avait sonné.* La critique en effet, cette espèce de critique surtout, ne crée rien, ne produit rien qui lui soit propre, elle convie au festin, elle force d'entrer. Le jour où tout le monde contemple et goûte ce qu'elle a divulgué la première, elle n'existe plus, elle s'anéantit. Chargée de faire la leçon au public, elle est exactement dans le cas de ces bons précepteurs dont parle Fontenelle, *qui travaillent à se rendre inutiles,* ce que le poète hollandais ne comprenait pas.

Toutefois, pour être juste, il reste encore à la critique, après le triomphe incontesté, universel, du génie auquel elle s'est vouée de bonne heure, et dont elle voit s'échapper de ses mains le glorieux monopole, il lui reste une tâche estimable, un souci attentif et religieux ; c'est d'embrasser toutes les parties de ce poétique développement, d'en marquer la liaison avec les phases qui précèdent, de remettre dans un vrai jour l'ensemble de l'œuvre progressive, dont les admirateurs plus récents voient trop en saillie les derniers jets. Mais elle a elle-même à se défier d'une tendance excessive à retrouver tout l'homme dans ses productions du début à le ramener sans cesse, des régions élargies où il plane, dans le cercle ancien où elle l'a connu d'abord, et qu'elle préfère en secret peut-être, comme un domaine plus privé ; elle a à se défendre de ce sentiment d'une naturelle et amoureuse jalousie qui revendique, un peu forcément, pour les essais de l'artiste, antérieurs et moins appréciés, les honneurs nouveaux dans lesquels des admirateurs nombreux interviennent. Et d'autre part, comme ces admirateurs plus tardifs, honteux tout bas de s'être fait tant prier, et n'en voulant pas convenir, acceptent le grand homme dans ses dernières œuvres au détriment des premières, qu'ils ont très peu lues et mal jugées, comme ils sont fort empressés de le féliciter d'avoir fait un pas vers eux, public, tandis que c'est le public qui, sans y songer, a fait deux ou trois grands pas vers lui, il est du ressort d'une critique équitable de contredire ces points de vue inconsidérés, et de ne pas laisser s'accréditer de faux jugements.

Sainte-Beuve. « Poètes et Romanciers modernes de la France », *Revue des Deux Mondes*, 1831 ; *Portraits contemporains*, I, 416-420 (à propos des *Feuilles d'Automne*) tome III, pp. 241-244.

ALFRED DE VIGNY
(1797-1863)

L'œuvre critique de Vigny, si l'on y inclut tant de remarques pénétrantes du *Journal* et bien des passages de la *Correspondance,* est l'une des plus importantes de la soi-disant « école romantique » : nul doute que si l'auteur de *Servitude* eût maintenu sa position de chef après 1830, bien des divagations funestes, suivies d'un retour humiliant à Ponsard, eussent été épargnées, sinon dans les bas-fonds inévitables des lettres françaises, du moins dans leurs régions les plus voyantes. Sa chère métaphore des trois aiguilles de l'Horloge — lenteur des heures, moyenne vitesse des minutes, précipitation des secondes — eût été appliquée, pratiquement et prudemment, au lent progrès des masses, au mouvement assez rapide des élites, à la hâte individuelle des génies exceptionnels ; et peut-être les folies qui menèrent à 1848 et 1851 eussent été évitées.

Cependant le poète qui a compris la grandeur de Balzac et l'originalité de Baudelaire, fait le point pour Stendhal comme pour Lamennais et déploré le laissez-aller de Lamartine, ne restreignait pas à ses amis du Cénacle ou de ses propres mercredis l'intelligence d'autrui ; c'est cependant, une fois terminées les luttes pour l'émancipation théâtrale, la critique *de sympathie* qu'il pratiquerait le plus volontiers : à preuve ses articles dans l'*Avenir*.

Mais pourquoi ne pas commencer par plaider la cause même qu'il s'agit de défendre par le verbe et par l'action ? C'est du futur, autant que d'un récent passé, qu'il est question dans la Lettre à un Lord plus ou moins imaginaire qui suit la bataille d'*Othello* à la Comédie Française (24 octobre 1829 et toute un série d'escarmouches au cours des répétitions !) : très lucidement, l'auteur de *Cinq-Mars* pose la question du *decorum* classique et de son nécessaire amendement comme le problème capital de sa génération : c'est *la Maréchale d'Ancre* qu'il protège ainsi par une opération d'avant-garde.

La Routine a reculé cette fois, la Routine, mal qui souvent afflige notre pays, la Routine, chose contraire à l'Art parce qu'il vit de mouvement, et elle d'immobilité. Il n'y a pas de peuple chez lequel aujourd'hui les coutumes de la littérature et des arts enchaînent et clouent à la même place plus de gens que chez nous que vous croyez si légers. Oui, la grande France est quelquefois négligente, et en toute chose sommeille souvent ; cela est heureux pour le repos du monde, car lorsqu'elle s'éveille elle l'envahit ou l'embrase de ses lumières ; mais le reste du temps elle reçoit trop souvent la direction, en politique des plus nuls, en intelligence des plus communs. De temps à autre le public, dans sa majorité saine et active, sent bien qu'il faut marcher, et désire des hommes qui avancent ; mais presque toujours une foule d'esprits *infirmes* et paresseux qui se donnent la main forment une chaîne qui l'arrête et l'enveloppe ; leur galvanisme soporifique s'étend, l'engourdit, il se recouche avec eux et se rendort pour longtemps. Ces malades (bonnes gens d'ailleurs) aiment à entendre aujourd'hui ce qu'ils entendaient hier, mêmes idées, mêmes expressions, mêmes sons ; tout ce qui est nouveau leur semble ridicule, tout ce qui est inusité, barbare ; *tout leur est Aquilon*. Débiles et souffreteux, accoutumés à des tisanes douces et tièdes, ils ne peuvent supporter le vin généreux ; ce sont eux que j'ai cherché à guérir, car ils me font peine à voir si pâles et si chancelants. Quelquefois je leur ai fait bien du mal, au point de les faire crier ; mais, moyennant quelques adoucissements à leur usage, ils se trouvent à présent dans un bien

71

meilleur état de santé ; je vous donnerai de leurs nouvelles de temps en temps.

Et, après un exposé de la nécessité d'un « système » mettant tout homme, si inspiré qu'il soit, à même d'accomplir œuvre qui vaille :

> Grâce au ciel, le vieux trépied des unités sur lequel s'asseyait Melpomène, assez gauchement quelquefois, n'a plus aujourd'hui que la seule base solide que l'on ne puisse lui ôter : l'unité d'intérêt dans l'action. On sourit de pitié quand on lit dans un de nos grands écrivains : *Le spectateur n'est que trois heures à la comédie ; il ne faut donc pas que l'action dure plus de trois heures.* Car autant eût valu dire : « Le lecteur ne met que quatre heures à lire tel poème ou tel roman, il ne faut donc pas que son action dure plus de quatre heures. » Cette phrase résume toutes les erreurs qui naquirent de la première. Mais il ne suffit pas de s'être affranchi de ces entraves pesantes ; il faut encore effacer l'esprit étroit qui les a créées.

> Venez, et qu'un sang pur par mes mains épanché
> Lave jusques au marbre où ses pas ont touché.

> Considérez d'abord que, dans le système qui vient de s'éteindre, toute tragédie était une catastrophe et un dénouement d'une action déjà mûre au lever du rideau, qui ne tenait plus qu'à un fil et n'avait plus qu'à tomber. De là est venu ce défaut qui vous frappe, ainsi que tous les étrangers, dans les tragédies françaises ; cette parcimonie de scènes et de développements, ces faux retardements, et puis tout à coup cette hâte d'en finir, mêlée à cette crainte que l'on sent presque partout de manquer d'étoffe pour remplir le cadre de cinq actes. Loin de diminuer mon estime pour tous les hommes qui ont suivi ce système, cette considération l'augmente ; car il a fallu, à chaque tragédie, une sorte de tour d'adresse prodigieux, et une foule de ruses pour déguiser la misère à laquelle ils se condamnaient ; c'était chercher à employer et à étendre pour se couvrir le dernier lambeau d'une pourpre gaspillée et perdue.

> Ce ne sera plus ainsi qu'à l'avenir procédera le poète dramatique. D'abord il prendra dans sa large main beaucoup de temps, et y fera mouvoir des existences entières ; il créera l'homme, non

comme *espèce*, mais comme *individu* (seul moyen d'intéresser à *l'humanité*) ; il laissera ses créatures vivre de leur propre vie, et jettera seulement dans leurs cœurs ces germes de passions par où se préparent les grands événements ; puis, lorsque l'heure sera venue, et seulement alors, sans que l'on sente que son doigt la hâte, il montrera la destinée enveloppant ses victimes dans des nœuds aussi larges, aussi multipliés, aussi inextricables que ceux où se tordent Laocoon et ses deux fils. Alors, bien loin de trouver des personnages trop petits pour l'espace, il gémira, il s'écriera qu'ils manquent d'air et de place ; car l'art sera tout semblable à la vie, et dans la vie une action principale entraîne autour d'elle un tourbillon de faits nécessaires et innombrables. Alors le créateur trouvera dans ses personnages assez de têtes pour répandre toutes ses idées, assez de cœurs à faire battre de tous ses sentiments, et partout on sentira son âme entière agitant la masse. *Mens agitat molem.*

Je suis juste. Tout était bien en harmonie dans l'ex-système de tragédie ; mais tout était d'accord aussi dans le système féodal et théocratique, et pourtant, il fut. Pour exécuter une longue catastrophe qui n'avait de corps que parce qu'elle était enflée, il fallait substituer des rôles aux caractères, des abstractions aux passions personnifiées à des hommes ; or, la nature n'a jamais produit une famille d'hommes, une maison entière dans le sens des anciens (*domus*), où père et enfants, maîtres et serviteurs se soient trouvés également sensibles, agités au même degré par le même événement, s'y jetant à cœur perdu, prenant au sérieux et de bonne foi toutes les surprises et les pièges les plus grossiers, et en éprouvant une satisfaction solennelle, ou une fureur solennelle ; conservant précieusement le sentiment unique qui les anime depuis la première phase de l'événement jusqu'à son accomplissement, sans permettre à leur imagination de s'en écarter d'un pas, et s'occupant enfin d'une affaire unique, celle de commencer un dénouement et de le retarder sans pourtant cesser d'en parler.

Donc il fallait, dans des vestibules qui ne menaient à rien, des personnages n'allant nulle part, partant de peu de chose, avec des idées indécises et des paroles vagues, un peu agités par des sentiments mitigés, des passions paisibles, et arrivant ainsi à une mort gracieuse ou à un soupir faux. O vaine fantasmagorie ! ombres d'hommes dans une ombre de nature ! vides royaumes !... *Inania regna !*

Aussi n'est-ce qu'à force de génie ou de talent que les premiers de chaque époque sont parvenus à jeter de grandes lueurs dans ces ombres, à arrêter de belles formes dans ce chaos ; leurs œuvres furent de magnifiques exceptions, on les prit pour des règles. Le reste est tombé dans l'ornière commune de cette fausse route.

Par excessif souci des bienséances, une forme pudibonde empêchait la franche expression des sentiments — contrairement à la forte liberté si souvent prise par Racine ou Molière : d'où la nécessité d'une aventure comme celle qu'*Othello* a permis de tenter :

> La seule chose dont je ressente quelque orgueil de cette entreprise est d'avoir fait entendre sur la scène le nom du grand Shakespeare, et donné ainsi occasion à un public français de montrer hautement qu'il sait bien que les langues ne sont que des instruments, que les idées sont universelles, que le génie appartient à l'humanité entière et que sa gloire doit avoir pour théâtre le monde entier.

> Alfred de Vigny. *Lettre à Lord *** sur la Soirée du 24 octobre 1829 et sur un système dramatique.*

HONORE DE BALZAC
(1799-1850)

Balzac était trop hanté par sa propre œuvre, trop hypnotisé par la gestation et la mise en forme du Monde qu'il portait en lui, pour offrir des conditions favorables à une activité que, cependant, il a souvent pratiquée. Si néanmoins la critique était avant tout une opération stratégique auxiliaire, ce tempétueux manœuvrier ne pouvait manquer de s'en servir pour justifier son idée fixe : ses feuilletons sur Victor Hugo (1830-1840), sans être exactement polémiques, marqueront donc ses réserves à l'égard d'un immense rival ; sa fameuse appréciation de la *Chartreuse de Parme* de son ami Stendhal (*Revue parisienne,* 1840) signalera ce que ce roman, militaire en grande partie, possède de complémentaire à l'endroit de son propre plan et des *Scènes de la vie militaire* qui y feront défaut.

Il est donc naturel que la pensée critique de Balzac soit prête à courir au secours de ses propres initiatives, si parfaitement incomprises de ses contemporains et de Sainte-Beuve lui-même. C'est le romancier qui tient la plume, soyons-en sûrs, quand éditeurs ou journalistes seront investis d'une mission *avant-courrière* à la fois nécessaire aux résultats matériels d'une opération de librairie et à la correcte appréciation d'une entreprise que très peu de gens apercevaient dans sa structure vertigineuse : la bâtisse complète, des fondations au faîte, d'une œuvre faisant pendant à une Société tout entière.

Nous devons l'unité de cette œuvre à une réflexion que M. de Balzac fit de bonne heure sur l'ensemble des œuvres de Walter Scott. Il nous la disait à nous-même, en nous donnant des conseils sur le sens général qu'un écrivain serait tenté de faire exprimer à ses travaux pour subsister dans la langue. « Il ne suffit pas d'être un homme, il faut être un système », disait-il. Voltaire a été une pensée aussi bien que Marius, et il a triomphé. Quoique grand, le barde écossais n'a fait qu'exposer un certain nombre de pierres habilement sculptées, où se voient d'admirables figures, où revit le génie de chaque époque, et dont presque toutes sont sublimes ; mais où est le monument ? S'il se rencontre chez lui les séduisants effets d'une merveilleuse analyse, il y manque une synthèse. Son œuvre ressemble au Musée de la rue des Petits-Augustins où chaque chose, magnifique en elle-même, ne tient à rien, ne concorde à aucun édifice. Le génie n'est complet que quand il joint, à la faculté de créer, la puissance de coordonner ses créations. Il ne suffit pas d'observer et de peindre, il faut encore peindre et observer dans un but quelconque. Le conteur du Nord avait un trop perçant coup d'œil pour que cette pensée ne lui vînt pas, mais elle lui vint certes trop tard. Si vous voulez vous implanter comme un cèdre ou comme un palmier dans notre littérature de sables mouvants, il s'agit donc d'être, dans un autre ordre d'idées, Walter Scott plus un architecte. Mais, sachez-le bien, aujourd'hui vivre en littérature constitue moins une question de talent qu'une question de temps. Avant que vous soyez en communication avec la partie saine du public qui pourra juger votre courageuse entreprise, il faudra boire à la coupe des angoisses pendant dix ans, dévorer des railleries, subir des injustices, car le scrutin où votent les gens éclairés, et d'où doit sortir votre nom glorifié, ne recevra les boules qu'une à une. »

M. de Balzac est parti de cette observation, qu'il a souvent répétée à ses amis, pour réaliser lentement, pièce à pièce, ses *Etudes de mœurs,* qui ne sont rien de moins qu'une exacte représentation de la société dans tous ses effets. Son unité devait être le monde, l'homme n'était que le détail ; car il s'est proposé de le peindre dans toutes les situatinos de sa vie, **de le décrire sous** tous ses angles, de le saisir dans toutes ses phases, conséquent et inconséquent, ni complètement bon, ni complètement vicieux, en lutte avec les lois dans ses intérêts, en lutte avec les mœurs dans ses sentiments, logique ou grand par hasard ; de montrer la société incessamment dissoute, incessamment recomposée, menaçante parce qu'elle est menacée ; enfin d'arriver au dessin de son ensemble en reconstruisant un à un les éléments. Oeuvre souple et toute d'analyse, longue et patiente, qui devait être longtemps incomplète. Les habitudes de notre époque ne permettent plus à un auteur de suivre la ligne droite, d'aller de proche en proche, de rester dix ans inconnu, sans récompense ni salaire, et d'arriver un jour au milieu du cirque olympique, devant le siècle, en tenant à la main son poème accompli, son histoire finie, et de recueillir, en un seul jour, le prix de vingt années de travaux ignorés, sans l'acheter deux fois en éprouvant, comme aujourd'hui, les railleries dont est accompagnée la vie politique ou littéraire la plus laborieuse comme si elle était un crime. Il lui fallait écouter patiemment un reproche d'immoralité, quand, après avoir raconté une *scène de la vie de campagne,* il passait brusquement à une *scène de la vie parisienne* ; essuyer les observations d'une critique à courte vue, en se voyant accusé d'être illogique, de n'avoir ni plan ni style arrêtés, quand il était forcé d'aller en tous les sens avant d'avoir tracé ses premiers contours, de prendre tous les styles pour peindre une société si multiple en ses détails, et d'assouplir ses fabulations au gré des caprices d'une civilisation que gagne l'hypocrisie. L'homme était le détail parce qu'il était le moyen.

Félix Davin, inspiré par Balzac. « Introduction » aux *Etudes de mœurs au XIXᵉ siècle,* 27 avril 1835.
Dans : Spœlberch de Lovenjoul. *Histoire des Oeuvres de Balzac* (Paris, 1879), p. 50.

GEORGE SAND
(1804-1876)

George Sand, mise très haut, en 1833-34 en particulier, par Sainte-Beuve qui sert de confident et de « directeur » à Lélia, « âme forte et rare », et qui apprécie en elle « la plus manifeste, la plus originale et la plus glorieuse apparition individuelle depuis dix ans » (*RDM*, 1ᵉʳ mars 1840), est sans doute entrée plus que personne — et sans raillerie — dans les vues du « critique avant-coureur ». Si *les Sept Cordes de la Lyre* (1840) font place, au 4ᵉ acte, à côté du poète et de l'artiste, à un caractère de ce genre qui complète les autres et vibre à leur unisson, c'est en l'honneur de Sainte-Beuve, à n'en pas douter, que cette « position du critique » est proposée. Grâce à un dévouement du même genre, la valeur de Sénancour s'est trouvée soudain révélée à des générations oublieuses d'un pâle précurseur : et l'on sait combien l'Angleterre de Matthew Arnold devra à *Obermann* de secrètes inspirations.

Chez *Obermann*, la sensibilité seule est active, l'intelligence est paresseuse ou insuffisante. S'il cherche la vérité, il la cherche mal, il la trouve péniblement, il la possède à travers un voile. C'est un rêveur patient qui se laisse souvent distraire par des influences puériles, mais que la connaisance de son mal ramène à des larmes vraies, profondes, saisissantes. C'est un ergoteur voltairien qu'un poétique sentiment de la nature rappelle à la tranquille majesté de l'élégie. Si les beautés descriptives et lyriques de son poème sont souvent troublées par l'intervention de la discussion philosophique ou de l'ironie mondaine, la gravité naturelle de son caractère, le recueillement auguste de ses pensées les plus habituelles lui inspirent bientôt des hymnes nouveaux, dont rien n'égale la beauté austère et la sauvage grandeur.

Cette difficulté de l'expression dans la dialectique subtile, cette mesquinerie acerbe dans la raillerie, révèlent la portion infirme de l'âme où s'est agité et accompli le poème étrange et douloureux d'Obermann. Si parfois l'artiste a le droit de regretter le mélange contraint et gêné des images sensibles, symboles vivants de la

pensée, et des idées abstraites, résumés inanimés de l'étude solitaire, le psychologiste plonge un regard curieux et avide sur ces
taches d'une belle œuvre, et s'en empare avec la cruelle satisfaction
du chirurgien qui interroge et surprend le siège du mal dans les
entrailles palpitantes et les organes hypertrophiés. Son rôle est
d'apprendre et non de juger. Il constate et ne discute pas. Il
grossit son trésor d'observations, de la découverte des cas extraor-
dinaires. Pour lui, il s'agit de connaître la maladie, plus tard il
cherchera le remède. Peut-être la race humaine en trouvera-t-elle
pour ses souffrances morales, quand elle les aura approfondies et
analysées comme ses souffrances physiques.

Indépendamment de ce mérite d'utilité générale, le livre d'Obermann en possède un très littéraire, c'est la nouveauté et l'étrangeté
du sujet. La naïve tristesse des facultés qui s'avouent incomplètes,
la touchante et noble révélation d'une impuissance qui devient
sereine et résignée n'ont pu jaillir que d'une intelligence élevée,
que d'une âme d'élite. La majorité des lecteurs s'est tournée vers
l'ambition des rôles plus séduisants de Faust, de Werther, de René,
de Saint-Preux.

Mystérieux, rêveur, incertain, tristement railleur, peureux par
irrésolution, amer par vertu, Obermann a peut-être une parenté
éloignée avec Hamlet, ce type embrouillé, mais profond, de la
faiblesse humaine, si complet dans son avortement, si logique dans
son inconséquence. Mais la distance des temps, les métamorphoses
de la société, la différence des conditions et des devoirs, font
d'Obermann une individualité nette, une image dont les traits
bien arrêtés n'ont de modèle nulle part. Moins puissante que belle
et variée, moins flatteuse qu'utile et sage, cette austère leçon donnée à la faiblesse impatiente et chagrine devait être acceptée d'un
très petit nombre d'intelligences dans une époque toute d'ambition
et d'activité. Obermann, sentant son incapacité à prendre un rôle
sur cette scène pleine et agitée, se retirant sur les Alpes pour gémir
seul au sein de la nature, cherchant un coin de sol inculte et vierge
pour y souffrir sans témoin et sans bruit, puis bornant enfin son
ambition à s'étendre et à mourir là, oublié, ignoré de tous, devait
trouver peu de disciples qui consentissent à s'effacer ainsi, dans
le seul dessein de désencombrer la société trop pleine de ces
volontés inquiètes et inutiles qui s'agitent sourdement dans son
sein et le rongent en se dévorant elles-mêmes.

Si l'on exige dans un livre la coordination progressive des pensées et la symétrie des lignes extérieures, *Obermann* n'est pas un

livre, mais c'en est un, vaste et complet, si l'on considère l'unité
fatale et intime qui préside à ce deroulement d'une destinée entière.

George Sand. « Obermann, de Sénancour », *Revue des Deux Mondes* 2ᵉ
série, II (1833), 680-682.

ALPHONSE DE LAMARTINE
(1790-1869)

Lamartine critique ! On imagine mal cette âme adorante,
toujours prête à l'effusion, se décidant à regarder autour de
soi pour discerner des ombres et des lumières. Et cependant,
le poète ruiné deviendra le rédacteur prolixe, et parfois merveilleux d'intuition, du *Cours familier de Littérature* : mais ce
sera surtout pour confesser encore, sous couleur de critique
et d'histoire ou de biographie, les dilections de son esprit et
les propensions de son rêve.

Ce genre de critique confidentielle, Lamartine n'attend pas
la vieillesse et la ruine pour le tenter. Ces autres méditations,
ces confidences détournées, on les retrouve dans les *Destinées
de la Poésie ;* dans les préfaces de ses recueils poétiques ; dans
sa correspondance, etc. Ici, il plaide la cause de la poésie telle
qu'il l'entend, c'est-à-dire d'une simple spontanéité lyrique,
auprès du redoutable manieur d'opinion, du créateur de *la
Presse,* du futur manœuvrier de plébiscites, Emile de Girardin.
On se sent humilié de cette humilité d'un poète vis-à-vis d'un
des premiers maîtres-chanteurs de grand style que le Journalisme de Juillet ait fait surgir.

Hélas ! je suis ce que vous êtes, un pauvre écrivain ; un écrivain, c'est-à-dire un penseur public ; je suis ce que furent, au
génie et à la vertu près, saint Augustin, Jean-Jacques Rousseau,
Chateaubriand, Montaigne, tous les hommes qui ont interrogé
silencieusement leur âme et qui se sont répondu tout haut, pour que
leur dialogue avec eux-mêmes fût aussi un entretien avec leur

siècle ou avec l'avenir. Le cœur humain est un instrument qui n'a ni le même son ni la même qualité de cordes dans toutes les poitrines, et où l'on peut découvrir éternellement de nouvelles notes pour les ajouter à la gamme infinie des sentiments et des cantiques de la création. C'est notre rôle à nous, poètes ou prosateurs malgré nous, rapsodes du poème sans fin que la nature chante aux hommes et à Dieu ! Pourquoi m'accuser si vous vous excusez vous-mêmes ? Ne sommes-nous pas de la même famille de ces *Homérides* qui racontent de porte en porte des histoires dont ils sont tour à tour et quelquefois tout ensemble les historiens et les héros ? Est-ce donc la nature de la pensée qui fait le crime de la publier ? Une pensée vulgaire, critique, sceptique, dogmatique, sera innocente en se dévoilant, selon vous ; un sentiment banal, froid, sans intimité. c'est-à-dire sans palpitation en vous, sans contrecoup dans les autres, ne violera aucune pudeur en se révélant ; mais une pensée pieuse, ardente, allumée au foyer du cœur ou du ciel ; mais un sentiment brûlant, jailli de l'explosion du volcan du cœur ; mais un cri de l'âme éveillant, par son accent de vérité et de déchirement, d'autres cris sympathiques dans le siècle ou dans l'avenir ! mais une larme surtout ! une larme non peinte, comme celles qui ruissellent sur vos linceuls de parade, une larme d'eau et de sel amer tombant des yeux au lieu d'une goutte d'encre de la plume ! oh ! voilà le crime ! voilà la honte ! voilà l'impudeur selon vous ! C'est-à-dire que ce qui est froid et artificiel est innocent dans l'artiste, mais ce qui est naturel et chaud est impardonnable dans l'homme !

Lamartine. « A. M. Emile de Girardin (Préambule) », *Nouvelles Confidences* (Ed. Paris, 1923), 6-7.

Un dernier mot de Sainte-Beuve à ce sujet : après avoir distingué entre deux critiques, l'une « reposée » parce que relative à des œuvres déjà classées, l'autre « pratique », en raison des décisions immédiates à prendre, Sainte-Beuve écrivait :

Ce génie, dans son idéal complet (et Bayle réalise cet idéal plus qu'aucun écrivain) est au revers du génie créateur et poétique, du génie philosophique avec système ; il prend tout en considération, fait tout valoir, et se laisse aller d'abord, sauf à revenir bientôt.

Tout esprit qui a en soi une part d'art ou de système n'admet volontiers que ce qui est analogue à son point de vue, à sa prédilection. Le génie critique n'a rien de trop digne, ni de prude, ni de préoccupé, aucun *quant à soi*. Il ne reste pas dans son centre ou à peu de distance ; il ne se retranche pas dans sa cour, ni dans sa citadelle, ni dans son académie ; il ne craint pas de se mésallier ; il va partout, le long des rues, s'informant, accostant ; la nouveauté l'allèche, et il ne s'épargne pas les régals qui se présentent. Il est, jusqu'à un certain point, tout à tous, comme l'Apôtre, et en ce sens il y a toujours de l'optimisme dans le critique véritablement doué. Mais gare aux retours ! que Jurieu se méfie ! L'infidélité est un trait de ces esprits divers et intelligents ; ils reviennent sur leurs pas, ils prennent tous les côtés d'une question, ils ne se font pas faute de se réfuter eux-mêmes. Combien de fois Bayle n'a-t-il pas changé de rôle, se déguisant tantôt en nouveau converti, tantôt en vieux catholique romain, heureux de cacher son nom et de voir sa pensée faire route nouvelle en croisant l'ancienne ! Un seul personnage ne pouvait suffire à la célérité et aux revirements toujours justes de son esprit mobile, empressé, accueillant. Quelque vastes que soient les espaces et le champ défini, il ne peut promettre de s'y renfermer, ni s'empêcher, comme il dit admirablement, de *faire des courses sur toutes sortes d'auteurs*. Le voilà peint d'un mot.

...Pour nous qui en introduisant l'art, comme on dit, dans la critique, en avons retranché tant d'autres qualités, non moins essentielles, qu'on n'a plus, nous ne pouvons nous empêcher de sourire des mélanges et associations bizarres que fait Bayle, bizarres pour nous à cause de la perspective, mais prompts et naïfs reflets de son impression contemporaine.

Suivent quelques exemples de ces méprises, Pradon et Racine à peine distingués l'un de l'autre, etc.

A la gloire du génie critique, Bayle est resté et restera autant et plus que les trois quarts des poètes et orateurs, excepté les très grands. Il dure, sinon par telle ou telle composition particulière, du moins par l'ensemble de ses travaux.

Sainte-Beuve. « Du Génie critique et de Bayle. » *Revue des Deux Mondes*, sér. 4, III (1er décembre 1835), 549.

Chapitre Cinq

CRITIQUE DE SAUVEGARDE

> Il n'y a de vraiment beau que ce qui ne peut
> servir à rien. Tout ce qui est utile est laid.
> *Théophile Gautier*

Dans l'enthousiasme des « Trois Glorieuses », dans tout
ce qui, en juillet 1830, semblait promis à la société et aux lettres par la devise de *Liberté* qui venait de triompher sur la
Censure, la Loi sur la Presse et les cautionnements, sur l'obs-
curantisme et les Croix de missions, peu de pronostics pessi-
mistes, peu d'horoscopes sinistres s'étaient manifestés. Sauf
pour des esprits nettement réactionnaires, c'était une marche en
avant que la France et le Monde ébauchaient à la suite de
Paris :

Paris, Principe et Fin ! Paris ! Ombre et Flambeau !

Et ce ne devait être qu'un peu plus tard que Chateaubriand
déçu, Vigny hésitant, Auguste Barbier désenchanté, et beaucoup d'autres, devaient laisser paraître un net sentiment de
déconvenue. En 1830, parmi les artistes en particulier, on
escomptait une fraternité sociale dirigée par une sorte de *morale
esthétique,* une émancipation des plus heureux instincts — tout
ce que le XVIIIe siècle avait promis et semblait avoir gardé
par devers soi après 93.

Assez discrédité de bonne heure pour son humeur et son
manque de manières, Gustave Planche (1808-1857), « comme
son nom dur, plat et rude », avait cependant vu clair quand
(Introduction au *Salon de 1831)* il avait tiré un des premiers

diagnostics sur l'affadissement inévitable de l'art des lettres et sur l'attrait fatal du *métier,* du plus médiocre glissement vers la négligence et la vulgarité.

> « L'avènement du principe démocratique, ajourné par le génie de Napoléon, méconnu par une dynastie impuissante et aveugle, ne restera pas sans influence sur les arts de l'imagination... »

Ce pronostic devait surtout apparaître dans sa douloureuse authenticité après 1835, quand la presse à un sou et le feuilleton firent leur apparition sur le marché parisien. Les témoignages sont nombreux de la baisse générale subie en France par l'art d'écrire pour un public médiocre. Divers furent les remèdes proposés ; diverses furent d'abord les réactions de cette nouvelle Majesté, le Public, et de ses vizirs, les rédacteurs de journaux.

Parodie assurément, incidents bouffons parmi tous les avatars d'un personnage ridicule et représentatif, l'enrôlement de Jérôme Paturot au nombre des auteurs faciles, « industrialisés » par la presse quotidienne après 1836, donne à la fois la mesure de l'avilissement de la prose française et la nécessité du remède allopathique dont elle devait ressentir le bénéfice : l'application de «l'art pour l'art » à son cas, et au métier d'écrivain en général.

Etant entendu que le héros de Louis Reybaud — critique littéraire par accident — ne peut, malgré ses prétentions antérieures, résister aux attraits fructueux du roman-feuilleton, et que verbiage facile, tirage à la ligne, utilisation éhontée de prédécesseurs, enfin plagiat pur et simple, sont les étapes d'une dégringolade inévitable, on peut admettre que semblable fatalité menaçait en effet les lettres françaises vers 1840.

---

1. Diverses prévisions socialisantes favorisaient plus ou moins des tendances destructives de l'art assurément, mais acceptables, après tout dans une évolution complètement populaire des lettres et des arts. Sur cet épisode en général, cf. F. Baldensperger « Le Raffermissement des techniques vers 1840 » dans la *Revue de littérature comparée* (1935), pp. 77-96.

Parmi les doléances ou les remontrances contemporaines :

D. Nisard. « Manifeste contre la littérature facile » (déc. 1833 et fév. 1834), dans *Essais sur l'Ecole romantique* (Paris, 1891).

Sainte-Beuve. « De la Littérature industrielle », *Revue des Deux Mondes* (1er Sept. 1839), 675-691.

Proudhon. *La Pornocratie, ou Les Femmes dans les Temps Modernes* (Paris, 1875).

...Le feuilleton a pris dans notre ordre social une importance au moins égale à celle de la tasse de café et du cigare de la Havane. C'est devenu un besoin chronique, une consommation obligée. Que, par impossible, demain, les journaux déclarent à leur clientèle qu'ils suppriment la suite des romans actuellement en circulation, à l'instant vous verrez éclater une insurrection de jupes, de cornettes, et j'oserai ajouter de chapeaux. Il y a toujours de l'enfant dans l'homme : le merveilleux l'enchaîne malgré lui et l'existence la plus sérieuse accorde une petite part à l'inconnu, ce mobile des âmes inquiètes. On a des échéances à payer, des écritures à tenir, mais on n'est pas fâché de savoir ce que devient le héros à la mode ; on a une affaire à plaider comme avocat ; comme juge, une sentence à prendre ; huissier, on instrumentera ; notaire, on passera des actes : mais, au milieu de ces graves occupations, on trouvera un moment à donner aux infortunes d'une héroïne innocente et persécutée. Que l'on songe ensuite aux femmes, si avides de tout ce qui est imaginaire, et le succès de la littérature romanesque sera expliqué.

Le feuilleton à aventures a donc sa raison d'être, comme on dit dans la langue philosophique. Je le compris dès l'abord... et je vis que cette industrie pouvait donner de l'emploi à bien des plumes. Il ne faut pas traiter avec dédain ce moyen d'action sur le public : aucun n'est plus efficace.

[Le vétéran du feuilleton complète en les corrigeant les vues qu'on peut avoir sur la façon de traiter un genre aussi important.]

...Aujourd'hui, pour réussir, il faut faire un feuilleton de ménage, passez-moi l'expression. Dégusté par le père et par la mère, le feuilleton va de droit aux enfants, qui le prêtent à la domesticité, d'où il descend chez le portier, si celui-ci n'en a pas eu la primeur. Comprenez-vous quelles racines un feuilleton ainsi consommé a dans un intérieur, et quelle situation cela assure sur-le-champ à un journal ? Désormais ce journal fait partie intégrante de la famille. Si, par économie, on le supprime, la mère boude, les enfants se plaignent ; la maison entière est en révolution. Il faut absolument le reprendre, se réabonner, pour rétablir l'harmonie domestique et le bonheur conjugal. Voilà... comment le feuilleton joue désormais un rôle social, et s'est placé avec avantage auprès du pot-au-feu et de la batterie de cuisine... C'est surtout dans la coupe... que le vrai feuilletoniste se retrouve. Il faut que chaque numéro tombe bien, qu'il tienne au suivant par une espèce de cordon ombilical, qu'il inspire, qu'il donne le désir, l'impatience de lire la suite... L'art, le voilà. C'est l'art de se faire désirer, de se faire attendre. Vous avez, je suppose, un M. Arthur à qui votre public s'intéresse. Faites manœuvrer ce gaillard-là de façon qu'aucun de ses faits et gestes ne porte à faux, ne soit perdu pour l'effet. A chaque fin de feuilleton, une situation critique, un mot mystérieux, et Arthur, toujours Arthur au bout. Plus le public aura mordu à votre Arthur, plus vous devez en tirer parti, le lui présenter comme amorce. Et si, dans un cas donné, vous pouvez mettre cet Arthur à cheval sur un renouvellement d'abonnés, en laissant les retardataires avec la crainte d'ignorer ce que devient le héros favori, vous aurez réalisé le plus beau succès d'art que puisse ambitionner un homme de style comme vous l'êtes.

Résultat : la fable la plus attachante semblait inséparable d'un chiffre rémunérateur. Un travail presque mécanique, pour lequel le pillage d'auteurs antérieurs va fort loin, devient le procédé du feuilletoniste — jusqu'au moment où des emprunts trop manifestes à Ducray-Duminil font crier au plagiat et interrompent une carrière déjà fructueuse.

Louis Reybaud. *Jérôme Paturot à la recherche d'une position sociale,* chapitres VII et VIII de la Ière partie (Paris, 1879), 54.

ALFRED DE MUSSET
(1810-1857)

Pour Alfred de Musset, mort à moins de cinquante ans, le romantisme avait été une certaine désinvolture byronienne, la raillerie des timidités prétendues « classiques », le goût persistant de l'amour-caprice en des temps embourgeoisés ; peut-être aussi son romantisme avait-il été d'éprouver quelque haine à l'endroit des outrances qui réussissaient à d'autres, et comme d'être empêché par l'esprit et le sens du ridicule d'abonder dans le « grand jeu » du jour.

C'est dire qu'une fois apaisée la vague de fond qui avait entraîné si loin et si haut le lyrisme français, l'auteur du *Théâtre dans un fauteuil* pouvait, sans réelle apostasie, se rasseoir à l'orchestre du Théâtre Français pour applaudir Rachel dans le répertoire racinien, réconcilier deux puissants dieux qu'avait naguère opposés Hugo comme Stendhal,

> Racine rencontrant Shakespeare sur ma table
> S'endort près de Boileau qui leur a pardonné...

Mais loin de s'endormir à l'heure des liquidations inévitables, sa critique, toute d'humour malicieux, est prête à renvoyer dos à dos les intransigeants des deux camps, et les ignorants qui applaudissaient à des luttes fratricides. Ou dut être assez mortifié, non seulement à La Ferté-sous-Jouarre, mais dans des Landerneau parisiens aussi bien que provinciaux, quand le poète de *Rolla* dégonfla, dans la grave *Revue des Deux Mondes,* certaines idéologies qui étaient surtout des logomachies, de vagues querelles de mots, des oppositions de goûts ignorants : et peut-être triomphèrent à l'excès, dans les discussions de sous-préfecture, les gens rassis, les gens sensés, les admirateurs de Ponsard — ceux que n'entendait nullement satisfaire le critique — ceux qui cependant profitèrent, étant le nombre, des querelles intestines des artistes aventureux. D'où peut-être la haine qu'ont vouée à Musset les ennemis de la sentimentalité, des « droits du cœur » en littérature : dédains dont le vengent encore, à leur insu, les bouquets de violettes déposés sur sa tombe, au Père-Lachaise, par Mimi Pinson.

P. Gastinel. *Le lyrisme de Musset* (Paris, 1933).

Or, il est certain que, dans la capitale, il y a un nombre de jeunes gens, femmes, hommes mûrs, vieillards enfin, qui font entendre journellement une sorte de soupirs et de demi-rêves où l'avenir est entrevu ; bonnes gens d'ailleurs, nul n'y contredit, mais il serait à désirer qu'ils s'expliquassent plus clairement. On a remarqué, dans leurs phrases favorites, le mot de *perfectibilité ;* il semble un des plus forts symptômes d'un degré modéré d'enthousiasme ; c'est donc sur ce mot, et sur ce mot seul, que nous vous demandons la permission de les interroger poliment, ainsi qu'il suit. Simple question :

Messieurs (et mesdames) de l'avenir et de l'humanitairerie, qu'entendez-vous par ces paroles ? Entendez-vous que, dans les temps futurs, on perfectionnera les moyens matériels du bien-être de tous, tels que charrues, pains mollets, fiacres, lits de plume, fritures, etc ? ou entendez-vous que l'objet du perfectionnement sera l'homme lui-même ?

Vous voyez, Monsieur, que notre demande est d'une lucidité parfaite, ce qui est déjà un avantage ; mais nous ne voulons point nous enfler. S'agit-il, disons-nous, parmi les adeptes de la foi nouvelle, de perfectionner les choses ou de perfectionner les gens ? Vous sentez que le cas est grave ; c'est à savoir si on me propose de m'améliorer mon habit, ou de m'améliorer mon tailleur. *Hic jacet lepus ;* tout est là. Nous ne nous inquiétons de rien autre. Car vous comprenez encore, sans nul doute, que si on ne veut que m'améliorer mon habit, je ne saurais me plaindre sans injustice ; tandis que si on veut discrètement m'améliorer mon tailleur, ce sera peut-être une raison pour qu'on me détériore mon habit, et par conséquent... *quod erat demonstrandum,* comme dit Spinoza. Ne croyez pas que ce soit par égoïsme ; mais nous tenons à être éclairés.

Perfectionner les choses n'est pas nouveau ; rien n'est plus vieux, tout au contraire, mais aussi rien n'est plus permis, loisible, honnête et salutaire ; quand on ne perfectionnerait que les allumettes, c'est rendre service au monde entier, car les briquets s'éteignent sans cesse. Mais s'attaquer aux gens en personne et s'en venir les perfectionner, oh, oh ! l'affaire est sérieuse, je ne sais trop qui s'y prêterait, mais ce ne serait pas dans ce pays-ci. Perfectionner un homme, d'autorité, par force majeure et arrêt de la cour, c'est ici une entreprise neuve de tout point ; Lycurgue et Solon sont ici fort en arrière ; mais croyez-vous qu'on réussira ? Il y aurait de quoi prendre la poste, et se sauver en Sibérie. Car j'imagine que ce doit être une rude torture inquisitoriale que ces moyens de perfection ; c'est quelque chose sans doute, au moral, comme un établissement orthopédique, à moins que par là on entende seulement le rudiment et l'école primaire ; mais il n'y a rien de moins perfectionnant. Que diantre cela peut-il être ? Nous ôtera-t-on nos cinq sens de nature ? nous en donnera-t-on un sixième ? Les chauves-souris, dit-on, sont ainsi bâties ; triste perspective pour nous que de ressembler à pareille bête ! C'est à faire dresser les cheveux. Mais bon ! c'est une fantaisie ; nous nous alarmons à tort ; quand on tournerait cent ans autour de mes pieds, on ne perfectionnerait jamais que mes bottes ; la raison seule doit nous rassurer.

Dupuis et Cotonet, habitants de La Ferté-sous-Jouarre 2e Lettre.
Alfred de Musset. « Les Humanitaires », *Revue des Deux Mondes*, sér.
4, VIII (1836), 595-610.

ALFRED NETTEMENT

Clairvoyant par sa vue fort nette de l'importance de Balzac, cet esprit sans éclat, feuilletoniste du *Journal des Débats*, a bien aperçu le danger de la presse à bon marché pour la distinction littéraire.

E. Bire. Alfred Nettement (Paris, 1901).

Qui ne sait qu'il faut plus de talent, de temps et de travail pour émouvoir et intéresser, en respectant les lois de la morale, les règles du bon sens, les prescriptions du goût, qu'en ne tenant nul compte de ces lois, de ces règles et de ces prescriptions, en travaillant uniquement pour frapper l'imagination, en sacrifiant toutes les considérations du beau, du vrai et du bien à l'effet qu'on veut produire ? Si l'on pouvait en douter, ne suffirait-il pas de jeter les yeux sur les romans qui paraissent, chaque matin dans les journaux, pour voir combien l'expérience confirme ici la règle ? La nécessité de produire vite et beaucoup est donc une nécessité corruptrice pour les écrivains, et par conséquent corruptrice pour les lecteurs. L'on frappe fort parce que le temps manque pour frapper juste ; on remue et l'on émeut à tout prix, parce que l'on n'a pas le loisir d'étudier assez profondément pour faire naître ces nobles émotions qui prennent leur source dans les régions les plus élevées et les plus pures de l'intelligence et du cœur. La concurrence que l'on rencontre dans ce genre est un nouveau stimulant, et l'émulation du mal, qui existe comme l'émulation du bien, achève de jeter les auteurs dans les conceptions les plus capables de corrompre la raison publique et les bonnes mœurs. C'est comme une de ces courses au clocher où l'on s'excite l'un l'autre à franchir les clôtures et les haies ; seulement les haies sont ici les règles de la morale, et les clôtures ces bornes qui séparent le vrai du faux, et la bienséance du cynisme littéraire. A chaque nouvelle entreprise, le feuilleton-roman s'enhardit, à mesure que le lecteur s'aguerrit, et le niveau de la moralité descend toujours.

Que la décadence littéraire fasse des progrès analogues, c'est la conséquence obligée de tout ce que nous venons de dire. Cette production à la vapeur, qu'on nous passe ce terme, empêche les écrivains, que leur goût portait naturellement à cultiver ce genre, à mettre dans leurs ouvrages ce qu'ils auraient pu y mettre ; au lieu de composer des tableaux, ils estompent des ébauches. Il arrive ainsi dans le royaume des lettres ce qui arrive dans les forêts dont les propriétaires sont surtout préoccupés de la nécessité de tirer de leur propriété de grosses sommes d'argent, et qui aménagent à des époques trop rapprochées, ou même coupent à blanc ; les grands arbres disparaissent, et il ne reste plus que des taillis et des broussailles, ou ce qu'on appelle, en termes de sylviculture, des bois déshonorés. En outre, la renommée des fortunes inespérées que l'on fait dans le feuilleton-roman détourne de travaux plus sérieux et plus utiles un grand nombre de jeunes hommes, dont le talent appliqué à des ouvrages de longue haleine et d'un genre plus élevé, eût peut-être servi et honoré leur siècle et leur pays. C'est ainsi que le niveau littéraire descend en même temps que le niveau moral, et que la langue française, défigurée dans ces compositions rapides, perd de plus en plus ces caractères de clarté, de précision, de netteté, d'élévation, de justesse et de convenance qui en faisaient la langue de la raison humaine.

Tôt ou tard, la presse périodique, si elle n'y prend garde, portera la peine de ces excès et de ces abus dont elle consent à devenir complice. Le journalisme y perdra sa puissance, comme la royauté a perdu la sienne avant 1789 par suite des fautes de l'ancien régime, dont on la rendait solidaire ; comme les assemblées se virent dépossédées de leur autorité par Bonaparte, par suite des fautes et des crimes qu'elles avaient commis ou laissé commettre, depuis la réunion des états généraux, en 1789, jusqu'à cette journée du 18 brumaire où Bonaparte fit sauter les Cinq-Cents par les croisées de l'Orangerie de Saint-Cloud. Si le nombre de ses lecteurs est augmenté, oserait-on dire que son crédit moral est le même ? Qu'une situation pareille à celle du 26 juillet 1830 se présente, qui voudra garantir que la liberté de la presse trouverait, dans la population, les mêmes sympathies, et qu'il y aurait autant de citoyens disposés à mourir pour la défendre ? C'est que l'on meurt pour un drapeau et que l'on ne meurt pas pour une enseigne ; c'est que, si l'on défend une tribune, l'on ne défend point un comptoir...

Ce n'est pas sans raison, on le voit, que nous avons attaqué le désordre littéraire sous la forme du feuilleton-roman, et nous sommes convaincus que nous avons ainsi accompli un devoir envers la morale publique, envers la littérature française, qui est une des grandeurs et une des puissances de ce pays, et envers la liberté de la presse, qui est un de nos droits les plus essentiels parce qu'il peut nous aider à reconquérir les autres.

Alfred Nettement. *Etudes Critiques sur le Feuilleton-roman*. Deuxième série (Paris, 1846), pp. 11-14.

THEOPHILE GAUTIER
(1811-1872)

Antibourgeois par prédestination, adorateur de la ligne, de la couleur, de la forme, grâce à son passage par les ateliers, aussi fier de sa vigueur physique que de son aptitude à faire des métaphores « se suivant », Théophile Gautier reste l'homme du gilet rouge d'*Hernani* même lorsque son romantisme s'éloigne des truculences de 1830 pour accentuer les exigences d'un art difficile. Le classicisme était lâche et flasque alors que Hugo sonnait le ralliement ; flasque et lâche était, à son gré, le romantisme social de 1835, réclamant la participation des artistes à une vaste évangélisation humanitaire. Le grand Théo, qu'on accusera de manquer d'idées, aura été possédé par une pensée au moins, mais tyrannique ; puisque la grisaille, la

morale, l'utilitarisme semblent convenir au XIXᵉ siècle démocratique, le devoir de l'Art est de maintenir des exigences difficiles à satisfaire à qui n'est pas un technicien consommé :

> « Travaille. L'Art robuste
> Seul a l'éternité... »

Mais ce n'est plus seulement, comme pour les maîtres de
la Renaissance, l'espoir de survivre aux siècles qui guidera
cette exigence ; c'est aussi le classement rigoureux des bons
ouvriers, distingués des amateurs. Gautier aura beau, désespé-
rant en apparence de son dessein permanent, tenir à Maxime
Du Camp ce propos goguenard : « L'écrivain vend de la copie
comme le marchand de blanc vend des mouchoirs », il aura
établi une ligne de démarcation — presque trop rigoureuse parfois — entre simples manieurs de prose ou de vers et artistes
sachant leur métier, leur vocabulaire, les ressources de la langue, et pratiquant cette suprême volupté : la consultation des
dictionnaires.

Tout ceci, avec une pointe inévitable de bravade, est inclus
dans *Mademoiselle de Maupin* et sa *Préface* : le roman de sujet
scabreux remontant à la fin de 1833 pour sa conception, la préface datée de mars 1834, le tout déchaîné à la fin de 1835 pour
l'effarement des sujets de S. M. Louis-Philippe Iᵉʳ, et permet-
tant à la doctrine, abstraite jusque-là, de l'Art pour l'Art de
s'autoriser d'un grand exemple, auquel le culte de la Beauté
féminine n'est jamais étranger.

> Il n'y a de vraiment beau que ce qui ne peut servir à rien. Tout
> ce qui est utile est laid.
> C'est la mode maintenant d'être vertueux et chrétien... On parle
> de la sainteté de l'art, de la haute mission de l'artiste, de la poésie
> du catholicisme, de M. de Lamennais, des peintres de l'Ecole
> angélique, du Concile de Trente et de mille autres belles choses.
> Quelques-uns font infuser dans leur religion un peu de républi-
> canisme, ce ne sont pas les moins curieux. Ils accouplent Robes-

pierre et Jésus-Christ de la façon la plus joviale et amalgament avec un sérieux digne d'éloges les Actes des Apôtres et les décrets de la *sainte* Convention, d'autres y ajoutent, pour dernier ingrédient, quelques idées saint-simoniennes. Ceux-là sont complets... Il n'est pas donné au ridicule humain d'aller plus loin...

Vient une sorte de présentation parodique des *desiderata* du critique « moral », reflétant le triste goût « bourgeois » du temps. Et cette déclaration de franc paganisme :

> Le monde où je vis n'est pas le mien, et je ne comprends rien à la société qui m'entoure. Le Christ n'est pas venu pour moi ; je suis aussi païen qu'Alcibiade et Phidias... Mon corps rebelle ne veut pas reconnaître la supériorité de l'âme, et ma chair n'entend point qu'on la mortifie.
>
> Trois choses me plaisent : l'or, le marbre, et la pourpre : éclat, solidité, couleur...

L'Antiquité hellénique, donc, et la Renaissance étaient déclarées les seuls « climats » favorables à la pratique du Beau : en ces temps, l'Art était difficile, exclusif, exigeant.

Théophile Gautier. « Préface », *Mademoiselle de Maupin* (Paris, 1919).
A. Cassagne. *La théorie de l'art pour l'art.* (Paris, 1906).

CHARLES BAUDELAIRE
(1821-1867)

A travers les mystifications de la bohème et les élégances factices du dandysme, sous les surenchères éventuelles d'un « satanisme » plus ou moins sincère et d'une soi-disant « mystique », Baudelaire doit le meilleur de sa critique, et peut-être de son inspiration, à la même haine qui animait les bousingots de 1830 : la haine du poncif, l'horreur du bourgeois, l'incompatibilité avec les bassesses utilitaires. Mais désormais, armée de froide lucidité par les démonstrations d'Edgar Poe, détestant les vaines rhétoriques, cette foi indéfectible s'autorisera de tous les « phares » du Passé, se tournera vers de grands contemporains comme Delacroix et Wagner, pour une activité critique fondée sur quelques points décisifs : la séparation de l'Art et de la Morale, la notion de l'Art supérieur à la Nature qui, sans le choix, l'ordre et l'harmonie, est « affreuse », ayant besoin de se soumettre à des lois éternelles impliquant aussi bien régularité et symétrie qu'harmonie et complication.

Critique, l'artiste ne saurait entrer sympathiquement en contact avec ce qui ne répond pas à ces données. Nulle commune mesure ne rendrait la communication possible avec l'Ecole du Bon Sens, l'Art utile, l'Humanitarisme, la Prédication vertueuse. Au contraire, dans cette sorte de stratosphère où les desiderata de l'Art sont d'avance impliqués, il entrera de plain-pied avec des intentions qui restent les mêmes, au fond, à travers les âges. Il n'a pas, au contraire, à chercher à être « objectif », et son rôle est d'exprimer abstraitement ce qu'un créateur a tenté de faire, et de rejeter comme non valable ce qui est entaché d'utilitarisme de toute sorte. Baudelaire ne changera pas d'avis sur ce point :

« Pour être juste, c'est-à-dire pour avoir sa raison d'être, la critique doit être partiale, passionnée... »

Et quinze ans plus tard :

« Je considère le poète comme le meilleur de tous les critiques. »

F. Vanderem. *Baudelaire et Sainte-Beuve* (Paris, 1917).
A. Ferran. *L'Esthétique de Baudelaire* (Paris, 1933). En particulier, III, ch. ii.
M. Gilman. *Baudelaire the critic* (New-York, 1943).

Avec *Mademoiselle de Maupin* apparaissait dans la littérature le Dilettantisme qui, par son caractère exquis et superlatif, est toujours la meilleure preuve des facultés indispensables en art. Ce roman, ce conte, ce tableau, cette rêverie continuée avec l'obstination d'un peintre, cette espèce d'hymne à la Beauté, avait surtout ce grand résultat d'établir définitivement la condition génératrice des œuvres d'art, c'est-à-dire l'amour exclusif du Beau, l'Idée fixe.

Les choses que j'ai à dire sur ce sujet (et je les dirai très brièvement) ont été très connues en d'autres temps. Et puis elles ont été obscurcies, définitivement oubliées. Des hérésies étranges se sont glissées dans la critique littéraire. Je ne sais quelle lourde nuée, venue de Genève, de Boston ou de l'enfer, a intercepté les beaux rayons du soleil de l'esthétique. La fameuse doctrine de l'indissolubilité du Beau, du Vrai et du Bien est une invention de la philosophaillerie moderne (étrange contagion, qui fait qu'en définissant la folie on en parle le jargon !). Les différents objets de la recherche spirituelle réclament des facultés qui leur sont éternellement appropriées ; quelquefois tel objet n'en réclame qu'une, quelquefois toutes ensemble, ce qui ne peut être que fort rare, et encore jamais à une dose ou à un degré égal. Encore faut-il remarquer que plus un objet réclame de facultés, moins il est noble et pur, plus il est complexe, plus il contient de bâtardise. Le *Vrai* sert de base et de but aux sciences ; il invoque surtout l'intellect pur. La pureté de style sera ici la bienvenue, mais la *beauté* de style peut y être considérée comme un élément de luxe. Le *Bien* est la base et le but des recherches morales. Le *Beau* est l'unique ambition, le but exclusif du Goût. Bien que le Vrai soit le but de l'histoire, il y a une Muse de l'histoire, pour exprimer que quelques-unes des qualités nécessaires à l'historien relèvent de la Muse. Le Roman est un de ces genres complexes où une part plus ou moins grande peut être faite tantôt au Vrai, tantôt au Beau. La part du Beau dans *Mademoiselle de Maupin* était excessive. L'auteur avait le droit de la faire telle. La visée de ce roman n'était pas d'exprimer les mœurs, non plus que les passions d'une époque, mais une passion unique, d'une nature toute spéciale, universelle et éternelle, sous l'impulsion de laquelle le livre entier court, pour ainsi dire, dans le même lit que la Poésie, mais sans toutefois se confondre absolument avec elle, privé qu'il est du double élément du rhythme et de la rime. Ce but, cette visée, cette ambition, c'était de rendre, dans un style approprié, non pas la fureur de l'amour, mais la *beauté* de l'amour et la *beauté* des objets dignes d'amour, en un mot l'enthousiasme (bien différent de la passion) créé par la beauté. C'est vraiment, pour un esprit non entraîné par la mode de l'erreur, un sujet d'étonnement énorme que la confusion totale des genres et des facultés. Comme les différents métiers réclament différents outils, les différents objets de recherche spirituelle exigent leurs facultés correspondantes.

Suivent deux références à l'expression « indignée » de pensées antérieures, à peu près semblables, sur ce sujet.

On voit que, dans les termes où j'ai posé la question, si nous limitons le sens du mot *écrivain* aux travaux qui ressortent de (*sic*) l'imagination, Théophile Gautier est l'écrivain par excellence ; parce qu'il est l'esclave de son devoir, parce qu'il obéit sans cesse aux nécessités de sa fonction, parce que le goût du Beau est pour lui un *fatum*, parce qu'il a fait de son devoir une *idée fixe*. Avec son lumineux bon sens (je parle du bon sens du génie, et non pas du bon sens des petites gens), il a retrouvé tout de suite la grande voie. Chaque écrivain est plus ou moins marqué par sa faculté principale. Chateaubriand a chanté la gloire douloureuse de la mélancolie et de l'ennui. Victor Hugo, grand, terrible, cyclopéen, pour ainsi dire, représente les forces de la nature et leur lutte harmonieuse. Balzac, grand, terrible, complexe aussi, figure le monstre d'une civilisation, et toutes ses luttes, ses ambitions et ses fureurs. Gautier, c'est l'amour exclusif du Beau, avec toutes ses subdivisions, exprimé dans le langage le mieux approprié. Et remarquez que presque tous les écrivains importants, dans chaque siècle, ceux que nous appellerons des chefs d'emploi ou des capitaines, ont au-dessous d'eux des analogues, sinon des semblables, propres à les remplacer. Ainsi, quand une civilisation meurt, il suffit qu'un poème d'un genre particulier soit retrouvé pour donner l'idée des analogues disparus et permettre à l'esprit critique de rétablir sans lacune la chaîne de génération. Or, par son amour du Beau, amour immense, fécond, sans cesse rajeuni (mettez, par exemple, en parallèle les derniers feuilletons sur Petersbourg et la Néva avec *Italia* ou *Tra los Montes*), Théophile Gautier est un écrivain d'un mérite à la fois *nouveau* et unique. De celui-ci, on peut dire qu'il est, jusqu'à présent, sans *doublure*.

Pour parler dignement de l'outil qui sert si bien cette passion du Beau, je veux dire de son style, il me faudrait jouir de ressources pareilles, de cette connaissance de la langue qui n'est jamais en défaut, de ce magnifique dictionnaire dont les feuillets, remués par un souffle divin, s'ouvrent tout juste pour laisser jaillir le mot propre, le mot unique, enfin de ce sentiment de l'ordre qui met chaque trait et chaque touche à sa place naturelle et n'omet aucune nuance. Si l'on réfléchit qu'à cette merveilleuse faculté, Gautier unit une immense intelligence innée de la *correspondance* et du symbolisme universels, ce répertoire de toute métaphore, on comprendra qu'il puisse sans cesse, sans fatigue comme sans faute, définir l'attitude mystérieuse que les objets de la création tiennent devant le regard de l'homme. Il y a dans le mot, dans le *verbe*, quelque chose de *sacré* qui nous défend d'en faire un jeu de hasard. Manier savamment une langue, c'est pratiquer une espèce de sorcellerie évocatoire. C'est alors que la couleur parle, comme une voix profonde et vibrante ; que les monuments se dressent et font saillie sur l'espace profond ; que les animaux et les plantes, représentants du laid et du mal, articulent leur grimace non équivoque ; que le parfum provoque la pensée et le souvenir correspondants ; que la passion murmure ou rugit son langage éternellement semblable. Il y a dans le style de Théophile Gautier une justesse qui ravit, qui étonne, et qui fait songer à ces miracles produits dans le jeu par une profonde science mathématique. Je me rappelle que, très jeune, quand je goûtai pour la première fois aux œuvres de notre poète, la sensation de la touche posée juste, du coup porté droit, me faisait tressaillir, et que l'admiration engendrait en moi une sorte de convulsion nerveuse. Peu à peu je m'accoutumai à la perfection, et je m'abandonnai au mouvement de ce beau style onduleux et brillanté, comme un homme monté sur un cheval sûr qui lui permet la rêverie, ou sur un navire assez solide pour défier les temps non prévus par la boussole, et qui peut contempler à loisir les magnifiques décors sans erreur que construit la nature dans ses heures de génie. C'est grâce à ces facultés innées, si précieusement cultivées, que Gautier a pu souvent (nous l'avons vu) s'asseoir à une table banale, dans un bureau de journal, et improviser, critique ou roman, quelque chose qui avait le caractère d'un fini irréprochable, et qui le lendemain provoquait chez les lecteurs autant de plaisir qu'avaient créé d'étonnement chez les compositeurs de l'imprimerie la rapidité et la beauté de l'écriture. Cette prestesse à résoudre tout problème de style et de composition ne fait-elle pas rêver à la sévère maxime qu'il avait une fois laissée tomber dans la conversation, et dont il s'est fait sans doute un constant devoir : « Tout homme qu'une idée, si subtile et si imprévue qu'on la suppose, prend en défaut, n'est pas un écrivain. L'inexprimable n'existe pas. »

Charles Baudelaire. *Théophile Gautier. Notice littéraire* précédée d'une lettre de Victor Hugo (Paris, 1859).

D'abord dans *l'Artiste* 13 mars 1859. *L'art romantique*, « Théophile Gautier, » (Paris, 1925), 155-166.
Revue anecdotique, no. 9.
La Causerie, 18 décembre 1859.

CATULLE MENDES
(1841-1909)

Catulle Mendès est comme à l'extrême rameau de ce bel arbre « païen » qui poussa si dru sur le Parnasse et dans l'air lucide du néo-hellénisme et de l'Art pour l'Art, en plein XIX° siècle français. « Ecole de la Forme », a-t-on dit, mais la forme n'est-elle rien en art, et les lettres n'ont-elles pas à posséder leur technique à l'égal d'autres expressions ? Le fâcheux d'une insistance excessive, en ces matières comme en d'autres, est de déranger un équilibre difficile à maintenir : Mendès était fait pour rédiger, dans un Rapport officiel, le bilan de ce « mouvement poétique » dont il était un des derniers représentants (1867-1900). Bien auparavant, dans des conférences prononcées en Belgique (où des « mystiques » différentes ne laissent pas de persister), il avait exposé les titres et établi en partie les filiations d'un « règne » qui a eu son importance, et dont l'éclat ne saurait être contesté — même si cet éclat, plus métallique et dur que scintillant et nuancé, devait céder la place à d'autres charmes plus musicaux et plus frémissants.

A. Cassagne. *La Théorie de l'art pour l'art chez les derniers romantiques et les premiers réalistes* (Paris, 1906).
F. Desonay. *Le rêve hellénique chez les Parnassiens* (Paris, 1928).

Or, l'art ne suffit pas sans doute à faire vivre une œuvre, car il y faut l'inspiration ou le génie ; mais sans l'art qui, dans son essence, se modifie beaucoup moins qu'on ne le suppose, sans lui, qui est général et éternel, aucune œuvre ne subsiste éternellement.
Cette loi, Alfred de Musset eut, à notre sens, le tort de la mé-

connaître. Ce sont ici des opinions personnelles et que nous ne prétendons imposer à personne. Qui donc naquit plus brillamment doué que l'auteur des *Contes d'Espagne et d'Italie* ? La passion, la mélancolie, le rire, il avait tout cela, ce jeune homme, ce jeune dieu. Et une belle éclosion vivace d'idées hardies et de rares images lui fleurissaient l'esprit. Mais par paresse peut-être, ou par dandysme, il secoua le joug pesant du devoir poétique, railla la forme, bafoua la rime, nargua la syntaxe, ne se soucia guère de la propriété des termes, prenant pour une audace de bon goût ce qui n'était qu'une rébellion criminelle...

Après la condamnation du plus « coupable » des romantiques, la présentation enthousiaste de la *Revue fantaisiste,* organe de ce « Parnasse » naissant qu'inspire le délicieux Albert Glatigny :

Car elle eut, cette folle, le courage magnanime et qui parut étrange de faire l'émeute des vers, des véritables vers, contre ce roi, le Sentimentalisme élégiaque, et cette reine, la Faute-de-français ; car, adoratrice effrénée du génie et de la passion, elle célébra de toutes ses chansons de jeune oiseau le Maître suprême, alors exilé, et eut des soirs d'*Hernani* pendant les représentations des *Funérailles de l'honneur* d'Auguste Vacquerie ; car elle eut la gloire d'être approuvée et patronnée par ces hauts et purs esprits, Théophile Gautier, Charles Baudelaire, Théodore de Banville, et l'honneur de rechercher ou d'accueillir, de révéler à ce petit nombre qui est bientôt le grand nombre, la plupart des jeunes talents que la France admire aujourd'hui.

C. Mendès. *La Légende du Parnasse contemporain* (Bruxelles, 1884), pp. 21 et 91.

Chapitre Six

L'HISTOIRE LITTERAIRE
A LA RECHERCHE
D'UNE TRADITION ELARGIE

...si les Trois Unités ne sont pas le dernier
degré de conformité du théâtre avec la vie ?
D. Nisard

...cherche dans les grandeurs du passé
l'oubli des misères actuelles...
Saint-René Taillandier
Revue des Deux Mondes, XVIII
(1847), 968

Les adversaires de la « critique avant-courrière », ceux de la
théorie de l'Art pour l'Art (plus ou moins bien comprise, surtout en pays calvinistes) avaient quelque raison de dénier, à
la critique française des *années trente,* les certitudes esthétiques
ou les supports métaphysiques dont elle aurait pu s'armer pour
des campagnes décisives. Ni Sainte-Beuve allant de l'enthousiasme hugolien au détachement de *Dix Ans après,* ni Gautier,
rompant des lances pour une « Beauté » mal définie, encore
moins des « modernistes » défendant simplement les droits du
présent, ou des « classiques » s'en tenant à une tradition courte
mais qui semblait éprouvée, ne se souciaient de construire des
systèmes cohérents qu'auraient vérifiés des applications con-
séquentes. En dernière analyse, c'était un certain choix dans
une longue tradition (la Grèce antique pour les futurs Par-

nassiens, le XVIIᵉ siècle pour les conservateurs entêtés, des additions étrangères ou préclassiques pour bien des novateurs) qui dirigeait dans une large mesure des activités plus volontiers pratiques et créatrices que théoriques et dogmatiques : Toepffer le Genevois posthume (à qui répond vertement Gautier dans la *Revue des Deux Mondes* du 1ᵉʳ septembre 1847), Alfred Michiels le Belge, implacable pour Sainte-Beuve, voyaient assez juste en percevant des carences que l'esprit français comblait gaillardement par ses aptitudes spontanées : plus que l'*Esthétique* de Hegel ou les considérations de Fr. Th. Vischer, plus que Jean-Paul parfaitement révélé en France, l'instinct créateur, bien ou mal, admettait dans le passé des inspirations bonnes à suivre ou utiles à éviter.

Mais cette tradition, la force des choses et l'enrichissement des curiosités n'en faisaient-elles pas quelque chose de bien élastique, en des temps féconds en découvertes et en annexions ? N'y avait-il pas *comme en trois dimensions* un visible développement des éventualités ? Sainte-Beuve livré à l'étude du jansénisme et ne croyant pas possible de comprendre le XVIIᵉ siècle sans Port-Royal ; Ozanam et J. J. Ampère aménageant un moyen âge autrement riche que celui même de l'*Histoire littéraire de la France* ; mille provincialismes enfin répondant à des révélations exotiques : assouplissement et enrichissement de la tradition — mais jusqu'à quelles limites souhaitables ?

En tout cas, l'enrichissement indéniable de la gamme littéraire, l'élargissement et l'allongement, heureux à tout prendre, de la matière acceptable, et de plus en plus admise, avait pour conséquence une révision obligée des critères en même temps que des valeurs. L'humanisme ne pouvait s'en tenir à la situation un peu exiguë que l'indifférence ou l'ignorance avaient maintenue, stable assurément, mais si rétrécie, au bénéfice de l'*Enfin Malherbe vint* ou du *Siècle de Louis XIV*. Etait-il possible, quand des mérites étrangers différents semblaient rejoindre certaines réussites romantiques et d'indéniables charmes

« primitifs, » de s'en tenir aux œuvres incarnant un idéal aussi passager de beauté littéraire ?

L'Université n'avait pas été en arrière de ces préoccupations — sinon dans ses programmes et ses matières d'examen, du moins dans ses contacts avec l'érudition étrangère ou avec les monuments nationaux du passé. J. J. Ampère, Edgar Quinet, Ozanam continuaient les découvertes d'un Fauriel et ne pouvaient manquer d'influer, non plus sur l'hétérodoxie du présent, mais sur la conception générale que la *chose littéraire* représentait dans le cadre des efforts humains : que ce fût par le social, par le religieux, par l'anomalie psychologique, un ébranlement était inévitable dans les confiantes certitudes de naguère — et peut-être l'absence d'un dogme était-elle un bienfait.

DESIRE NISARD
(1806-1888)

Par une sorte de nécessité inéluctable, l'esprit pondéré et sagace de Désiré Nisard devait trouver dans Bossuet la parfaite incarnation de son idéal littéraire. Serait-il excessif de dire que les mérites d'un écrivain, à son gré, se qualifiaient par l'analogie qu'ils pouvaient offrir avec « ce beau génie, le plus grand de nos écrivains en prose, en qui se résument toutes les grandeurs de l'esprit français avec le moindre mélange de défauts » ? Et que cette prééminence qualifiée, ferme bon sens préservant un chrétien de tout ascétisme, activité d'esprit ne laissant pas le loisir de douter à un historien théologique, goût de la vie préservant chez un personnage officiel une sorte de cordialité bourguignonne, — c'est un véritable *acte de foi* qui en faisait, pour Nisard, l'apanage de l'esprit français ?

Il y avait paru dès 1834, quand il avait voulu frapper de

biais telles exagérations de la forme romantique, et que les *Ecrivains latins de la Décadence* (un mot à retenir) lui avaient servi de plastron pour attaquer Hugo-Lucain, le verbeux Lamartine-Stace, tous coupables de manquer à ce *criterium* secret érigé en suprême qualification de l'esprit français. Il y devait surtout paraître en 1869, quand à Gaston Paris plaidant pour certaines variétés dudit esprit, par exemple, dans la *Chanson de Roland* ou bien dans d'autres œuvres médiévales éloignées de la pondération classique mais dépositaires de poésie et de charme malgré tout, la certitude un peu rogue de son contradicteur lui avait rétorqué un *non possumus* qu'il articulait au nom de l'incorruptible supériorité de l'esprit du XVIIᵉ siècle.

La discussion, en 1869, devait être interrompue par la guerre ; celle de 1840 et des années suivantes avait donné naissance à des polémiques plus ou moins ouvertes sur les mérites comparés des XVIIᵉ et XVIIIᵉ siècles, sur l'impossibilité de mettre d'accord des points de vue incompatibles en fait d'excellence littéraire. L'Université en général demeura fidèle à des « valeurs » commodes pour la discipline des esprits ; mais qui sait combien d'émancipations excessives résultèrent ensuite d'assujettissements trop péremptoires ? Affirmer que les Trois Unités, « sous un titre pédantesque, seraient le dernier degré de conformité du théâtre avec la vie », n'est-ce pas inciter à la rébellion ?

Bossuet ne pense jamais à lui, mais toujours à la chose dont il traite. Or, c'est là le secret du naturel et de la variété.

Il est vrai qu'on peut être naturel même en s'occupant de soi, et il y en a d'illustres exemples ; mais on l'est avec plus de défauts. Il n'est personne qui ne sente, pour l'avoir éprouvé, qu'il n'y a pas de naturel hors de la vérité, et qu'il est impossible, à qui ne regarde les choses qu'en lui et selon son intérêt, de n'être pas très souvent hors de la vérité. Or, ce besoin de conformer le monde à soi expose à toutes sortes de paradoxes, où ce qui peut percer de naturel est mêlé de je ne sais quoi de factice qui n'échappe pas à un œil exercé.

Bien moins encore faut-il subtiliser pour faire comprendre

pourquoi l'écrivain qui n'est occupé que de soi manque de variété. Comme il voit toutes les choses en lui-même, il les fait pour ainsi dire à son image et leur imprime uniformément son air. On est presque toujours dans la raillerie avec Voltaire, dans le romanesque avec Rousseau, dans le scepticisme nonchalant avec Montaigne.

Bossuet ne se montre nulle part avec la même physionomie ; il prend pour ainsi dire celle de chaque sujet qu'il traite. Qu'il s'agisse de la vérité religieuse ou de la vérité humaine, ce grand homme paraît toujours saisi, comme malgré lui, de quelque objet qui est hors de lui, et qu'il n'est pas libre de ne pas voir tel qu'il est. De là ces mouvements si naturels, si soudains, si peu attendus, à mesure que le voile se lève et lui découvre quelque partie cachée de la vérité. Il n'a pas une forme particulière, un procédé. Si son sujet le porte à méditer sur le néant des choses humaines, sur la mort, sur les révolutions des empires, sur la force de l'Eglise écrasant les hérésies, les images, les expressions fortes abondent sous sa plume. Descend-il au contraire jusqu'au ton de l'instruction familière, dans le détail de la vie domestique, de nos humeurs, de nos défauts, une clarté douce, égale, des expressions modérées remplacent ces hardiesses de langage que lui inspirent les grands sujets. La preuve qu'il ne s'y plaît pas exclusivement, c'est qu'on n'en rencontre jamais dans les sujets qui ne les comportent pas. Et de même qu'il s'élève sans effort, c'est sans contrainte, et sans le moindre air de déroger, que le pasteur de l'Eglise de Meaux approprie ses instructions à l'intelligence de son humble troupeau.

Nous avons des écrivains d'un ordre élevé qui, conduits par leur sujet en présence des choses familières, les exagèrent et les dénaturent pour les accommoder à leur tour d'esprit habituel, et qui se guindent par la crainte de perdre leurs avantages. Nous avons des écrivains familiers qui font descendre à leur niveau les choses élevées. Les exemples sont plus rares d'écrivains qui s'élèvent ou s'abaissent selon la nature des vérités qu'ils traitent ; et, parmi ces exemples, il n'y en a pas de plus grand que celui de Bossuet. Mais pourquoi ces mots *élever* et *abaisser* ? Il n'y a pas de vérité d'un ordre bas, car la vérité fait partie de Dieu. Bossuet ne comprendrait pas ces subtilités. Il ne croit pas s'abaisser quand il prépare des enfants à la première communion, ou qu'il rassure, au fond d'un cloître, de pauvres filles agitées par des scrupules de conscience, ou qu'il pénètre dans les misères de notre foyer domestique. Il n'ambitionne pas les hautes matières. Le besoin du moment, les devoirs périodiques du saint ministère ne lui laissent pas le choix des sujets. Il s'inquiète peu si sa matière mettra son esprit dans le plus beau jour. Jamais écrivain plus élevé n'a fait moins d'efforts pour l'être et n'a su plus facilement descendre. C'est par là qu'il est si varié. Au lieu de donner sa forme aux choses, ce sont toutes les choses tour à tour qui lui donnent leur forme.

Il est remarquable que, dans un si grand nombre d'écrits qui peuvent être classés par genres, et qui ont des règles et une rhétorique particulières, ce grand homme, historien, orateur sacré, théologien, métaphysicien, publiciste, ne se soit conformé, dans chaque genre, qu'aux règles élémentaires, et qu'il n'ait subi aucun de ces arrangements, où d'autres écrivains dépensent une force perdue pour le fond des choses. Il est grand logicien sans aucun des procédés de la logique. Il ne craint pas de laisser entre les idées importantes des intervalles que le logicien par procédé remplirait d'idées intermédiaires laborieusement enchaînées. Il s'en tient à cet arrangement naturel où se disposent d'elles-mêmes les choses, selon leur ordre et leur importance, dans les têtes bien faites. Il ne s'acharne pas, comme Pascal ou comme Descartes, à faire du discours un tissu qui prouve la puissance d'esprit de l'écrivain, mais qui excède la force d'attention du lecteur. Il raisonne, pour ainsi dire, par les idées principales, bien plus occupé de remuer et d'emporter les âmes aux belles résolutions que de les tenir pour un moment enchaînées dans un réseau de logique d'où elles s'échappent au premier relâchement. Sa domination est d'autant plus forte qu'il n'a pas cet appareil du pouvoir qui intimide, mais qui n'obtient pas l'obéissance.

Bossuet est proprement sans art... Il ne lui a pas même manqué des délicats dont les oreilles fines ont trouvé dur et irrégulier le plus grand style dont les lettres nous offrent l'exemple. Lui aussi persuade contre les règles ; lui aussi a la puissance surnaturelle dans l'auguste simplicité.

Désiré Nisard. *Histoire de la Littérature française,* tome III (Paris, 1863), 233-238.

EMILE MONTEGUT
(1825-1895)

Un des plus évidents résultats des « campagnes » romantiques, et aussi des curiosités élargies par voyages, missions, séjours à l'étranger, traductions, etc., ce fut l'horizon étranger sur lequel la critique française porta désormais les yeux — non sans d'éventuels rétrécissements de ce cosmopolitisme littéraire, loyalement exercé le plus souvent. On ne saurait dire qu'une méthode particulière de critique soit pratiquée par les Philarète Chasles ou les Amédée Pichot, les Antoine de Latour ou les Prosper Mérimée, les Xavier Marmier ou les Auguste Dozon qui, avec des connaissances linguistiques ou historiques variables, renseignaient le public lettré de France sur des nouveautés ou des « anciennetés », des symptômes ou des modes importantes à connaître. Une *moyenne,* qu'on peut dire « humaine », résulte le plus souvent d'annexions qui n'exagèrent point l'exotisme, mais font admettre à présent des « valeurs » dont ne voulait guère le « bon sens », ou le « goût de la clarté », ou la « décence » dont s'autorisait trop souvent, en d'autres temps, une sorte d'étroitesse ou de préjugé.

Emile Montégut, si sédentaire qu'il ait été, fut peut-être le plus pénétrant de ces critiques ou traducteurs français qui, entre 1820 et 1870, interprétaient la mentalité étrangère. Moins de généralisations que chez Chasles, moins d'actualité étroite que chez Pichot, un moindre goût de la singularité à toute force que chez Mérimée ; en même temps, une vue clairvoyante sur les choses de France — provinciales et durables autant que parisiennes et fragiles — ce sont là qualités qui expliquent le retour d'attention dont a bénéficié ce traducteur de Shakespeare, ce « découvreur » de la haute spiritualité américaine.

Labord-Milaa. *Emile Montégut 1824-1895* (Paris, 1922).
Muenier P. A. *Emile Montégut, étude biographique et critique d'après des documents inédits* (Paris, 1925).
————. *Bibliographie méthodique et critique des œuvres d'Emile Montégut avec des documents inédits* (Paris, 1925).

L'Espagne a possédé trois génies bien distincts, qui d'ordinaire se trouvent rarement unis ensemble, et dont un seul suffirait à la gloire d'un peuple et à la fortune d'une littérature : le génie mystique, le génie de la réalité et de l'observation, le génie héroïque. Et ces trois génies, elle les a possédés non partiellement, à l'état de mélange et de nuance, mais entiers, complets, et avec tout l'excès de développement qu'ils peuvent atteindre. Les hardiesses et les violences de ses mystiques n'ont jamais été égalées, et les peintures que dans d'autres pays on a tracé de la réalité pâlissent devant la franchise et la fougue cyniques de ses romans de mœurs, et la noblesse de ses héros tragiques s'impose avec une fierté, une autorité et un accent dominateur qui n'ont jamais été connus chez les autres peuples. Les provinces de cette littérature sont aussi nombreuses et aussi riches que le furent les provinces de l'ancienne monarchie espagnole ; elle a ses récits picaresques comparables à de joyeuses Flandres, ses caprices et ses fantaisies, ses *saynètes* et ses comédies de cape et d'épée comparables à un brillant royaume de Naples, son théâtre tragique et religieux comparable à un nouveau monde aux riches mines d'or et d'argent, et enfin sa littérature mystique et sacrée comparable à cette domination religieuse qui fit connaître à Rome même les douleurs de l'asservissement, qui par Ignace de Loyola garrotta l'Eglise des liens de l'infaillibilité pontificale, et qui un moment plaça le roi Philippe II au-dessus du pape comme chef de la catholicité. Toutes ces richesses ne sont plus que des souvenirs et n'ont pas mieux profité à l'Espagne que les trésors du nouveau monde.

E. Montégut. « Don Quichotte » (à propos d'une édition de Cervantes illustrée par Gustave Doré) *Types Littéraires et Fantaisies Esthétiques* (Paris, 1882), 45-47.

ERNEST RENAN
(1823-1892)

Ernest Renan eut beau explorer le Levant, se familiariser avec les Antiquités hébraïques et les Commencements chrétiens, faire carrière à Paris et y avoir grande figure officielle, cet enfant de Tréguier ne cessera jamais de sentir que par ses fibres les plus vivantes il appartenait à une Bretagne douloureuse et réticente : peu de pages, sous la plume de ce sensible artiste, vaudront celles qu'inspire une évocation aussi simple qu'un aveu, le dépaysement hors d'une foi ingénue et d'un milieu traditionnel.

Aussi, plus que par une documentation objective, défend-il par une piété spontanée une « race » dont il ne connaît pas bien les indices crâniens, les pigments et l'angle facial, mais dont l'éminente dignité vaut d'être défendue contre les dénis de justice, pratique de l'histoire apparente.

Ou, plutôt encore : l'idéalisme de l'inspiration chevaleresque, la poésie sans éclat d'une religion tenace, une variété tout intérieure de sentiment amoureux — c'est comme l'expression historique dévolue à des populations, en général confinées aux pointes et aux îles occidentales de l'Europe. Renan qui, l'un des premiers, demandait que l'histoire littéraire fût « coupée par développements complets » dans le sens transversal, ne donnait-il pas de la sorte une première démonstration de l'importance des races celtiques dans la tradition française, et même européenne ? De bonne heure aussi, il avait songé à s'occuper des poésies « primitives » dont ses maîtres allemands tels que Herder et Goethe avaient tiré si grand parti, et ici l'élève de Fauriel et d'Ozanam continuait à sa façon la revendication de l'historien des troubadours, celle du chroniqueur de l'apport germanique en France, pour enrichir et comme « délatiniser » une tradition qu'il était vraiment trop facile d'accrocher à une seule origine. L'appel de Renan, on le sait, devait être entendu ailleurs qu'en France, et Matthew Arnold y répondra avec moins de pathétique, mais d'une façon tout aussi bienfaisante pour l'interprétation du génie britannique.

H. Tronchon. « Renan comparatiste », *Revue de littérature comparée,* VI (1926).
J. W. Angell. «Matthew Arnold's indebtedness to Renan's *Essais* » (Oregon), 1939.

On ne réfléchit pas assez à ce qu'a d'étrange le fait d'une antique race continuant jusqu'à nos jours et presque sous nos yeux sa vie propre dans quelques îles et presqu'îles perdues de l'Occident, de plus en plus distraite, il est vrai, par les bruits du dehors, mais fidèle encore à sa langue, à ses souvenirs, à ses mœurs et à son esprit. On oublie surtout que ce petit peuple, resserré maintenant aux confins de monde, au milieu des rochers et des montagnes où ses ennemis n'ont pu le forcer, est en possession d'une littérature qui a exercé au moyen âge une immense influence, changé le tour de l'imagination européenne et imposé ses motifs poétiques à presque toute la chrétienté. Il ne faudrait pourtant qu'ouvrir les monuments authentiques du génie gallois pour se convaincre que la race qui les a créés a eu sa manière originale de sentir et de penser, que nulle part l'éternelle illusion ne se para de plus séduisantes couleurs, et que, dans le grand concert de l'espèce humaine, aucune famille n'égala celle-ci pour les sons pénétrants qui vont au cœur. Hélas ! elle est aussi condamnée à disparaître, cette émeraude des mers du couchant ! Arthur ne reviendra pas de son île enchantée, et saint Patrice avait raison de dire à Ossian : « Les héros que tu pleures sont morts ; peuvent-ils renaître ? » Il est temps de noter, avant qu'ils passent, les tons divins expirant ainsi à l'horizon devant le tumulte croissant de l'uniforme civilisation. Quand la critique ne servirait qu'à recueillir ces échos lointains et à rendre une voix aux races qui ne sont plus, ne serait-ce pas assez pour l'absoudre du reproche qu'on lui adresse trop souvent et sans raison de n'être que négative ?

Suit une énumération rapide d'ouvrages, anglais surtout, relatifs à cette littérature si longtemps négligée.

Si l'excellence des races devait être appréciée par la pureté de leur sang et l'inviolabilité de leur caractère, aucune, il faut l'avouer, ne pourrait le disputer en noblesse aux restes encore survivants de la race celtique.[1]

...Elle a tous les défauts et toutes les qualités de l'homme solitaire : à la fois fière et timide, puissante par le sentiment et faible

---

1. Une note limite expressément le sens à donner à « celtique » : non « l'ensemble de la grande race qui a formé, à une époque reculée, la population de tout l'Occident, mais les quatre groupes d'Irlande, d'Ecosse, du pays de Galles et Cornouailles, de Bretagne bretonnante, « bien qu'une ligne très profonde de démarcation sépare l'Irlande du reste de la famille celtique (Résumé d'une note de Renan).

dans l'action ; chez elle, libre et épanouie ; à l'extérieur, gauche et embarrassée. Elle se défie de l'étranger, parce qu'elle y voit un être plus raffiné qu'elle, et qui abuserait de sa simplicité. Indifférente à l'admiration d'autrui, elle ne demande qu'une chose, qu'on la laisse chez elle. C'est par excellence une race domestique, formée pour la famille et les joies du foyer. Chez aucune race, le lien du sang n'a été plus fort, n'a créé plus de devoirs, n'a rattaché l'homme à son semblable avec autant d'étendue et de profondeur. Toute l'institution sociale des peuples celtiques n'était à l'origine qu'une extension de la famille... Il ne semble pas qu'à aucune époque elle ait eu d'aptitude pour la vie politique : l'esprit de la famille a étouffé chez elle toute tentative d'organisation plus étendue... L'infinie délicatesse de sentiment qui caractérise la race celtique est étroitement liée à son besoin de concentration. Les natures peu expansives sont presque toujours celles qui sentent avec le plus de profondeur ; car plus le sentiment est profond, moins il tend à s'exprimer. De là cette charmante pudeur, ce quelque chose de voilé, de sobre, d'exquis, à égale distance de la rhétorique du sentiment, trop familière aux races latines, et de la naïveté réfléchie de l'Allemagne, qui éclate d'une manière admirable dans les chants publiés par M. de la Villemarqué. La réserve apparente des peuples celtiques, qu'on prend souvent pour de la froideur, tient à cette timidité intérieure qui leur fait croire qu'un sentiment perd la moitié de sa valeur quand il est exprimé, et que le cœur ne doit avoir d'autre spectateur que lui-même..

La femme telle que l'a conçue la chevalerie, création celtique, intermédiaire entre l'homme et le monde surnaturel :

La puissance de l'imagination est presque toujours proportionnée à la concentration du sentiment et au peu de développement extérieur de la vie. Le caractère si limité de l'imagination de la Grèce et de l'Italie tient à cette facile expansion des peuples du Midi, chez lesquels l'âme, toute répandue au dehors, se réfléchit peu elle-même. Comparée à l'imagination classique, l'imagination celtique est vraiment l'infini comparé au fini... L'élément essentiel de la vie poétique du Celte, c'est l'*aventure*, c'est-à-dire la poursuite de l'inconnu, une course sans fin après l'objet toujours fuyant du désir...

De là ce profond sentiment de l'avenir et des destinées éternelles de sa race qui a toujours soutenu le Kymri, et le fait apparaître jeune encore à côté de ses conquérants vieillis... Cette main qui sort du lac quand l'épée d'Arthur y tombe, qui s'en saisit et la brandit trois fois, c'est l'espérance des races celtiques. Les petits peuples doués d'imagination prennent d'ordinaire ainsi leur revanche sur ceux qui les ont vaincus. Se sentant forts au dedans et faibles au dehors, ils protestent, s'exaltent, et une telle lutte décuplant leurs forces les rend capables de miracles. Presque tous les grands appels au surnaturel sont dûs à des peuples espérant contre toute espérance. Qui pourra dire ce qui a fermenté de nos jours dans le sein de la nationalité la plus obstinée et la plus impuissante, la Pologne ? Israël humilié rêva la conquête spirituelle du monde, et y réussit.

Après l'examen, parfois hypothétique, de ce que les littératures européennes ont dû à un apport celtique — surtout vivifiant après le VIᵉ siècle — cette conclusion optimiste :

> ...On se persuade qu'il est téméraire de poser une loi aux intermittences et au réveil des races, et que la civilisation moderne, qui semblait faite pour les absorber, ne serait peut-être que leur commun épanouissement.

Ernest Renan. « Le Poésie des races celtiques », *Essais de morale et de critique.* (Paris, 1924), 376-388.

SAINTE-BEUVE
(Après 1848)

En dépit, ou même en raison de ces élargissements d'horizon, était-il possible de tracer une ligne, une zone de sécurité **qui ne fussent pas aussi** strictes que la rigide discipline proposée par Nisard « au secours, comme il disait, de la discipline littéraire » ? Pareille sévérité, utile à la rigueur pour brider la « littérature facile » (il y avait paru en 1833-34, dans une passe d'armes entre Janin, « auteur gâté », et Nisard, « pédant de collège »), était par trop restrictive pour l'art des lettres lui-même.

Surtout après les incertitudes et les désordres des alentours de '48, nul mieux que Sainte-Beuve n'était préparé à brandir un rameau d'olivier. Ses séjours d'enseignement à Lausanne et Liège avaient, mieux que ses voyages, élargi sa propre vision d'un champ que désormais les ascètes de Port-Royal et la famille aventureuse d'élection du jeune Chateaubriand ne déparaient nullement. Encore y avait-il, dans les extases de Pascal (que Sainte-Beuve avait plutôt négligées dans son grand ouvrage) et dans l'individualisme artiste du Sachem romantique (dont les *Mémoires d'outre-tombe* avaient comme excusé l'extravagant vicomte), des éléments à faire rentrer dans une sorte d'alignement. La tradition hellénique (comme pour Gœthe en face du romantisme allemand et, en même temps, du « formalisme » français) était bien certainement l'abri par excellence que pouvait revendiquer une inspiration à la fois prudente et encourageante.

Le « retour à l'antique » dont le mouvement parnassien allait bénéficier — peut-être à l'excès — n'étant guère encore sorti des limbes malgré Ponsard et sa Lucrèce, malgré Rachel et ses réincarnations d'héroïnes raciniennes, l'initiative de Sainte-Beuve semble bien l'expression d'un humanisme réfléchi — en même temps sans doute que le résultat de « métamorphoses » dont la série est connue.

G. Michaut. *Sainte-Beuve avant les « Lundis »* (Fribourg, 1903).
F. Desonay. *Le Rêve hellénique chez les poètes parnassiens* (Louvain, 1928).

Toutes les nations qui se sont détachées successivement du point central, du cœur de l'Asie, sont reconnues aujourd'hui pour des frères et sœurs de la même famille, et d'une famille empreinte au front d'un air de noblesse ; mais, dans cette famille nombreuse, il y a eu un front choisi entre tous, une vierge de prédilection sur laquelle la grâce incomparable a été versée, qui avait reçu, dès le berceau, le don du chant, de l'harmonie, de la mesure, de la perfection (Nausicaa, Helène, Antigone, Iphigénie, toutes les nobles Vénus) ; et cette charmante enfant de génie, cette Muse de la noble maison, si on la suppose retranchée et immolée avant l'âge, n'est-il pas vrai ? l'humanité elle-même tout entière aurait pu dire, comme une famille quand elle a perdu celle qui faisait sa joie et son honneur : « *la couronne de notre tête est tombée !* »...

A chaque renouvellement de siècle, il y a dans la tradition récente qu'on croyait fondée des portions qui s'écroulent, qui s'éboulent, en quelque sorte, et n'en font que mieux apparaître dans sa solidité le roc et le marbre indestructible.

Pour maintenir la tradition, il ne suffit point toutefois de la bien rattacher à ses monuments les plus élevés et les plus augustes ; il convient de la vérifier, de la contrôler sans cesse sur les points les plus rapprochés, de la rajeunir même, et de la tenir dans un rapport perpétuel avec ce qui est vivant. Ici nous touchons à une question assez délicate ; car il ne s'agit pas de venir introduire dans l'enseignement des noms trop nouveaux, de juger hors de propos des ouvrages du jour, de confondre les fonctions et les rôles. Le professeur n'est pas le critique. Le critique, s'il fait ce qu'il doit (et où sont ces critiques-là aujourd'hui ?), est une sentinelle toujours en éveil, sur le qui-vive ? Et il ne crie pas seulement *holà* ! il aide. Loin de ressembler à un pirate et de se réjouir des naufrages, il est quelquefois comme le pilote côtier qui va au secours de ceux que surprend la tempête à l'entrée ou au sortir du port. Le professeur est obligé à moins, ou plutôt à autre chose ; il est tenu à plus de réserve et de dignité, il doit peu s'écarter des lieux consacrés qu'il a charge de montrer et de desservir. Cependant il ne peut pas entièrement échapper à la connaissance des choses nouvelles, des arrivées et des approches pompeusement annoncées, des voiles qu'on signale de temps en temps à l'horizon comme des armadas invincibles ; il faut qu'il les connaisse (au moins les principales), qu'il ait son avis ; en un mot, qu'il ait l'œil au prochain rivage et qu'il ne s'endorme pas.

S'endormir dans la tradition est un danger qui nous menace peu. On n'est plus au temps où, quand on naissait dans une capitale, on n'en sortait pas. Il s'est vu des classiques qui se sont amollis à la seconde génération, qui sont devenus sédentaires et casaniers : ils ont fait comme le fils de Charles-Quint, l'empereur qui avait le plus voyagé, comme ce Philippe II qui ne bougeait plus de son Escurial. Personne n'a le droit aujourd'hui d'être si tranquille, même dans les admirations les mieux établies. Il s'y remue sans cesse quelque chose à vue d'œil ; il s'y perce, comme dans nos vieilles villes, de longues et nouvelles perspectives qui changent les aspects les plus connus. L'enseignement est tenu, bon gré mal gré, de s'y orienter derechef, de s'y raviser ; il a de quoi s'y renouveler aussi, de quoi y modifier sa manière de servir le goût et de défendre la tradition. Je prendrai pour exemple notre dix-septième siècle.

La critique et l'érudition, guidées par l'esprit historique, se sont livrées depuis quelques années à un grand travail qui a son prix, et dont je me garderai bien de diminuer l'importance et l'utilité incontestable. On a eu le goût des sources ; on a voulu connaître toutes choses de plus près, moyennant des pièces et des documents de première main, et, autant que possible, inédits. On est arrivé de la sorte à pénétrer le secret de bien des affaires et le sens intime de bien des personnages, à savoir en détail et presque jour par jour les motifs de son admiration pour Henri IV, pour Richelieu, pour Louis XIV, à dénombrer les ressorts de leur administration, et à suivre tous les mouvements de leur politique à l'étranger. Grâce à cette divulgation de pièces diplomatiques, ce que quelques érudits seuls possédaient autrefois, ce qui était le domaine propre d'un Foncemagne, d'un père Griffet, a été mis à la disposition de tous. Il n'y a plus eu dans le passé de mystères d'Etat. On ne s'est pas borné aux figures historiques, à proprement parler, on a voulu descendre dans le for intérieur, dans le foyer privé des hommes les plus éloquents par la plume ou la parole, et en examinant leurs papiers, leurs lettres autographes, les éditions premières de leurs œuvres, les témoignages de leurs alentours, les journaux des secrétaires qui les avaient le mieux connus, on s'est fait d'eux des idées un peu différentes, et certainement plus précises que celles que donnait la seule lecture de leurs œuvres publiques. Les gens de goût d'autrefois, dans leur appréciation littéraire des œuvres, étaient un peu trop paresseux, trop délicats et trop gens du monde ; ils s'arrêtaient aux moindres difficultés de recherche, et s'y rebutaient comme à des épines. Les critiques même de profession, pour peu qu'ils fussent élégants, ne s'informaient pas assez à l'avance de tout ce qui pouvait donner à leur jugement des garanties d'exactitude parfaite et de vérité ; on en sait plus qu'eux aujourd'hui sur bien des points dans les sujets où ils ont passé ; on a sous la main toute les ressources désirables. Sans parler de la biographie, la bibliographie, cette branche toute nouvelle, d'abord réputée ingrate, cette science des livres dont on a dit « qu'elle dispense trop souvent de les lire », et que nos purs littérateurs laissaient autrefois aux critiques de Hollande, est devenue parisienne et à la mode, presque agréable et certainement facile, et le moindre débutant, pour peu qu'il veuille s'y appliquer deux ou trois matinées, n'est pas embarrassé de savoir tout ce qui concerne le matériel des livres et le personnel de l'auteur dont il s'occupe pour le moment. Voilà les avantages, voilà le bien ; mais les inconvénients aussi de ces nouveaux procédés, à une époque où il y a trop peu de haute critique surveillante et judicieuse, n'ont pas tardé à se produire, et, si je ne m'abuse, ils nous crèvent de toutes parts les yeux.

Après un rappel ironique des « documents inédits » qui prétendent rénover les points de vue et modifier les jugements :

...Nonobstant ces suppléments d'enquête toujours ouverts, conservons, s'il se peut, la légéreté du goût, son impression délicate et prompte ; en présence des œuvres vives de l'esprit, osons avoir notre jugement net et vif aussi, et bien tranché, bien dégagé, sûr de ce qu'il est, même sans pièces à l'appui...

De cette disposition bien avouée et convenue entre nous, de ce que, tout en profitant de notre mieux des instruments, un peu onéreux parfois, de la critique nouvelle, nous retiendrons quelques-unes des habitudes et les principes mêmes de l'ancienne critique, accordant la première place dans notre admiration et notre estime à l'invention, à la composition, à l'art d'écrire, et sensibles, avant tout, au charme de l'esprit, à l'élévation ou à la finesse du talent, vous n'en conclurez pas, messieurs, que nous serons nécessairement, à l'égard des livres et des écrivains célèbres, dans la louange monotone, dans une louange universelle. La meilleure manière, non seulement de sentir, mais de faire valoir les belles œuvres, c'est de ne point avoir de parti pris, de se laisser faire chaque fois en les lisant, en en parlant ; d'oublier, s'il se peut, qu'on les possède de longue main, et de recommencer avec elles comme si on ne les connaissait que d'aujourd'hui. Le jugement, ainsi retrempé à sa source, dût-il rester inférieur quelquefois à ce qu'on avait trouvé précédemment, y reprend du moins de la vie et de la fraîcheur... Les vraiment belles choses paraissent de plus en plus telles en avançant dans la vie et à proportion qu'on a plus comparé.

Sainte-Beuve. « De la Tradition en Littérature et dans quel sens il la faut entendre : leçon d'ouverture à l'Ecole normale, 12 avril 1858, *Causeries du Lundi*, XV, 357 ss.

ALFRED MICHIELS
(1813-1892)

Etant né à Rome d'un père anversois et d'une mère bourgui-gnonne, ayant voyagé en Allemagne après avoir fait son droit à Strasbourg, Alfred Michiels devait ensuite passer à Bru-xelles trois années laborieuses : il pouvait sans doute se targuer d'apercevoir d'un point de vue plus « européen » le faible de la critique française au milieu du siècle : et il lui semblait, malgré Sainte-Beuve ou à cause de Sainte-Beuve, que c'était une certaine absence de principes bien établis. Non sans aigreur, il observait très justement que « les faits se modèlent de plus en plus sur les principes » et réclamait, des critiques ayant l'oreille du public, des certitudes que ne remplaçait pas toujours cette faculté mouvante et indéfinissable, le goût.

G. Michaut. « Sainte-Beuve et Michiels ». *Etudes sur Sainte-Beuve* (Paris, 1905).

Si [...] la poésie a jadis précédé les systèmes, il est croyable que dorénavant les systèmes précéderont et enfanteront la poésie. Voyez [...] quelle énorme place ont prise les discussions litté-raires. Jamais les œuvres spirituelles n'ont subi une enquête si longue et si détaillée. Des escouades de journalistes attendent au seuil du libraire toutes les publications nouvelles et s'en saisissent comme d'une proie. Au bout de quelques semaines, elles sont analysées, dépecées, disséquées ; le feuilletoniste les a couvertes de gloire ou de honte. Mais ce n'est là qu'un premier travail. A peine sorties du laminoir quotidien, les revues les pressent dans leur filière : elles les tirent, les amincissent, les allongent et les tourmentent de cent façons. Les brochures, les volumes fondent ensuite dessus ; l'ouvrage doit être pétri d'une manière bien cohé-rente et bien ductile pour soutenir cette nouvelle manipulation. Il y aurait de quoi le réduire en poudre. La masse des louanges, des censures, des controverses et des railleries suscitées par un livre excède de beaucoup son propre volume. On dirait le flocon de neige roulant du haut de la montagne ; dans sa course il agglomère autour de lui le supplément gigantesque dont le poids effraye les vallées.

Cette puissance morale et cette vigueur matérielle acquises de nos jours par la critique lui imposent des obligations et rendent urgent de la surveiller, comme elle surveille elle-même les arts. Il faut qu'elle procède régulièrement, se dresse une carte de voyage et prenne soin de ne pas égarer les nations. Plus elle peut se montrer utile, plus aussi elle peut nuire. Qu'elle apprenne donc ses devoirs, ou qu'elle disparaisse. La critique morte, les poètes se trouvent abandonnés à leur instinct, cette voix obscure de Dieu ; et si les instincts ne suffisent pas à l'homme pour remplir sa destinée, si son esprit avide de connaître, si sa volonté, qui a besoin de direction, le poussent toujours en toutes choses à se tracer un plan de conduite, rien d'une autre part ne lui est plus préjudiciable que de se mettre sous la tutelle d'une fausse doctrine. La nature alors ne le guide plus : la vérité, ou la nature comprise et réduite à un système, ne le guide pas encore ; il marche à la suite d'un fantôme trompeur.

Or, dans quelles conditions se trouve maintenant la critique française ? A-t-elle pris pour guide une méthode juste et raisonnable ? Cherche-t-elle à saisir les lois générales et particulières du beau, à distinguer ses attributs permanents et universels de ses formes locales, successives, transitoires ? Se rend-elle compte des métamorphoses qui changent l'esprit de la littérature et des œuvres plastiques ? Lui est-il même arrivé de comprendre et d'expliquer suffisamment une de ces grandes créations intellectuelles, douées d'un pouvoir générateur comme les plantes et les animaux, le drame ou l'architecture gothique par exemple ? A-t-elle une influence heureuse, éclaire-t-elle les esprits, rend-elle le sentiment de l'art plus vif et plus pur ? Nous avons déjà répondu négativement à ces questions dans un précédent ouvrage[1], et par là excité des haines peu généreuses ; car enfin nous ne nommions personne,

---

1. *Etudes sur l'Allemagne* (1839). L'auteur reprochait là, à la critique française, comme il le fait encore dans la suite de son article, d'ignorer les concepts de l'esthétique.

nous parlions des choses sans attaquer les individus. C'était sur la science même que nous avions les yeux fixés, c'était pour elle seule que nous avions pris la parole.

Alfred Michiels. « Préface, » p. VI. *Histoire des Idées littéraires en France au XIX*e *siècle et de leurs origines dans les siècles antérieurs.* 4e édition (Paris, 1863), 2 vol.

Chapitre Sept

CRITIQUE DE COMBAT

> C'est ici la littérature d'un siècle
> de science qui ne croit qu'aux faits.
>
> *E. Zola*

Le besoin de vérité dont est travaillée la littérature française au lendemain du Romantisme, et plus encore après les tentatives de complète « démocratisation » de toute expression littéraire ; la haine des minces représentations de la vie offertes par les Octave Feuillet, les Jules Sandeau et d'autres romanciers « bourgeois » ; en même temps le désarroi des théories esthétiques et l'incompréhension du sauvetage magnifique des lettres par la « forme » proposé par Gautier et maintenant par Flaubert et Baudelaire : tout cela ressort assez bien des notes prises par les Goncourt au Dîner Magny du 11 mars 1863, quand sont au grand complet des convives qui se doutent à peine que leurs propos ne se tiennent pas *sub rosa,* et que précisément « le goût du vrai » conduit le crayon indiscret d'un mémorialiste de demain.

Nulle part adhésion complète : ni sur Homère, défendu par Sainte-Beuve et Saint-Victor ; ni sur le XVIIᵉ siècle, attaqué par Gautier comme déficient en mots, ni sur Balzac, démoli par Sainte-Beuve, ni sur George Sand, vantée par Renan dans un scandale presque général, ni sur l'*Adolphe* de Constant, qu'Edmond de Goncourt lit plus volontiers que l'*Iliade*...

Il n'aurait guère manqué, à cette séance tenue quatre mois après la fondation, que Gavarni, l'un des fondateurs, Manet avec Courbet, l'exigeant Mérimée et le rude Zola, peut-être

Dumas fils, pour un « banquet » synthétique, un symposium significatif et à peine décevant, puisque ce désir de véracité si différemment manifesté témoigne de la variété de l'Art et des possibilités infinies de ses suggestions. Personne — ceci est caractéristique de cette date — ne s'autorise encore de la Science comme de l'arbitre suprême : c'est au fond des Styles différents qu'il est question et que les désaccords sont représentatifs. Les dates de 1850 (P. Lucas. *Traité de l'hérédité naturelle*) ; 1865 (Claude Bernard. *Introduction à l'étude de la médecine expérimentale*) ; 1855 (H. Taine. *Les Philosophes français du XIXᵉ siècle*) permettent au moins pour un temps une déférence à l'égard de la Science qui entraînera une partie de la production et de la critique bien au delà de ce qui est encore en cause en 1863 : l'improbité artistique et la difficulté de protester contre elle.

JULES CHAMPFLEURY
(1821-1889)

Champfleury chef d'école ! Ce serait, comme on verra, trop attendre d'un « réaliste » par commodité plus que par système, par tempérament plutôt que par principe. Cependant, en face de la revendication parnassienne pour de « l'art à toute force », surtout par détestation des agréments convenus de la peinture, de la sculpture et des lettres du milieu de XIXᵉ siècle, l'auteur des *Bourgeois de Molinchart* (1868), grand collectionneur de porcelaines et de singularités asiatiques, truculent ami de Courbet, devait faire figure d'initiateur par des vues qui, bon gré mal gré, avaient le mot de *Réalisme* (1867) pour commun dénominateur.

Il cite Joubert à l'occasion, salue dans *les Misérables,* débordants de romantisme, « le génie retrouvant la naïveté », se flatte d'avoir démontré à Proudhon lui-même que Shakespeare créant dans *Roméo et Juliette* des images d'amoureux avait rendu à l'humanité de plus grands services que tel révolutionnaire préparant la chute d'une tyrannie : c'est dire que son *credo* est loin de la détermination unilatérale d'un programme. Mais, ami de Max Buchon qui découvre Gotthelf en Suisse et Hebel en Souabe, familier des ateliers et des brasseries où s'élabore la rude démonstrastion des simples « tranches de vie », disposé à trouver surtout, dans Balzac et dans Stendhal, leurs allégations de véracité vérifiées impitoyablement, cet écrivain assez médiocre a eu le mérite, plus que Henri Monnier et Duranty, d'affirmer une foi qui devait grandir et se démontrer chez d'autres.

E. Bouvier. *La Bataille réaliste* (Paris, 1914).
H. Haendel. *Champfleury, sein Leben und sein Werk* (Diss., Iena, 1935).
P. Lenoir. *Histoire du Réalisme et du Naturalisme dans la Poésie et dans l'Art depuis l'Antiquité jusqu'à nos jours* (Paris, 1889).
P. Martino. *Le Roman réaliste sous le Second Empire* (Paris, 1913).

Cette querelle des réalistes et des idéalistes est fatigante et sans fin. Il y a de grands et petits esprits, il y a des esprits masculins et des esprits féminins. C'est entre ces natures si diverses que se passe le combat. Seulement les esprits féminins sont en grand nombre et assourdissent les gens de leur cris et de leurs jérémiades : Nous sommes perdus ! — « Voilà les barbares ».

On a gémi de même du temps de Rabelais, de Montaigne, de Shakespeare, de Cervantes, de Le Sage, de Swift, de Diderot, de Balzac. Ces curieux, avides de tout savoir et de tout analyser, répandent l'alarme parmi les esprits féminins. Que veulent-ils savoir de plus ? Jusqu'où comptent-ils aller ? Doux Jésus ! Les vieilles dévotes qui marmottent leurs litanies ne poussent pas plus d'exclamations.

Toutes les vérités étant dans les mains de penseurs qui les jettent à poignées à leurs contemporains, ces vérités, ceux-ci ne peuvent les digérer. Voilà le malheur. Madame Sand, dans ses Mémoires, rapporte une entrevue avec Balzac, une autre avec Stendhal. Le premier lui lut un *Conte drolatique*, le second l'entretint pendant toute une traversée de propos salés. Madame Sand ne cache pas la fâcheuse impression qui résulta pour elle de la rencontre de ces deux hommes ; elle ne se rend pas compte que Balzac et Stendhal prirent plaisir à semer à pleines mains le sel gaulois, sachant qu'ils avaient affaire à un grand esprit, mais grand esprit féminin.

Pour en revenir à ce qui, au gré de bien des contemporains, était le mérite — un peu scandaleux — de l'auteur des *Bourgeois de Molinchart*, Champfleury semble se disculper d'une responsabilité qu'assumait en partie le titre de son recueil si composite de 1857, le Réalisme :

> On a dit souvent que le mot de *réalisme* fut jeté en avant par moi. Que ceux qui croient imposer un mot à toute une nation pendant dix ans l'essayent ; qu'ils fassent qu'à la même heure ce mot soit répété en chaire, à la tribune, qu'ils tâchent de le faire inscrire dans le dictionnaire des lettres, des arts et des sciences. Ce serait le symptôme d'une force que, pour ma part, je regrette de ne pas posséder.
>
> Qu'on pense à un pauvre garçon ignorant, je l'ai dit assez, sans fortune, je ne crains pas de l'avouer, sans ambition, ma vie le prouve, timide et froid, n'allant jamais au-devant des gens, insouciant et indépendant, qui à l'époque où le mot prit racine, passait sa vie dans les bibliothèques, voyait quelques rares amis, fréquentait à peine le monde, vivait absorbé par ses travaux et était obligé de se créer une éducation en même temps qu'il lui fallait subvenir aux besoins de la vie.
>
> Voilà un fameux chef d'école !

Champfleury. « Notes intimes », 1859-61, à la suite de *Souvenirs et Portraits de jeunesse* (Paris, 1872).

EDMOND (1822-1896)
ET JULES DE GONCOURT (1830-1870)

Se seraient-ils sentis moins *hétérogènes*, moins ardents à prendre parti contre le mauvais goût de leur temps, si, au lieu

de voir la bourgeoisie affirmer sa sécurité sous le Second Empire, Edmond et Jules de Goncourt étaient nés au début du
XVIIIᵉ siècle, avaient été les contemporains des grâces de la
Régence et du raffinement Louis XV avant les grands remue-
ments de la pensée par Montesquieu et Voltaire ? On peut le
leur concéder, bien qu'une certaine nervosité de tempérament,
une « impressionnabilité « aiguë », presque maladive » — comme chez Charles Demailly — créent d'avance et en tout cas
une antinomie entre des préférences tout individuelles et n'importe quelles formules généralisées de la société. Contemporains de ce XVIIIᵉ siècle qu'ils ont exploré comme un refuge
et un asile, qui sait s'ils n'auraient pas condamné des mièvreries
à la Marivaux et à la Watteau, des maniérismes à la Faustin,
comme trop propices à l' « insupportable amateur » qui risque
de vulgariser les valeurs de l'art et des lettres ?

Or leurs manifestes critiques, comme la production des deux
frères en littérature, au théâtre, en histoire anecdotique, leur
fameux *Journal* commencé le 2 décembre 1851, puis les sur-
vivances polémiques d'Edmond et la fondation de l'Académie
Goncourt, ces réclamations passionnées en faveur du *vrai* sont
avant tout de l'*antibourgeoisisme,* un plaidoyer pour une vérité
que doit démontrer le « document », le bibelot, le trait caractéristique, le détail vivant : une fine sensibilité est attirée, comme l'électricité, par les « pointes » qui ne témoignent en rien
au sujet des valeurs de fond et de masse, mais satisfont un
esthétisme pointilleux qui fait en effet, de ces précurseurs en
tant de choses, des curieux exceptionnels. Aux déjeuners Magny,
au grenier d'Auteuil, que de propos ne seront-ils pas échangés
au sujet de ce « vrai » qui doit en somme succéder au « beau »
ou au « grand » du Romantisme, et qui n'est guère plus sûr
de sa défense contre Sandeau et O. Feuillet par Sainte-Beuve,
Gautier, Flaubert, Tourgueniev et Zola, ou par Degas contre
Courbet, Gavarni contre Delacroix...

P. Sabatier. *L'Esthétique des Goncourt* (Paris, 1920).

S'il m'était donné de redevenir plus jeune de quelques années, je voudrais faire des romans sans plus de complications que la plupart des drames intimes de l'existence, des amours finissant sans plus de suicides que les amours que nous avons tous traversées ; et la mort, cette mort que j'emploie volontiers pour le dénouement de mes romans, de celui-ci comme des autres, quoique un peu plus *comme il faut* que le mariage, je la rejetterais de mes livres, ainsi qu'un moyen théâtral d'un emploi misérable dans de la haute littérature. Oui, je crois — et ici je parle bien pour moi tout seul — je crois que l'aventure, la machination *livresque* a été épuisée par Soulié, par Sue, par les grands imaginateurs du commencement du siècle, et ma pensée est que la dernière évolution du roman, pour arriver à devenir tout à fait le grand livre des temps modernes, c'est de se faire un livre de pure analyse : livre pour lequel — je l'ai cherché sans réussite — un *jeune* trouvera peut-être, quelque jour, une nouvelle dénomination, une dénomination autre que celle de roman.

Et à propos de roman sans péripéties, sans intrigue, sans bas amusement, tranchons le mot, qu'on ne me jette pas à la tête le goût du public ! Le public... trois ou quatre hommes, pas plus, tous les trente ans, lui retournent ses catéchismes du beau, lui changent, du tout au tout, ses goûts de littérature et d'art, et font adorer à la génération qui s'élève ce que la génération précédente réputait exécrable. Aujourd'hui la reconnaissance générale de Hugo et de Delacroix n'est-elle pas la négation absolue de la religion littéraire et picturale de la Restauration, et n'y a-t-il pas, en ce moment, des symptômes naissants de reconnaissances d'écoles qui seront à leur tour la négation de ce qui règne à peu près souverainement encore ? Le public n'estime et ne reconnaît à la longue que ceux qui l'ont scandalisé tout d'abord, les *apporteurs de neuf,* les révolutionnaires du livre et du tableau — les messieurs enfin qui, dans la marche et le renouvellement incessants et universels des choses du monde, osent contrarier l'immobilité paresseuse de ses opinions toutes faites.

Arrivons maintenant pour moi à la grosse question du moment. Dans la Presse, en ces derniers temps, s'est produite une certaine opinion qui a amené un ébranlement dans quelques convictions mal affermies de notre petit monde. Quoi ! nous les romanciers, les ouvriers du genre littéraire triomphant au XIXe siècle, nous renoncerions à ce qui a été la marque de fabrique de tous les vrais écrivains de tous les temps et de tous les pays, nous perdrions l'ambition d'avoir une langue rendant nos idées, nos sensations, nos figurations des hommes et des choses, d'une façon distincte de celui-ci ou de celui-là, une langue personnelle, une langue portant notre signature, et nous descendrions à parler le langage *omnibus* des faits-divers !

Non, le romancier, qui a le désir de se survivre, continuera à s'efforcer de mettre dans sa prose de la poésie, continuera à vouloir un rythme et une cadence pour ses périodes, continuera à rechercher l'image peinte, continuera à courir après l'épithète rare, continuera, selon la rédaction d'un délicat styliste de ce siècle, à combiner dans une expression le *trop* et l'*assez*, continuera à ne pas se refuser un tour pouvant faire de la peine aux auteurs de M. M. Noël et Chapsal, mais lui paraissant apporter de la vie à sa phrase, continuera à ne pas rejeter un vocable comblant un trou parmi les rares mots admis à monter dans les carrosses de l'Académie, commettra enfin, mon Dieu, oui ! un néologisme — et cela dans la grande indignation de critiques ignorant absolument que *suer à grosses gouttes, prendre à tâche, tourner la cervelle, chercher chicane,* etc., etc., et presque toutes les locutions qu'ils emploient journellement, étaient d'abominables néologismes en l'année 1750.

Puis toujours, toujours, ce romancier écrira en vue de ceux qui ont le goût le plus précieux, le plus raffiné de la prose française, et de la prose française de l'heure actuelle, et toujours s'appliquera à mettre dans ce qu'il écrit cet indéfinissable exquis et charmeur, que la plus intelligente traduction ne peut jamais faire passer dans une autre langue.

Et après un coup de revers à Taine, un compliment à Joubert :

Répétons-le : le jour où n'existera plus chez le lettré l'effort d'écrire, et l'effort d'écrire personnellement, on peut être sûr d'avance que le reportage aura succédé en France à la littérature. Tâchons donc d'écrire bien, d'écrire médiocrement, d'écrire mal même plutôt que de ne pas écrire du tout ; mais qu'il soit bien entendu qu'il n'existe pas un patron de style unique, ainsi que l'enseignent les professeurs de l'*éternel beau,* mais que le style de La Bruyère, le style de Bossuet, le style de Saint-Simon, le style de Bernardin de Saint-Pierre, le style de Diderot, tout divers et dissemblables qu'ils soient, sont des styles d'égale valeur, des styles d'écrivains parfaits.

Et peut-être l'espèce d'hésitation du monde lettré à accorder à Balzac la place due à l'immense grand homme, vient-elle de ce qu'il n'est point un écrivain qui ait un style personnel ?

Suit, sous une forme quasi testamentaire, l'annonce du *Journal de la Vie littéraire*.

Edmond de Goncourt. Préface de *Chérie* « monographie de jeune fille », écrite en 1882-83 (Paris, 1885), III-IX.

EMILE ZOLA
(1840-1902)

Considérable et véhémente en sa combativité, l'œuvre critique d'Emile Zola reste longtemps *polémique* avant tout, inspirée par le désaveu de l'improbité littéraire et artistique, mais aussi par l'opposition nécessaire à l'utilitarisme humanitaire à la Proudhon : *Mes Haines, Les livres d'aujourd'hui et de demain, Marbres et Plâtres, Etudes et Portraits* sont des recueils d'articles (*L'Evénement, Le Figaro, Le Salut public, La Revue contemporaine*) dont le mérite est dans la franchise assez rogue, dans le débroussaillement plutôt salubre du Second Empire finissant.

« Une représentation idéaliste de la nature et de nous-mêmes, en vue du perfectionnement physique et moral de notre espèce » : on peut dire que cette définition socialisante de l'Art par Proudhon est au point de départ de celle-ci, qui est en somme maintenue par Zola au cours de ses premières campagnes : « Une œuvre d'art est un coin de la création vu à travers un tempérament. » La *Préface* de *Mes Haines,* en 1866, n'allait guère (en matière constructive) au delà de vitupérations propices assurément aux « vérités de l'avenir », mais surtout terribles aux insuffisances ou aux oppositions du présent : haine des impuissants, des grégaires, des « railleurs malsains », des dédaigneux et des cuistres, plutôt pêle-mêle et sans grandes discriminations de psychologie et de technique. Grand déblaiement que suit de si près l'effondrement de l'Empire qu'on peut se demander si Zola n'a pas été servi par cette *Débâcle,* qu'il devait placer vers la fin de ses *Rougon-Macquart.*

Mais déjà sa critique commençait à s'inspirer d'un principe positif : la science de l'esprit malade et sa présentation « expérimentale », le rattachement de toute œuvre de l'esprit à des ensembles impérieux, déterminisme qui lui fait agréer l'esthétique de Taine comme l'expérimentation de Claude Bernard. Et dès lors une critique « constructive », et « construisant à l'écart des édifices coutumiers » sera l'auxiliaire d'une œuvre narrative dont on connaît l'extraordinaire ampleur.

Que la perspicacité fasse éventuellement défaut à ce fort manieur de masses, quoi de surprenant ? Sa défiance à l'égard de Sainte-Beuve « qui n'a pas compris son siècle », témoigne de cette myopie, et aussi sa fausse conception des qualités et des défauts de Barbey d'Aurevilly, « tempérament » s'il en fut.

> ...On a dit que le génie était une névrose aiguë. Je puis affirmer que M. Barbey d'Aurevilly, le catholique hystérique dont je veux parler, n'a rien qui ressemble à du génie, et je dois déclarer cependant que l'esprit de cet écrivain est en proie à une fièvre nerveuse terrible.
> ...Je veux surtout examiner sa dernière œuvre, *Un Prêtre marié.* Résumant, dès le début, l'impression que cette œuvre m'a produite, je dirai simplement qu'elle m'a exaspéré... Il y a dans le livre deux parties que l'on doit, selon moi, examiner séparément : la partie purement artistique et la partie en quelque sorte dogmatique. L'une est le produit d'une personnalité qui s'enfle à en crever, l'autre est un plaidoyer violent et maladroit en faveur du célibat des prêtres.

Après une analyse « consciencieuse » du roman, et dont l'auteur ne saurait se plaindre :

> Voici les principes monstrueux que l'on peut formuler après

la lecture d'*Un Prêtre marié* : la science est maudite, savoir c'est ne plus croire, l'ignorance est aimée du ciel ; les bons payent pour les méchants, l'enfant expie les fautes du père ; la fatalité nous gouverne, ce monde est un monde d'épouvante livré à la colère d'un Dieu et aux caprices d'un démon. Telles sont en substance les pensées de l'auteur. Enoncer de pareilles propositions, c'est les réfuter. D'ailleurs le grand débat porte sur le sujet même du livre, sur ce mariage du prêtre qui paraît un si gros sacrilège à M. Barbey d'Aurevilly, et qui me semble, à moi, un fait naturel, très humain en lui-même, ayant lieu dans les religions sans que les intérêts du ciel en souffrent.

Il est difficile, d'ailleurs, de juger froidement une œuvre semblable, produit d'un tempérament excessif. Tous les personnages sont plus ou moins malades, plus ou moins fous ; les épisodes galopent eux-mêmes en pleine démence. Le livre entier est une sorte de cauchemar fiévreux, un rêve mystique et violent. De telles pages auraient dû être écrites il y a quelques cents ans, dans une époque de terreur et d'angoisse, lorsque la raison du moyen âge chancelait sous d'absurdes croyances. Une intelligence détraquée de ces misérables temps, un esprit perdu de mysticisme et de fatalisme, une âme qui ne distingue plus entre le sorcier et le prêtre, entre la réalité et le songe, aurait pu à la rigueur se permettre une pareille débauche de folie. Au point de vue artistique, je comprends et j'admets encore ce livre étrange ; l'insanité lui est permise, il peut à son gré divaguer et mentir ; il n'attaque après tout que le goût, et l'artiste modéré peut se consoler en le jetant après la troisième page. Mais dès qu'il se mêle de prêcher, dès qu'il veut devenir un enseignement et un catéchisme, il attaque le vrai, et on est en droit de lui demander un peu de raison et de mesure, sous peine de n'être pas écouté par les gens sérieux. Avez-vous jamais vu un échappé de Charenton rendant des arrêts sur la place publique ?

Emile Zola. Feuilleton sur *Un Prêtre marié* de Barbey d'Aurevilly sous ce titre : « Le Catholique hystérique », *Mes Haines* (Paris, 1866), 35-39.

Au fond des querelles littéraires, il y a toujours une question philosophique. Cette question peut rester confuse, on ne remonte pas jusqu'à elle, les écrivains mis en cause ne sauraient dire souvent quelles sont leurs croyances ; mais l'antagonisme entre les

écoles n'en provient pas moins des idées premières qu'elles se font
de la vérité. Ainsi le romantisme est sûrement déiste. Victor Hugo,
en qui il s'est incarné, a eu une éducation catholique, dont il ne
s'est jamais dégagé nettement ; le catholicisme a tourné en lui au
panthéisme, en déisme nuageux et lyrique. Toujours Dieu apparaît à la fin de ses strophes ; et il n'y apparaît pas seulement
comme un article de foi, il y apparaît surtout comme une nécessité
littéraire, comme la représentation de cet idéal qui résume toute
l'école. Passez maintenant au naturalisme, et vous vous sentirez
aussitôt sur un terrain positiviste. C'est ici la littérature d'un siècle
de science qui ne croit qu'aux faits. L'idéal est sinon supprimé,
du moins mis à part. L'écrivain naturaliste estime qu'il n'a pas à
se prononcer sur la question d'un Dieu. Il y a une force créatrice,
voilà tout. Sans entrer en discussion au sujet de cette force, sans
vouloir encore la spécifier, il reprend l'étude de la nature au commencement, à l'analyse. Sa besogne est celle de nos chimistes et
de nos physiciens. Il ne fait que ramasser et que classer des documents, sans jamais les apporter à une commune mesure, sans conclure avec l'idéal. Si l'on veut, c'est une enquête sur l'idéal, sur
Dieu lui-même, une recherche de ce qui est, au lieu d'être, comme
dans l'école classique et l'école romantique, une dissertation sur
un dogme, une amplification de rhétorique sur des axiomes extra-
humains.

Que les classiques et les romantiques, que les déistes nous
traînent dans la boue, avec le beau fanatisme des passions religieuses, je le comprends parfaitement, car nous nions leur bon
Dieu, nous vidons leur ciel, en ne tenant pas compte de l'idéal,
en ne rapportant pas tout à cet absolu. Seulement, ce qui m'a
toujours surpris, c'est que les athées du parti républicain nous
attaquent avec une violence aveugle.

Emile Zola. « La République et la Littérature », dans *Le Roman expérimental* (Paris, 1880), 320-321.

ALEXANDRE DUMAS FILS
(1824-1895)

Alexandre Dumas fils, dont on a dit qu'il était en somme
le plus magnifique produit de son fantastique père, de l'ex-

traordinaire animateur de fictions qui était en même temps un
bon géant, fils de géant et petit-fils d'une « vierge noire où
coulait le sang africain » ; lui-même, Parisien initié de bonne
heure à la vie irrégulière des « pères prodigues », ainsi qu'à
l'existence des gens de lettres et à ses dessous désordonnés, il
n'a cessé d'aspirer à un rôle de moralisateur, de redresseur de
torts sociaux — ceux en particulier qu'il pouvait avoir endurés :
l'art pour l'art lui semblait une absurdité « rachitique et mal-
saine », le pur *métier* dramatique un déguisement coupable de
la vérité — de cette Vérité qu'il a demandée parfois à l'Oc-
cultisme, plus souvent à la morale traditionnelle, mais qu'il
a trouvée, lui aussi, plus difficile à faire applaudir sur les plan-
ches d'une capitale que l'Espérance, que l'Oubli, que la Convention dont le public sait meilleur gré que des moralisations
du théâtre « utile ».

D'où, pour Dumas fils, la nécessité de parachever, par la
polémique directe, l'interview démonstratif, surtout la *Préface*
souvent aggravante (comme pour le « Tue-la! » complétant
la *Femme de Claude*) après la représentation, ce que l'optique
théâtrale ne permettait pas toujours de clarifier. Mais la combativité initiale, « débroussaillante », qui doublait en somme
pour la scène les *desiderata* ardents des « réalistes » du roman,
c'est dans la « Préface » du *Père prodigue,* en 1868 (neuf ans
après la première) qu'on peut la trouver : il y fallait un vrai
courage.

...Pendant un tiers de siècle, le grand-prêtre de cette religion
bourgeoise a servi la messe tous les soirs sur l'autel du petit écu,
se retournant de temps en temps au milieu de la cérémonie pour
dire à ses ouailles, la main sur son Evangile en partie double :
Ego vobiscum !
Les collaborateurs, les élèves, les imitateurs, les entrepreneurs
n'ont pas manqué à ce travail facile, agréable, productif qui, en
même temps qu'il faussait le goût public, faisait dévier l'art sérieux. Le Scribe avait passé dans les mœurs. Hors de cet article,
pas de salut. Malheureusement, le maître abusa et l'on finit par

se lasser des colonels, des femmes veuves, des pensionnaires riches dont on chassait la dot à courre, des artistes entretenus par des femmes de banquier, des croix d'honneur pêchées dans l'adultère, des millionnaires tout-puissants et des demoiselles de magasin qui faisaient aller les reines comme elles voulaient. On éprouvait le besoin d'entendre quelque chose qui eût le sens commun et qui relevât, encourageât, consolât l'espèce humaine, qui n'est ni aussi égoïste ni aussi bête que M. Scribe le déclare. Un esprit robuste, loyal et fin se présenta, et *Gabrielle,* avec son action simple et touchante, avec son beau et noble langage, fut la première révolte contre ce théâtre de convention. Le mari intelligent, paternel, lyrique, fut exalté sur cette même scène où l'on bafouait depuis plus de vingt ans le mari, toujours ridicule, toujours aveugle, toujours trompé par une épouse amoureuse... d'un commis, d'un artiste ou d'un diplomate habillé, chauffé, décoré par sa maîtresse et finalement enrichi par sa cousine, pour cause de remords !

« Pourquoi cette prise à partie de M. Scribe ? me direz-vous. A quel propos cette attaque ? »

Je n'attaque pas M. Scribe ; je ne bats pas la caisse devant ma baraque pour empêcher d'entrer dans celle de mon voisin ; mais, étant donnée cette question du *métier,* j'étudie et j'explique l'homme qui en est l'incarnation et qui en a poussé la science si loin que, comme je le disais plus haut, on l'a quelquefois pris pour l'art lui-même. Personne n'a jamais mieux su que M. Scribe, sans conviction, sans naïveté, sans but philosophique, mettre en action et en valeur, sinon un caractère, sinon une idée, du moins un sujet, une situation surtout, et en faire sortir logiquement les effets scéniques ; nul n'a mieux su, dès le premier choc, s'assimiler la pensée du premier venu, l'adapter au théâtre, quelquefois dans des proportions et dans un sens absolument opposés aux combinaisons du premier auteur, en utilisant tout, depuis les dispositions, le début, le nom, la beauté, la laideur, la grosseur, la maigreur, les bras, les pieds, les regards, la couleur des cheveux, l'élégance, la bêtise, l'esprit des comédiens et des comédiennes, jusqu'aux goûts, aux passions, aux préjugés, aux hypocrisies, aux lâchetés du public auquel il s'adressait et dont il voulait tirer sa fortune et sa liberté. C'est l'improvisateur le plus extraordinaire que nous ayons eu au théâtre, celui qui a le mieux su faire mouvoir des personnages qui ne vivaient pas. C'est le Shakespeare des ombres chinoises.

Eh bien, sur les quatre cents pièces qu'il a écrites, seul ou en

collaboration, laissez tomber *Il ne faut jurer de rien,* ou le *Caprice,*
ou *Il faut qu'une porte soit ouverte ou fermée,* c'est-à-dire un
petit proverbe du poète le plus naïf, le moins expert dans le métier,
et vous verrez tout le théâtre de Scribe se dissoudre et se volati-
liser, comme le mercure à une chaleur de 350 degrés ; parce que
Scribe travaillait pour le public sans y mettre rien de son âme ni
de son cœur, tandis que Musset écrivait avec son cœur et son âme
pour l'âme et pour le cœur de l'humanité, et que la sincérité donnait à celui-ci, sans même qu'il s'en doutât, toutes les ressources
de métier qui faisaient le seul mérite de l'autre.

« Et la conclusion ? »

Est que l'auteur dramatique qui connaîtrait l'*homme* comme
Balzac et le *théâtre* comme Scribe serait le plus grand auteur
dramatique qui aurait jamais existé.

Mai 1868.

Alexandre Dumas fils. « Préface » de *Un Père prodigue,* comédie en
5 actes, représentée pour la première fois au Gymnase le 30 novembre
1859. *Théâtre complet,* tome III (Paris, 1922), 217-219.

HIPPOLYTE TAINE
(1828-1893)

A bon droit rebuté par Victor Cousin et son fade « éclectisme » devenu presque la norme de l'enseignement universitaire, la probe nature d'Hippolyte Taine s'applique à retrouver, entre l'esprit et la matière vivante, des contacts que
sans doute sa naissance et son enfance ardennaises, au seuil
des grandes forêts du nord-est de la France, rendent bienfai-
sants à la personnalité qu'il a présentée comme *Etienne May-
ran.* De *l'Intelligence* et les *Philosophes français* témoignent
d'études physiologiques, peu pratiquées à cette époque par
les philosophes normaliens. En froid avec l'Université, il doit
visiblement à Camille Selden (Mme de Krinitz, la « mouche »
de Henri Heine), d'autres initiations encore où la musique
tient sa place. Malheureusement enclin, dans son admiration

pour la « métaphysique grandiose » de Hegel, à de promptes synthèses présentées avec éloquence, il resserrera bientôt, en des constructions séduisantes mais rigides, des aperçus où « critique et histoire » cristallisent sans retard les résultats d'une « faculté maîtresse » *(Tite-Live, Balzac, l'Esprit classique)*, d'un « milieu » impérieux *(La Fontaine, Pyrénées, Angleterre)*, sans laisser aucun jeu, ni même aucune individualité à ce qu'il appellera *la Philosophie de l'Art*. Comme la Grande-Bretagne lui semble le meilleur terrain de démonstration, c'est dans l'*Histoire de la littérature anglaise* (Iᵉ éd. 1864)) que sa formule tripartite définitive sera amenée à se démontrer, extrêmement faible dans le détail des applications, pressante et colorée dans maint tableau de détail.

Longtemps considérée comme la clef par excellence de toute œuvre littéraire, en dépit des protestations excédées de Flaubert, prônée par Zola pour l'aide qu'elle apportait à la théorie naturaliste, dépouillée par Brunetière des deux premiers éléments puisque le « moment » lui suffissait pour faire « évoluer les genres », laissant à des héritiers imprévus et déjà déconsidérés l'application intégrale de la *race* et du *milieu*, l'esthétique de Taine a groupé contre elle, malgré son biographe Victor Giraud, l'histoire de l'art des Fourcaud et des Lechat, l'anglicisme des Jusserand et des Edmund Gosse, l'histoire littéraire des plus récents Français. Comme disait l'un d'eux, A. Thibaudet, ses « palais d'idées » ne se sont pas écroulés : il leur est arrivé pis : ce sont aujourd'hui des salles vides, démeublées, humides, peu habitables. La « loi des dépendances mutuelles », « la disposition morale, cause directe de toute production humaine » et « contraignant » l'œuvre d'art à exprimer une disposition de la société, ces dangereuses généralisations ont obéi à la prophétie de Sainte-Beuve, préférant son « herbier » multiple à pareille simplification mécanique.

V. Giraud. *Essai sur Taine* (Paris, 1901).

CRITIQUE DE COMBAT

Winthrop Rice. « The meaning of Taine's *Moment* » (with a Bibliography), *Romanic Review*, XXX (Oct., 1939), 273-278.
Sainte-Beuve. « Divers Ecrits sur M. Taine », *Causeries du Lundi*, XIII, 249-284.
A. Thibaudet, *Réflexions sur la Littérature* (1er mai 1923) (Paris, 1938), p. 200.
M. Thiébaut. « La Pensée de Taine, » *Revue de Paris*, XXXIX, Pl. 2 (15 avril, 1932), 937-958.

...On peut considérer le mouvement total de chaque civilisation distincte comme l'effet d'une force permanente qui, à chaque instant, varie son œuvre en modifiant les circonstances où elle agit.

Trois sources différentes contribuent à produire cet état moral élémentaire, *la race, le milieu,* et *le moment.* Ce qu'on appelle *la race,* ce sont ces dispositions innées et héréditaires que l'homme apporte avec lui à la lumière, et qui ordinairement sont jointes à des différences marquées dans le tempérament et dans la structure du corps. Elles varient selon les peuples. Il y a naturellement des variétés d'hommes, comme il y a des variétés de taureaux et de chevaux, les unes braves et intelligentes, les autres timides et bornées, les unes capables de conceptions et de créations supérieures, les autres réduites aux idées et aux inventions rudimentaires, quelques-unes appropriées plus particulièrement à certaines œuvres et approvisionnées plus richement de certains instincts, comme on voit des races de chiens mieux douées, les unes pour la course, les autres pour le combat, les autres pour la chasse, les autres enfin pour la garde des maisons ou des troupeaux. Il y a là une force distincte, si distincte qu'à travers les énormes déviations que les deux autres moteurs lui impriment, on la reconnaît encore, et qu'une race, comme l'ancien peuple aryen, éparse depuis le Gange jusqu'aux Hébrides, établie sous tous les climats, échelonnée à tous les degrés de la civilisation, transformée par trente siècles de révolutions, manifeste pourtant dans ses langues, dans ses religions, dans ses littératures et dans ses philosophies, la communauté de sang et d'esprit qui relie encore aujourd'hui tous ses rejetons. Si différents qu'ils soient, leur parenté n'est pas détruite ; la sauvagerie, la culture et la greffe, les différences de ciel et de sol, les accidents heureux ou malheureux ont eu beau travailler ; les grands traits de la forme originelle ont subsisté, et l'on retrouve les deux ou trois linéaments principaux de l'empreinte primitive sous les empreintes secondaires que le temps a posées par-dessus. Rien d'étonnant dans cette ténacité extraordinaire. Quoique l'immensité de la distance ne nous laisse entrevoir qu'à demi et sous un jour douteux l'origine des espèces[1], les événements de l'histoire éclairent assez les événements antérieurs à l'histoire, pour expliquer la solidité presque inébranlable des caractères primordiaux. Au moment où nous les rencontrons, quinze, vingt, trente siècles avant notre ère, chez un Aryen, un Égyptien, un Chinois, ils représentent l'œuvre d'un nombre de siècles beaucoup plus grand, peut-être l'œuvre de plusieurs myriades de siècles... En sorte qu'à chaque moment on peut considérer le caractère d'un peuple comme le résumé de toutes ses actions et de toutes ses sensations précédentes, c'est-à-dire comme une quantité et comme un poids, non pas infini,[2] puisque toute chose dans la nature est bornée, mais disproportionnée au reste et presque impossible à soulever, puisque chaque minute d'un passé presque infini a contribué à l'alourdir, et que, pour emporter la balance, il faudrait accumuler dans l'autre plateau un nombre d'actions et de sensations encore plus grand. Telle est la première et la plus riche de ces facultés maîtresses d'où dérivent les événements historiques ; et l'on voit d'abord que, si elle est puissante, c'est qu'elle n'est pas une simple source, mais une sorte de lac et comme un profond réservoir où les autres sources, pendant une multitude de siècles, sont venues entasser leurs propres eaux.

Lorsqu'on a ainsi constaté la structure intérieure d'une race, il faut considérer *le milieu* dans lequel elle vit. Car l'homme n'est pas seul au monde ; la nature l'enveloppe et les autres hommes l'entourent ; sur le pli primitif et permanent viennent s'étaler les plis accidentels et secondaires, et les circonstances physiques ou sociales dérangent ou complètent le naturel qui leur est livré. Tantôt le climat a fait son effet. Quoique nous ne puissions suivre qu'obscurément l'histoire des peuples aryens depuis leur patrie commune jusqu'à leurs patries définitives, nous pouvons affirmer cependant que la profonde différence qui se montre entre les races germaniques d'une part, et les races helléniques et latines de l'autre, provient en grande partie de la différence des contrées où elles se sont établies, les unes dans les pays froids et humides, au fond d'âpres forêts marécageuses ou sur les bords d'un océan sauvage, enfermées dans les sensations mélancoliques ou violentes, inclinées vers l'ivrognerie et la grosse nourriture,

---

1. Darwin, *De l'origine des espèces,* Prosper Lucas. (Note de Taine).
2. Spinoza, *Ethique,* 4e partie, axiome. (Note de Taine).

tournées vers la vie militante et carnassière ; les autres au contraire au milieu des plus beaux paysages, au bord d'une mer éclatante et riante, invitées à la navigation et au commerce, exemptes des besoins grossiers de l'estomac, dirigées dès l'abord vers les habitudes sociales, vers l'organisation politique, vers les sentiments et les facultés qui développent l'art de parler, le talent de jouir, l'invention des sciences, des lettres et des arts. Tantôt les circonstances politiques ont travaillé, comme dans les deux civilisations italiennes : la première tournée tout entière vers l'action, la conquête, le gouvernement et la législation, par la situation primitive d'une cité de refuge, d'un *emporium* de frontière, et d'une aristocratie armée qui, important et enrégimentant sous elle les étrangers et les vaincus, mettait debout deux corps hostiles l'un en face de l'autre, et ne trouvait de débouché à ses embarras intérieurs et à ses instincts rapaces que dans la guerre systématique ; la seconde exclue de l'unité et de la grande ambition politique par la permanence de sa force municipale, par la situation cosmopolite de son pape et par l'intervention militaire des nations voisines, reportée tout entière, sur la pente de son magnifique et harmonieux génie, vers le culte de la volupté et de la beauté. Tantôt enfin les conditions sociales ont imprimé leur marque, comme il y a dix-huit siècles par le christianisme, et vingt-cinq siècles par le bouddhisme, lorsque autour de la Méditerranée comme dans l'Hindoustan, les suites extrêmes de la conquête et de l'organisation aryennes amenèrent l'oppression intolérable, l'écrasement de l'individu, le désespoir complet, la malédiction jetée sur le monde, avec le développement de la métaphysique et du rêve, et que l'homme dans ce cachot de misères, sentant son cœur se fondre, conçut l'abnégation, la charité, l'amour tendre, la douceur, l'humilité, la fraternité humaine, làbas dans l'idée du néant universel, ici sous la paternité de Dieu. Que l'on regarde autour de soi les instincts régulateurs et les facultés implantées dans une race, bref le tour d'esprit d'après lequel aujourd'hui elle pense et elle agit ; on y découvrira le plus souvent l'œuvre de quelques-unes de ces situations prolongées, de ces circonstances enveloppantes, de ces persistantes et gigantesques pressions exercées sur un amas d'hommes qui, un à un, et tous ensemble, de génération en génération, n'ont pas cessé d'être ployés et façonnés par leur effort : en Espagne, une croisade de huit siècles contre les Musulmans, prolongée encore au delà et jusqu'à l'épuisement de la nation par l'expulsion des Maures, par la spoliation des Juifs, par l'établissement de l'inquisition, par les guerres catholiques ; en Angleterre, un établissement politique de huit siècles qui maintient l'homme debout et respectueux, dans l'indépendance et l'obéissance, et l'accoutume à lutter en corps sous l'autorité de la loi ; en France, une organisation latine qui, imposée d'abord à des barbares dociles, puis brisée dans la démolition universelle, se reforme d'elle-même sous la conspiration latente de l'instinct national, se développe sous des rois héréditaires, et finit par une sorte de république égalitaire, centralisée, administrative, sous des dynasties exposées à des révolutions. Ce sont là les plus efficaces entre les causes observables qui modèlent l'homme primitif ; elles sont aux nations ce que l'éducation, la profession, la condition, le séjour sont aux individus, et elles semblent tout comprendre, puisqu'elles comprennent toutes les puissances extérieures qui façonnent la matière humaine, et par lesquelles le dehors agit sur le dedans.

Il y a pourtant un troisième ordre de causes ; car, avec les forces du dedans et du dehors, il y a l'œuvre qu'elles ont déjà faite ensemble, et cette œuvre elle-même contribue à produire celle qui suit ; outre l'impulsion permanente et le milieu donné, il y a la vitesse acquise. Quand le caractère national et les circonstances environnantes opèrent, ils n'opèrent point sur une table rase, mais une table ou des empreintes sont déjà marquées. Selon qu'on prend la table à un *moment* ou à un autre, l'empreinte est différente ; et cela suffit pour que l'effet total soit différent. Considérez, par exemple, deux moments d'une littérature ou d'un art, la tragédie française sous Corneille et sous Voltaire, le théâtre grec sous Eschyle et sous Euripide, la poésie latine sous Lucrèce et sous Claudien, la peinture italienne sous Vinci et sous le Guide. Certainement, à chacun de ces points extrêmes, la conception générale n'a pas changé ; c'est toujours le même type humain qu'il s'agit de représenter ou de peindre ; le moule du vers, la structure du drame, l'espèce des corps ont persisté. Mais, entre autres différences, il y a celle-ci, qu'un des artistes est le précurseur, et que l'autre est le successeur, que le premier n'a pas de modèle, et que le second a un modèle, que le premier voit les choses face à face, et que le second voit les choses par l'intermédiaire du premier, que plusieurs grandes parties de l'art se sont perfectionnées, que la simplicité et la grandeur de l'impression ont diminué, que l'agrément et le raffinement de la forme se sont accrus, bref que la première œuvre a déterminé la seconde. Il en est ici d'un peuple comme d'une plante : la même sève sous la même température et sur le même sol produit, aux divers degrés de son élaboration successive, des formations différentes, bourgeons, fleurs, fruits, semences, en telle façon que la suivante a toujours pour condition la précédente, et naît de sa mort. Que si vous regardez maintenant, non plus un court moment comme tout à l'heure, mais quelqu'un de ces larges développements qui embrassent un ou plusieurs siècles, comme le moyen âge ou notre dernière époque classique, la conclusion sera pareille. Une certaine conception dominatrice y a régné ; les hommes, pendant deux cents ans, cinq cents ans, se sont représenté un certain modèle idéal de l'homme, au moyen âge le chevalier et le moine, dans notre âge classique l'homme de cour et le beau parleur ; cette idée créatrice et universelle s'est manifestée dans tout le champ de l'action et de la pensée, et, après avoir couvert le monde de ses œuvres involontairement systématiques, elle s'est alanguie, puis elle est morte, et voici qu'une nouvelle se lève, destinée à une domination égale et à des créations aussi multipliées. Posez ici que la seconde dépend en partie de la première, et que c'est la première qui, combinant son effet avec ceux du génie national et des circonstances enveloppantes, va imposer aux choses naissantes leur tour et leur direction. C'est d'après cette loi que se forment les grands courants historiques, j'entends par là les longs règnes d'une forme d'esprit ou d'une idée maîtresse, comme cette période de créations spontanées qu'on appelle la Renaissance, ou cette période de classifications oratoires qu'on appelle l'âge classique, ou cette série de synthèses mystiques qu'on appelle l'époque alexandrine et chrétienne, ou cette série de floraisons mythologiques, qui se rencontre aux origines de la Germanie, de l'Inde ou de la Grèce. Il n'y a ici comme partout qu'un problème de mécanique : l'effet total est un composé déterminé tout entier par la grandeur et la direction des forces qui le produisent. La seule différence qui sépare ces problèmes moraux des problèmes physiques, c'est que les directions et les grandeurs ne se laissent pas évaluer ni préciser dans les premiers comme dans les seconds.

H. Taine. *Introduction de l'Histoire de la Littérature anglaise,* Tome I. (Ed. Paris, 1924), XXII-XXIX.

Ce qu'il faut lui répondre quand il s'exprime avec une affirmation si absolue, c'est que, entre un fait général et aussi commun à tous que le sol et le climat, et un résultat aussi compliqué et aussi divers que la variété des espèces et des individus qui y vivent, il y a place pour quantité de causes et de forces plus particulières, plus immédiates, et tant qu'on ne les a pas saisies, on n'a rien expliqué. Il en est de même pour les hommes et pour les esprits qui vivent dans le même siècle, c'est-à-dire sous un même climat moral : on peut bien, lorsqu'on les étudie un à un, montrer tous les rapports qu'ils ont avec ce temps où ils sont nés et où ils ont vécu ; mais jamais, si l'on ne connaissait que l'époque seule, et même la connût-on à fond dans ses principaux caractères, on n'en pourrait conclure à l'avance qu'elle a dû donner naissance à telle ou telle nature d'individus, à telles ou telles formes de talent. Pourquoi Pascal plutôt que La Fontaine ? pourquoi Chaulieu plutôt que Saint-Simon ?

Sainte-Beuve. 9 mars 1857 : « Divers Ecrits de M. Taine, » *Causeries du Lundi*, XIII, 261-262.

LOUIS VEUILLOT
(1813-1883)

Pamphlétaire au moins autant que critique littéraire, Louis Veuillot ne se lasse pas de dénoncer, avec quelque confusion, les menaces que font peser sur la saine littérature, mais plus encore sur la foi orthodoxe, les vues « panthéistes » de la philosophie nouvelle, l'irruption de diverses influences étrangères. *L'Univers,* supprimé en 1860, puis *le Soleil* lui permettent de déployer un zèle dont *les Odeurs de Paris* (publié le 25 novembre 1860) sont le premier gage. Les chapitres III et IV (*Les Divertissements : le Théâtre, Beaux-Arts et Belles-Lettres*) s'en prennent à Scribe et à Heine, à Gautier, Janin, Hugo, Girardin, G. Sand, Em. Deschanel, About, Renan, Champfleury, avec une verve parfois peu opérante parce que « centrée à faux » : cependant la foi catholique est protégée efficacement, et le sera longtemps, par ce virulent écrivain.

Comme il est satirique en vers, c'est lui faire bonne mesure que de citer à son actif deux pièces caractéristiques de sa manière :

NOS PAIENS

Ces païens enragés que l'on voit par essaims
Envoler tous les ans de l'Ecole Normale ;
Ces grands adorateurs de Vénus animale
Qui parlent de reins forts et de robustes seins,

Regardez-les un peu : la plupart sont malsains,
Cuirassés de flanelle anti-rhumatismale,
Ils vont en Grèce avec des onguents dans leur malle
Assis, pour leurs raisons, sur de certains coussins.

Tel jure par Hercule et par les Grâces nues
Qui charge d'un dos rond des jambes trop menues
Et n'a ni cœur, ni voix, ni poignet, ni jarret.

Pied-plat ! que n'es-tu né dans ta Sparte si chère !
Bâti comme tu l'es, plein de honte ton père
T'aurait fait disparaître au fond du lieu secret.

D'une autre tonalité, certes, est son *Epilogue,* d'une note chrétienne exquise :

Placez à mon côté ma plume ;
Sur mon cœur le Christ, mon orgueil ;
Sous mes pieds mettez ce volume,
Et clouez en paix le cercueil...

Je fus pécheur ; et sur ma route
Hélas ! j'ai chancelé souvent
Mais grâce à Dieu, vainqueur du doute,
Je suis mort ferme et pénitent.

Sur Champfleury :

Le capitaine des Réalistes n'est pas rien. Il mérite certainement qu'on l'écoute quoiqu'il ne dit que quelques mots. Il parle sérieuse-ment de son Réalisme, quoiqu'en langue de fantaisie, et il a inventé le peintre Courbet, lequel a fait un ferme propos de ne jamais embellir la nature et n'a jamais enfreint son sermon. N'étant point champfleuriste, je ne suis pas non plus Courbettin ; ce peintre de la laideur me semble le contraire d'un artiste ; mais je n'en admire que plus le succès de l'invention. A mon avis, c'est une des plus fortes mouches qu'on ait pu faire gober aux Athéniens, et la police ne leur tenait pas la bouche ouverte comme pour Giboyer.

Oh ! que je ne dédaigne point M. Champfleury ! Il a fait un livre intitulé *Monsieur Tringle,* et un autre intitulé *Les Bourgeois de Molinchart,* qui sont des ouvrages bien plus carthaginois que *Madame Bovary,* et *la Mascarade de la Vie parisienne !* On en mourrait. M. de Champfleury (*sic*) passe pour n'être pas décoré. Il n'y a cependant rien dans ses livres qui sente aucune espèce de religion, sauf la religion de l'Art... de Courbet. Là, par exemple, il pontifie avec beaucoup de gravité, et même il ne se montre pas ennemi d'un peu de quelque petite pompe. Il a une manière posée et quasi solennelle de déplier le torchon.

Louis Veuillot. « Les Odeurs de Paris », *Oeuvres Complètes,* Vol. XI (Paris, 1926), p. 223.
J. Lemaitre. « Louis Veuillot » (Rev. bleue, 6-13-20 janvier 1894).

BARBEY d'AUREVILLY
(1808-1889)

« Drôle de corps », disait déjà Sainte-Beuve : conservateur, réactionnaire, partisan jusqu'au bout des ongles, aussi pittoresque dans son costume que dans ses réparties, Jules Barbey d'Aurévilly cravache sans pitié, et souvent sans aucune équité, des adversaires qu'il a plaisir à transformer en ennemis. Il déverse, dans la critique et dans la conversation, les ardents partis pris dont, sorte d'émigré à l'intérieur, ce Normand vigoureux a toujours été animé contre le « progrès », la démocratie l'éducation populaire et l'émancipation féminine.

Lui qui dans ses récits est un de ces puissants narrateurs dont on peut dire ce que Balzac admirait chez Walter Scott, « qu'au moins celui-là croit à ce qu'il raconte », il sacrifie au dandysme de ses plus beaux jours, lorsqu'il s'oppose à tout mouvement dans la société, dans le statut féminin, dans la déférence populaire aux mythes sociaux. Dans sa haine des « bas bleus », il lui serait presque indifférent d'oublier la fameuse galanterie française. Sa verve d'ailleurs rachète une partie de ces singularités, et l'on peut dire que bien des bulles de savon soufflées par la démagogie ont été crevées par sa truculence.

R. de Gourmont. « Barbey d'Aurévilly critique », *Promenades Littéraires* 7ᵉ série (Paris, 1927).

Rabelais, ce grand rieur qui se permettait tout, cet Homère-Priape sans feuille de vigne ; Rabelais, l'auteur de *Gargantua,* a un jour raconté la bataille des Cervelas et des Andouilles, mais il riait au-dessus de sa plantureuse et folle Epopée. M. Emile Zola ne rit point, lui. « Il ne rigole pas », comme disait précisément Rabelais. Non pas ! Il est grave et convaincu dans sa charcuterie. Pour Rabelais, en ses bacchanales de bouffon, les andouilles, les cervelas, les tripes, le piot, ne sont que de la ripaille et de la goinfrerie. Mais pour M. Zola, toute cette cochonaille, qu'il nous étale et dont il finit par nous donner le mal au cœur, c'est de l'art.

Il croit dire le dernier mot de l'art en faisant du boudin, M. Zola !

Tiré du recueil de critiques littéraires sur *Le Roman Contemporain* (Zola) à propos du *Ventre de Paris* (Lemerre, Paris, 1902), pp. 198-199.

Le vers, que Victor Hugo forge comme une armure, fait corselet à sa déclamation et la diminue, cette ampoulée, en la revêtant... Tout ce gonflement, tout cet extravasement, toutes ces grosseurs, le vers appuie dessus, comme un bandage d'acier, et les rentre. Mais en prose rien de pareil. Dans cette prose de *Lucrèce Borgia,* par exemple, dans cette prose carrée, et cannelée, et crénelée, et crêtée comme un plat monté de pâtisserie, il n'y a plus que le déclamateur avec toutes ses exubérances, avec toutes ses exagérations, volontaires ou calculées ; il n'y a plus là qu'une espèce de Corneille bossu, comme l'a écrit un jour Henri Heine — (il écrivit *bossu,* et c'est moi qui écris *Corneille*), un Corneille bossu, mais avec une bosse de chameau. Tel apparaît Victor Hugo dans *Lucrèce Borgia.*

Tiré du recueil de critiques littéraires de Barbey d'Aurévilly sur *Victor Hugo* à propos de *Lucrèce Borgia* (Les Editions Crès, Paris, 1922), pp. 256-257.

EDMOND SCHERER
(1815-1889)

Le seul des convives éventuels du Dîner Magny qui ne se soit jamais « compromis », Edmond Schérer, malgré la crise religieuse qui, à Genève ainsi qu'à la libérale Faculté de théologie de Strasbourg, réduisit son protestantisme initial à une philosophie à peine chrétienne, reste fortement marqué de calvinisme, et a le courage de le dire parmi tant de voix discordantes. Qu'il discute les constructions à base panthéiste de Taine, « poupées de bois et ressorts d'acier » dès qu'il s'agit des choses de la pensée ; qu'il démasque en Renan, selon son propre aveu, une singulière fusion « du Gascon et du prêtre » et « le doute universel enveloppé dans des habitudes de langage religieux » ; qu'il s'oppose à l'incapacité pour l'action qui résulte de l'illusion contemplative d'Amiel, ou que la niaiserie, dont un homme d'esprit comme Octave Feuillet est obligé de s'encombrer, le laisse rêveur mais inquiet — « une certaine passion de voir les choses dans leur fond » l'empêche de prendre à la légère les nouveautés de tout genre que suscitent de nouvelles théories : et ces fins de non-recevoir, commencées en 1861, sont encouragées par certaines exagérations des années 80 : la préface des *Etudes,* tome VIII, le 1er juin 1885, est pour le sévère critique du *Temps* une occasion de faire « une espèce de testament littéraire et philosophique » où sont dénoncés en fin de compte tous les succédanés du Positivisme qui semblent avoir dépossédé les lettres françaises de leur vertu intellectuelle au profit de qualités secondaires : « en confondant la littérature avec les autres arts, on perd de vue que la matière de l'art d'écrire est la parole, et que la matière de la parole c'est l'idée. »

Dans quelle mesure le conservatisme de ce sévère esprit empêcha-t-il un glissement vers l'absolu « naturalisme », c'est difficile à dire, les classes de la société auxquelles il s'adressait étant peu tentées par les hardiesses de l'art : tout au plus dira-t-on que la réaction du Symbolisme trouva, un peu partout, des îlots de résistance disposés à appuyer ce nouveau mouvement.

N. Tremblay. *La critique littéraire d'Edmond Schérer* (Brown University, 1932).

Le bruit fait autour du nom de Baudelaire, l'espèce de valeur sacramentelle aujourd'hui attachée à son nom, me semblent l'une de ces mystifications qu'on appelle en argot d'atelier une *fumisterie*. Il est des écrivains qui possèdent certains dons sans être pour cela des artistes, qui ont tel ou tel talent sans arriver à faire une œuvre ; Baudelaire, lui, n'a rien, ni le cœur, ni l'esprit, ni l'idée, ni le mot, ni la raison, ni la fantaisie, ni la verve, ni même la facture. Il est grotesque d'impuissance. Son titre unique, c'est d'avoir contribué à créer l'esthétique de la débauche, le poème du mauvais lieu. On s'est pourri le corps et l'âme et, arrivé à l'épuisement, au dégoût, on met en vers cet écœurement de soi-même. On se sent immonde et on en tire gloire, on s'en fabrique une attitude, on découvre sa gangrène comme un guerrier ferait d'honorables blessures :

Nous avons, nations corrompues,
Aux peuples anciens des beautés inconnues :
Des visages rongés par les chancres du cœur.

Ou bien on joue la misanthropie, on s'apitoie sur sa propre abjection, on cherche à relever la platitude de l'amour vénal d'une saveur d'amertume pessimiste ;

O Satan, prends pitié de ma longue misère !

Heureux encore s'il y avait un reste de sentiment authentique sous ces affectations, un débris de sincère humanité dans ces attitudes, l'éclat d'une fleur sur ce fumier. Mais non, rien que la bohème qui se croit noble liberté, l'impudeur qui s'imagine être

la force ; la niaiserie le dispute à l'affectation et ces grands dé-
vergondés sont aussi ennuyeux qu'impurs.

Après une sorte d'arbre généalogique, assez inopérant, du
« baudelairisme » :

Les Baudelairistes allèguent le génie, le talent, qui a ses privilèges et dont la magie excuse tout. Je nie avec la plus parfaite
conviction qu'on puisse faire une œuvre avec la débauche. Il y a
des livres, des poèmes éclatants, qui ont le ver de la pourriture
au fond, mais comment ne pas voir qu'ils ne sont littéraires que
dans la mesure où il y reste quelque chose de sain ? On peut avoir
les mains sales et faire beau, mais on ne fait pas beau avec la
saleté. Ce n'est point Baudelaire, dans tous les cas, qui prouverait
le contraire. Il n'est pas de réputation, je le répète, plus surfaite
que celle des *Fleurs du mal*. On n'y trouve pas même,, dans l'absence de sentiment et d'idée, dans l'absence d'inspiration et de
verve, la virtuosité technique d'un Théophile Gautier. C'est un
martelage pénible et fatigant, un assemblage de tropes fausses
jusqu'au burlesque, d'expressions dont l'impropriété ressemble à
une parodie. L'image n'est jamais ni juste ni belle. La nuit devient
une cloison, le ciel un couvercle. Il est des passages qui ont l'air
d'une gageure ; on ne ferait pas plus cocasse en s'y appliquant.
Le seul mérite de Baudelaire, sa seule force, c'est qu'il a le courage
de son vice. Mais il paraît qu'il y a précisément là un attrait ; les
Esquimaux eux aussi n'aiment le poisson que pourri.

Edmond Schérer. Baudelaire et le Baudelairisme », septembre 1882, à
    propos des *Aveux* de Paul Bourget, témoignant de l'influence de
    Baudelaire. *Etudes sur la Littérature contemporaine.* Tome VIII
    (Paris, 1885), 86-90.

M. Renan, dans un des articles qu'il a réimprimés à la suite de
ses dialogues, compare la philosophie à la poésie, et il n'est que
trop clair, en effet, qu'il ne prend la philosophie qu'à moitié au
sérieux et qu'il répugne à la réduire aux conditions de la science
en la soumettant à des procédés exacts. M. Renan, par exemple,
s'est-il jamais rendu compte de la nature de la connaissance ?
Qu'est-ce que savoir, si ce n'est ramener un fait à un autre fait,
établir une analogie, constater un enchaînement, de telle sorte
que plus le lien est fort et le groupe nombreux, plus la certitude

est grande et la connaissance parfaite ? Si M. Renan avait fait cette simple observation, n'aurait-il pas vu qu'il y a tout un ordre de questions qui se dérobent à notre connaissance parce qu'elles se dérobent à l'analogie, et qui doivent par conséquent être éliminées du cercle de nos recherches ? Si la connaissance est une chaîne, n'est-il pas évident que les deux bouts de cette chaîne nous échappent, puisque nous ne pouvons en accrocher nulle part le premier ni le dernier anneau ? C'est pour cela que nous ne concevons ni le commencement ni la fin de rien, l'univers ni comme fini ni comme infini, l'espace ni comme vide ni comme plein, Dieu ni comme personnel ni comme impersonnel, que nous avons peine à admettre une cause première qui ne serait pas elle-même un effet, et un Démiurge qui n'aurait pas lui-même été créé. Ce sont là ce qu'on appelle des antinomies, c'est-à-dire les contradictions dans lesquelles la pensée tombe fatalement lorsqu'elle s'engage dans des questions où, en vertu même de ces questions, les analogies lui manquent, les termes de comparaison lui échappent, et où, par suite, les conditions du savoir font défaut. Lorsque M. Renan, à la suite de Hegel et de toute la philosophie dite spéculative, oublie ce grand principe régulateur, si magistralement établi par Kant, il fait comme celui qui voudrait se mettre à la fenêtre pour se voir passer dans la rue.

Une cause d'erreur encore plus féconde, dont il est encore plus difficile de se préserver, et que je voudrais voir convenablement signalée dans quelque *Art de penser* approprié à notre temps, c'est l'anthropomorphisme. J'ai regret d'employer ces termes d'école dans un sujet où je voudrais rester clair pour tout le monde, mais je ne sais comment désigner autrement la tendance de l'homme à tout ramener à son propre mode d'existence, à juger des choses d'après ses perceptions internes. Telle est, je n'en doute pas, l'origine des notions de de cause, de force, de loi, d'esprit, de liberté, mais telle est surtout l'idée de but, à laquelle nous devons la théorie des causes finales et que nous avons vue percer dans la doctrine de M. Renan sur l'évolution de l'univers.

Quand M. Renan parle d'une fin divine de la nature, quand il affirme que le but de l'univers est de « fabriquer de la raison », ces paroles qui seraient légitimes dans la bouche du théiste ne peuvent être qu'un accommodement de langage du moment que l'on se place, comme l'auteur des *Dialogues philosophiques*, au point de vue du développement immanent des choses. Pour le théiste l'univers a un but, puisqu'il est l'œuvre de Dieu, ce qui n'est, je me hâte de le reconnaître, qu'un déplacement de la difficulté car, si l'univers est expliqué par la création, il reste à expliquer le créateur, ou, ce qui revient au même, à expliquer pourquoi il est inexplicable. M. Renan, à cet égard, n'est ni mieux ni plus mal placé que le théiste, l'un et l'autre étant obligés de partir d'un fait accepté comme tel. Mais l'univers une fois accepté par lui comme le point de départ au delà duquel il n'y a pas lieu de remonter, M. Renan n'a point le droit d'appliquer à cet univers la notion de but, empruntée comme elle l'est aux conditions de l'activité humaine. L'idée de but, dans l'explication du monde, est un anthropomorphisme très naturel, dont il est très difficile de se préserver, mais auquel le philosophe ni le naturaliste ne peuvent céder sans passer du domaine de la science pure dans celui de l'hypothèse théologique.

Edmond Schérer, « Les Dialogues philosophique de M. Renan » (août 1876), *Etudes sur la Littérature contemporaine*, tome V (1878). A propos de E. Renan, *Dialogues philosophiques*, 310-312.

FRANCISQUE SARCEY
(1827-1899)

L' « oncle » Francisque Sarcey, qui en « quarante ans de théâtre » assista à *quinze mille* représentations, sans jamais se sentir blasé ou se montrer grognon, sans déférer indûment aux vœux des directeurs ou aux séductions des actrices, n'a surtout jamais cessé de se dire « public », et public parisien : c'est qu'il n'ambitionnait d'être ni un guide inspiré à la Vigny, ni un moniteur de morale à la Dumas fils, ni même un gendarme acerbe à la Geoffroy, dans cette perpétuelle aventure qu'est le théâtre d'une grande capitale. Ancien normalien, il connaissait les vrais modèles, mais les oubliait pour s'accommoder à la médiocrité ; bourgeois rangé, il négligeait ses principes pour suivre d'effarants vaudevillistes dans quelques surprises du divorce ou du mariage ; dénué d'imagination, il accueillait sans soubresauts *celles* des mélodramatistes du jour. Et son jugement,

modelé sur celui de la salle des « générales », des « premières »
et mieux encore des « secondes », a guidé dans le choix d'une
bonne soirée des millions peut-être de provinciaux en voyage, et
même de Parisiens incertains.

A travers les docilités un peu humiliantes d'un grand confes-
seur des plaisirs médiocres, un art poétique indéniable et fort
simple : le théâtre est l' « art des préparations » ; l'imprévu
même, sur la scène, doit sortir de quelque part ; une pièce bien
faite est une pièce « sans trous », et si quelque symbolisme se
glisse dans une trame évidente, il doit être tout juste d'une
clarté analogue à celle que déjà M. Poirier admettait : un chien
qui se désole sur une tombe représente la fidélité en deuil.

Mais que ce brave homme dût finir par donner sur les nerfs
aux indépendants et aux novateurs des années 90, voilà qui va
de soi : du moins aura-t-il permis une transition honorable entre
Scribe défaillant et Brieux ou Maeterlinck en leur ascendant,
sans favoriser des valeurs par trop frelatées, sur un marché
soucieux de « prix fixe » et de « bonne qualité moyenne ».
Même de la dramaturgie de Lessing, qu'il découvre en 1869 et
dont, bien entendu, il n'approuve pas la hargne anti-française,
il extrait avec un bon sens infini une vérité essentielle : « autre
chose est la nature, autre chose est l'art », et une constatation
excellente : les personnages historiques au théâtre sont ce que
leur légende veut qu'ils soient. « On va loin avec ces deux
grains de sens. »

Il faut que le critique de théâtre ait son échelle de proportion
dont il convienne avec le public. Mais quelle sera-t-elle ? Grave
question, et plus difficile à résoudre qu'on n'imagine. Abîmer
M. d'Ennery sous le nom de Corneille, mesurer M. M. Marc-Michel
et Labiche à Beaumarchais, c'est absurde folie, c'est injustice même.
Mais devons-nous, d'autre part, jeter dans un coin tous les souvenirs, toutes les conditions de l'art antique, comme on fait de
l'aune et des vieilles mesures ?

Vous voyez qu'il ne s'agit pas simplement pour le critique de
se laisser aller à son impression ; il faut la régler, il faut avoir un

point précis où on la rapporte. « Il y a deux heures que nous sommes ici, dit quelqu'un à ma droite. Non, reprend l'autre à ma gauche, il y a quatre heures au moins. » Je tire ma montre et je dis au premier : « Le temps ne vous dure guère » et au second : « Il paraît que vous vous ennuyez terriblement avec nous. Il n'y a que trois heures que nous sommes ensemble. » Je suis sûr de mon affaire ; j'ai une montre. Le premier embarras du critique, c'est de monter sa montre, de la mettre à l'heure ; mais où trouver l'heure juste ? L'art dramatique a-t-il un canon comme le Palais-Royal ?

Autre difficulté, non moins sérieuse. Vous voilà, vous critique juré, assermenté, critique honnête s'il en fut, bien résolu à ne jamais donner au public que votre impression personnelle ; vous voilà, dis-je, assis dans votre stalle et la lorgnette en main. Vous vous amusez, ce soir-là, ou vous bâillez à périr. Croyez-vous qu'il ne s'agisse plus que d'écrire en sortant de là : La pièce est fort gaie, ou elle est détestable ? Mais pour combien, s'il vous plaît, a-t-elle été dans votre plaisir ou dans votre ennui ? Là est le point. Quelques circonstances extérieures n'ont-elles pas influé sur votre jugement ? Aviez-vous bien ou mal dîné ? Aviez-vous les pieds chauds ? Ne vous était-il pas tombé, dans la journée, une mauvaise nouvelle qui avait troublé vos humeurs, aigri votre bile ?

Si l'on fouille le moindre des sentiments humains, on trouve au fond mille ressorts invisibles qui le font mouvoir. Commencez par analyser ces ressorts. N'attribuez à la pièce que la part d'action qui lui revient. J'irai sans doute, moi public, voir le même drame dans d'autres conditions que vous ; retranchez de votre critique toutes les causes qui sont venues du dehors peser sur votre impression, qui l'ont accrue, modifiée, et même complètement pervertie. J'ai affaire de votre jugement et non de votre personne.

Croyez-vous même être en règle avec votre conscience quand vous avez fait la part du drame et rendu à César ce qui appartient à César ? Ne faut-il pas encore chercher pourquoi certaines beautés ou certains défauts ont agi sur vous plus fortement peut-être qu'en bonne justice ils n'auraient dû ? Vous êtes homme, mon cher critique, c'est-à-dire faible, et ni les acteurs ni les auteurs que vous jugez, ni le public qui lit vos jugements ne doivent souffrir de vos faiblesses.

N'avez-vous pas cédé à un goût trop vif pour des sentiments qui vous sont chers, ou pour des idées qui conviennent au tour particulier de votre esprit ? N'en avez-vous pas trop cru des répugnances, qu'il vous serait tout aussi difficile de justifier, que la répulsion que j'ai pour certains mets, fort bons d'ailleurs et très appréciés des gourmets ? Ne vous êtes-vous pas même laissé surprendre par l'entraînement général ; la salle était pleine des amis de l'auteur ; c'est un homme que vous aimez ; il y avait ce soir-là du parterre aux loges un courant électrique d'admiration ; vous avez subi l'influence : en retrouvera-t-on la trace dans votre feuilleton du lendemain?

Ce n'est pas tout : si vous vous trouvez en désaccord avec le public, ce qui n'arrive que trop souvent, ferez-vous bon marché de son opinion pour ne donner que la vôtre ? Remarquez, ô critique, que les directeurs ni les auteurs ne travaillent précisément pas pour vous, mais pour les gens qui paient. Il est pourtant assez juste que ceux qui donnent leur argent aient aussi voix au chapitre...

Eh ! mon Dieu ! je n'ignore pas qu'il y a des chefs-d'œuvre dont les beautés sont de tous les temps. Qu'on nous en serve un seul, on verra bien si nous savons le reconnaître et le louer dignement. Mais enfin les chefs-d'œuvre sont encore plus rares que les très belles femmes. Combien en compte-t-on dans les trois plus beaux siècles de notre littérature ? Une douzaine tout au plus ; or nous avons cinquante-deux articles à faire par chacun (*sic*) an. Nous avons donc un grand nombre d'œuvres médiocres. Montrer qu'elles sont médiocres, qu'elles ne passeront pas l'année qui les a vues éclore, est philosophique, sans doute, mais absolument inutile. C'est une vérité reconnue d'avance, admise par tout le monde, qui ne doit trouver aucun contradicteur.

Il y a mieux à faire. Chaque génération a ses sortes de beautés qui lui plaisent davantage, sans qu'elle sache pourquoi ; il peut se faire que ce soient des défauts, mais ils vont au tour particulier de son esprit. Elle admire, tant qu'on voudra, la *Vénus de Milo* et une tragédie de Corneille ; mais toutes deux la laissent froide. Une physionomie piquante et un vaudeville de M. M. Marc-Michel et Labiche lui seront plus agréables. Au lieu de fulminer contre elle, au lieu de lui remettre devant les yeux des principes et des règles dont on l'a cent fois ennuyée, ne vaut-il pas mieux entrer dans ses caprices d'enthousiasme et lui en découvrir, s'il se peut, les raisons ?

Francisque Sarcey. « Les Droits et les Devoirs du Critique », *Quarante Ans de Théâtre*, tome I (Paris, 1900), pp. 48-53. Ecrit pour l'*Opinion nationale* (16 et 23 juillet, 1860).

CHAPITRE HUIT

EVOLUTION OU TRANSCENDANCE ?

Si vraiment, avec « quarante ans de théâtre » à l'appui, la critique à la Sarcey, laissée à elle-même et à ses propres évidences, se trouvait dérangée dans ses habitudes, et même dans sa santé mentale, par la moindre intrusion de « symbolisme » ou de « mystère » sur une scène parisienne — et il va de soi que les tentatives d'Antoine au Théâtre-Libre ne paraîtront guère moins inquiétantes — c'est que des traditions trop étroites (scolaires et universitaires ? sociales ? philosophiques ?) avaient besoin d'être assouplies.

Par une chance quasi immanquable, la critique française a presque toujours reçu le « choc » indispensable au moment opportun — non sans un retard éventuel dans l'adhésion qui permet des passes d'armes intéressantes. Soit curiosité se portant sur l'inexploré, soit mécontentement des générations nouvelles, soit surtout apport venu de la Suisse romande et de la Flandre, des nuances ou des principes méconnus ou inédits réclament leur place au soleil ; et que ce soit par des œuvres d'art d'abord inquiétantes (La *Libre Esthétique* à Bruxelles, 1902) ou par des aperçus philosophiques nouveaux (acquis par Genève avant Paris), une mise au point des possibilités, tout au moins, s'est presque toujours produite : le goût, l'esprit de société, le bon sens se chargent de ramener à une moyenne utilisable, et souvent plus humaine, les crudités et les pédanteries.

Dans le cas particulier, les vues relativistes de V. Cherbuliez (1829-1899), exposées d'abord dans *A propos d'un Cheval* (1864) bousculaient à la fois l'orthodoxie hellénisante et la confiance réaliste, et Courbet n'y était pas moins discuté que le

Phidias de commande de certains esthéticiens : encore fallut-il l'installation de ce Genevois distingué à Paris, une réédition de ses « causeries athéniennes » et leur renforcement par des études d'esthétique sans rigueur, mais avisées de l'élément irrationnel inclus dans la jouissance du Beau, pour que fussent aidées des intelligences critiques un peu trop *fixes*. Cet auteur a été fort accueillant, et utile à Brunetière entre autres.

C'est aussi après 1871 que la connaissance plus directe de Schopenhauer et de Hartmann — en attendant Spencer — oblige la nouvelle critique française à s'inquiéter d'éléments plus fuyants, plus mobiles que les normes rationnelles, ou que la soi-disant « reproduction de la réalité ».

VICTOR CHERBULIEZ
(1829-1899)

— Si je vous disais que le réalisme c'est M. Courbet.

— Je vous répondrais que vous en usez non plus comme Gorgias, mais comme cet Hippias à qui Socrate demandait une définition de la beauté, et qui lui répondait tour à tour que, le beau, c'est l'or, un beau cheval, une belle femme.

— Ma complaisance sera inépuisable, reprit le chevalier ; le réalisme est une imitation servile de la nature.

— Mille remerciements.

Un Cheval de Phidias.

Rien de plus juste que les considérations par lesquelles Kant établit que dans tout objet beau nous percevons confusément une certaine convenance finale sans y discerner aucune fin déterminée.

Qu'il s'agisse d'un homme, d'un taureau, d'un cheval, d'un chant qui nous plaît, d'une voix qui nous touche, tout objet que nous qualifions de beau aussi longtemps qu'il nous tient sous le charme nous apparaît comme l'expression unique, adéquate, achevée, d'une espèce.

L'Art et la Nature (Paris, 1892).

JEAN-MARIE GUYAU
(1854-1888)

Sans vraiment renouveler ses points de vue, ni ajouter des arguments plus frais à l'attaque ou à la défense, la « critique de combat » pour ou contre le naturalisme intégral — supposé la forme-limite de la présentation authentique, sociale, scientifique du *vrai* — continue jusqu'au milieu des années 80.

Les épisodes assez monotones de la bataille, en France (car d'immenses répercussions étrangères font partie de l'aventure totale), sont marqués par des publications nouvelles (1880 : *Les Soirées de Médan ; Le Roman expérimental*), par la candidature systématique de Zola à l'Académie française, par la création du Théâtre Libre (1887), mais aussi par des dissidences (après *La Terre,* 1888) et par des manifestes représentant le refus de suivre *usque ad nauseam* l'effort systématique de l'Ecole. Cependant le maître lui-même, sans annoncer de déviation dans son droit de tout décrire, faisait nécessairement appel à d'autres valeurs, quand de larges ensembles (*Trois Villes*) ou des Entités supposées (*Travail,* etc.) devenaient, pourrait-on dire, les successeurs des Forces (le Paradou, le Voreux, la Bourse, les Halles) dont il avait tant joué.

On ne saurait dire que l'esthétique de J. M. Guyau ait pu agir sur les doctrines des écrivains de 1885 : c'était là cependant qu'une sorte de jonction s'offrait, au-delà du « trivialisme », aux éternelles tendances, idéalistes et réalistes, incluses dans un long débat. Les *Problèmes d'esthétique contemporaine, l'Art au point de vue sociologique* (écrit en 1887, avant la mort prématurée de l'auteur) ne sont pas de la critique, point non plus de l'histoire littéraire ; cette variété d'esthétique concrète, mettant au point les systèmes unitaires de Taine ou d'Emile Hennequin, s'illustrant surtout des exemples de ces romantiques accusés d'être hors la société et que la société revendiquait pour leur valeur sociale malgré tout (étant admis que la « société de l'avenir » est incluse dans toute conception vraiment haute du présent), aboutissait à une définition qui pouvait tranquilliser à la fois le dynamisme des uns et le platonisme des autres :

> Le sentiment du beau, c'est la jouissance immédiate d'une vie plus intense et plus harmonieuse, dont la volonté saisit immédiatement l'intensité et dont l'intelligence perçoit immédiatement l'harmonie.

Ou encore :

> Le génie artistique et poétique est une forme extraordinairement intense de la sympathie et de la sociabilité, qui ne peut se satisfaire qu'en créant un monde nouveau, et un monde d'êtres vivants. Le génie est une puissance d'aimer qui, comme tout amour véritable, tend énergiquement à la création de la vie. Le génie doit s'éprendre de tout et de tous pour tout comprendre.

En particulier, et en étroit rapport avec la théorie des « trois sociétés », l'actuelle, l'idéale et la future, qui sont la vraie sociologie de l'œuvre littéraire, — des vues intéressantes sur la poésie romantique et sur le roman contemporain et ses branches réaliste et psychologique pouvaient aider une nouvelle génération à suivre une voie moins étroite que celle que Zola continuait à prescrire :

> La tâche du romancier étant précisément de représenter la société sous le jour où tous la voient, il ne peut se maintenir dans une complète ignorance scientifique, en retard sur ses contemporains : il ne saurait les intéresser qu'à ce prix ; mais d'autre part, il ne doit pas se montrer plus savant qu'eux, il ne saurait davantage les intéresser. Un roman est un miroir qui reflète ce que nous voyons, non ce que nous ne voyons point encore.

Ces vues très justes pouvaient servir de règle aux arbitres, si l'on peut dire, comme étaient peu ou prou les juges impartiaux des lettres contemporaines : elles ne pouvaient suffire à une démonstration, contraire au Naturalisme, dont avait besoin la

littérature française pour secouer un joug indiscret. C'est dire
que la poésie « décadente », comme la rejetait Guyau, avait à
prouver une partie de sa raison d'être — celle qui pouvait
s'autoriser de l'Absolu et non du Changeant, de l'Invisible et
non de « ce que nous voyons ».

GASTON PARIS
(1839-1903)

Non sans des lenteurs qui surprenaient l'érudition internationale, ni sans des résistances qu'expliquaient fort bien d'anciennes habitudes d'enseignement, le passé littéraire de la France
a eu grand mal, à part Villon, à se faire accepter du public
lettré parisien. On a vu les résistances de la lignée *Voltaire-
Laharpe-Villemain-Nisard* à l'élargissement du passé « classique » du côté de la pré-Renaissance. Cette *Histoire littéraire de
la France,* si bien étudiée par l'érudition des Bénédictins, puis
par la méthode de l'Académie des Inscriptions, s'imposait peu à
peu à d'autres que des spécialistes. Du même coup, le provençal
n'apparaissait plus comme une surprenante génération spontanée
de « félibres » plus ou moins fantaisistes.

Le rôle joué, en particulier dans la mise en valeur d'un domaine accepté mais à peine avoué, par Paulin et Gaston Paris,
est vraiment hors de pair. Un gardien des manuscrits à la Bibliothèque royale se familiarise avec des documents poétiques mal
connus ; des publications comme l'*Histoire poétique de Charlemagne* le qualifient pour un enseignement au Collège de France.
Son fils (1839-1903), décidé à chercher à la source la révélation de cette « philologie médiévale » aisément vouée à l'auto-
didactisme chez nous, étudie à Bonn et à Goettingue, est en
mesure de donner bientôt à la *Romania* un accent français, et
proclame en plein siège de Paris (8 décembre 1870) le devoir
d'objectivité du savant, alors que le sentiment patriotique fran-

çais, au même moment précisément, se trouvait appuyé par l'évocation de Roncevaux et de Roland. Puis, formant centre à son tour, Gaston Paris sera celui des érudits français qui, par sa gentilhommerie autant que par son savoir, maintiendra, autour d'une France vaincue puis relevée, d'ardentes sympathies étrangères. Le service rendu à l'histoire littéraire, puis à la critique, ce sera bien de fournir à des vues moins écourtées une perspective suffisante pour des interprétations restées, à défaut, extrêmement courtes ; les sciences naturelles et sociales, à la suite de Herbert Spencer et de Darwin, opéraient sur des millénaires : combien leur attrait eût été périlleux, si trois siècles tout juste de littérature française avaient servi de champ d'expérience ? On pouvait désormais offrir, aux hypothèses et aux idées générales, un plus large horizon.

> Des quatre éléments que nous avons passés en revue, le fond obscur celtique, l'assimilation romaine, le christianisme et le germanisme, sortit, après une élaboration de plusieurs siècles, la société française de la période qui nous occupe (du XIe au second tiers du XIVe). Cette société est la société féodale.

Contraste avec les derniers siècles antiques, préoccupés de leur propre « décadence » par opposition à la force initiale, et avec les temps modernes, ardents à prétendre à leur « progrès ».

> Le monde matériel apparaît à l'imagination comme aussi stable que limité, avec la voûte tournante et constellée de son ciel, sa terre immobile et son enfer : il en est de même du monde moral : les rapports des hommes entre eux sont réglés par des prescriptions fixes sur la légitimité desquelles on n'a aucun doute, quitte à les observer plus ou moins exactement. Personne ne songe à protester contre la société où il est, ou n'en rêve une mieux construite ; mais tous voudraient qu'elle fût complètement ce qu'elle doit être.

> Gaston Paris. *La Littérature française au moyen âge,* Introduction (Paris, 1890), pp. 28 ; 29-31.

Les deux héros de Mireille vivent d'une vie à la fois bien réelle et bien provençale. Vincent surtout est fermement et gracieusement dessiné, dans sa jeunesse naïve, sa pauvreté fière, son courage d'enfant héroïque, son amour simple, étonné et dévorant ; tous ses propos à Mireille sont d'une grâce et d'une ingénuité charmante. Mireille, un peu moins délicatement modelée, est bien ce que doivent être ces belles et saines filles du pays du soleil : elle est amoureuse de primesaut, et avec tout son être ; elle le dit hardiment, et la première, à Vincent ; elle se grise d'amour comme une cigale de soleil ; avec cela elle est franche, courageuse et dévouée, et deviendrait, si elle échappait à sa destinée fatale, une femme simple et forte, une excellente *meinardière*. Le dénouement seul nous déroute : on ne comprend guère comment, de cette enfant ardente et rustique, se dégage tout à coup une sainte. A part cela, les deux figures sont vraies, et sont bien, en même temps, représentatives du type de leur race et de leur pays. On peut leur reprocher de manquer d'idéal ; mais il en flotte tant autour d'elles, dans la nature de la Provence, toujours illuminée par l'imagination du poète, dans le passé toujours présent à son cœur et se projetant sur l'avenir qu'il rêve, qu'on peut leur pardonner de n'être, au milieu de tout ce qui les enveloppe et les grandit, qu'un simple gars et une gracieuse fillette de Provence, qui s'aiment comme les amoureux des temps antiques, sans subtilités et sans détours. Toutefois il faut bien reconnaître qu'ils n'ont pas une vie personnelle très intense, et que le couple provençal est loin d'égaler, et comme originalité et comme valeur représentative, le couple allemand auquel il fait, par instants, songer : à côté de Hermann et Dorothée, Vincent et Mireille semblent effacés.

G. Paris. « Frédéric Mistral ». *Penseurs et poètes* (Paris, 1896), 148-149.

EMILE HENNEQUIN
(1858-1888)

Emile Hennequin, né à Palerme de parents suisses, mais d'origine lorraine, s'est aidé de Herbert Spencer pour rectifier la théorie de Taine. Ce n'est point pour lui une entreprise chimérique de chercher une relation entre les ensembles sociaux et les grands écrivains ou les grands artistes ; mais, étant donné que

les plus éminents échappent à une étroite *causalité* — qui
n'opère que sur ceux du second ordre — ne faut-il pas renverser
la proposition communément admise ? « Une littérature exprime
une nation, non parce que celle-ci l'a produite, mais parce qu'elle
l'a adoptée et admirée, s'y est complu et s'y est reconnue. »
Pour employer les termes de l'auteur de la *Critique scientifique*,
abandonnant l' « insoluble problème d'origine » et prenant le
contre-pied de Taine :

> Une œuvre n'aura d'effet esthétique que sur les personnes qui
> se trouvent posséder une organisation mentale analogue ou infé-
> rieure à celle qui a servi a créer l'œuvre, et qui peut en être dé-
> duite... La série des organisations mentales, types d'une nation,
> c'est-à-dire des évolutions psychologiques de cette nation...

voilà, au juste, l'histoire littéraire et artistique d'un peuple.
« Impubliable » d'abord, *la Critique scientifique* fut cependant
publiée à Paris en 1888 : la même année l'auteur, qui commençait à être connu en France, mourait en se baignant en Seine. Sa
collaboration à la *Revue indépendante*, à la *Revue contemporaine*, sa correspondance avec Edouard Rod témoignent d'une
action malgré tout exercée.

Auriant. « Un critique oublié », *Mercure de France* (1er octobre 1934).
E. Hennequin. « Lettres inédites à Ed. Rod. » *ibid.* (15 juillet 1938).

Que l'on examine la nature des détails propres à convaincre
une personne du monde de la vérité d'un type de gentilhomme,
et ceux qu'il faut pour persuader de même dans un feuilleton
destiné à des ouvriers. Pour l'une, il conviendra d'accumuler les
détails de ton et de manières qu'elle est accoutumée à trouver dans
son entourage ; pour les autres, il sera nécessaire d'exagérer certains traits d'existence luxueuse et perverse qu'ils se sont habi-
tués, par haine de caste et par envie, à associer avec le type du
noble. Il en est de même pour la figure de la courtisane qu'il faut
présenter tout autrement à un débauché et à un rêveur romanesque ;
cela est si vrai que, parfois, le type illusoire l'emporte, même chez
des lecteurs renseignés, sur l'expérience la plus répétée... les

ouvriers ne croient guère à la vérité de *l'Assommoir*, tandis qu'ils admettent facilement le maçon ou le forgeron idéal des romanciers populaires. Il faut donc qu'un roman, pour être cru d'une certaine personne et, par conséquent, pour l'émouvoir, pour lui plaire, reproduise les lieux et les gens sous l'aspect qu'elle leur prête ; et le roman sera goûté non à cause de la vérité objective qu'il exprime, mais en raison du nombre des gens dont il réalisera la vérité subjective dont il rend les idées, dont il ne contredit pas l'imagination.

Emile Hennequin. *La Critique scientifique* (Paris, 1888), 134-135.

La littérature nationale n'a jamais suffi, et aujourd'hui moins que jamais, à exprimer les sentiments dominants de notre société... livres *électifs* indispensables.

Emile Hennequin. *Ecrivains francisés* (Paris, 1889) (Dickens, Heine, Tourguenef, Poe, Dostoïevsky, Tolstoï).

FERDINAND BRUNETIERE
(1849-1906)

Critique impérieux et professoral plutôt qu'entraînant et multiforme, moins pénétrant que passionné de généralisation, Ferdinand Brunetière avait trouvé dans le classicisme français et en particulier dans Bossuet, suivi jusque dans la prédilection du style périodique, une très forte position qui, renforcée par son autorité à la *Revue des Deux Mondes* et à l'Ecole Normale Supérieure, pouvait faire de lui, comme disait François Coppée, « le préfet de police de la littérature ». De fait, une restauration du principe d'autorité était possible, et même souhaitable quand le Naturalisme ne faisait plus que se survivre et que les groupes dissidents prenaient malaisément figure d'écoles. Une critique établissant une discipline littéraire sur d'autres principes que les « certitudes » biologiques, sans abandonner pour cela les meilleurs acquêts de l'humanisme, aurait été d'un

grand secours, sinon à la production littéraire, du moins à
l'orientation d'un public assez peu sûr de ses voies.

Les conséquences supposées du darwinisme avaient-elles un
attrait irrésistible ? L'homme qui devait plus tard insister sur la
faillite de la Science — ou du moins des espoirs illimités et
inconditionnels placés sous les encouragements de cette « nouvelle idole » — craignait-il de paraître en retard ? Alors que les
Principles of Sociology de H. Spencer ont part à l'élaboration
de la *Critique scientifique* d'Emile Hennequin, on songe irré-
sistiblement à *The Evolutionist at large* de Grant Allen, et même
à *Evolution Old and New* de Butler en constatant la mode
évolutive dont sont saisis bien des faiseurs de synthèses, qui
entendent tout juste parler de « changement » (Cf. Ch. Letourneau. *L'Evolution littéraire dans les diverses races humaines,*
Paris, 1894), etc. Pourquoi Brunetière sacrifia-t-il à cette divi-
nité incertaine? Son évolutionnisme eut un excellent résultat :
la nécessité de trouver d'autres « étapes » que les simples précédents nationaux lui fit favoriser très vite la littérature comparée à laquelle son ignorance linguistique ne le vouait en rien.
D'autre part, il aperçut excellemment certaines paternités, telles
que la continuité de Baudelaire aux Poètes décadents. Mais
quels sophismes se cachent dans des présentations telles que le
lyrisme évoluant à travers la prose, ou le roman historique, hy-
bride d'histoire et de roman, contraint par une loi de différen-
cier à fond deux tendances (juste au moment où le roman
historique, à la suite de *Quo vadis ?* démontrait que la littérature et l'art sont des « moyens de défense »).

L'évolution des genres, en zoologie, a été soumise depuis lors
à des objections scientifiques dont ne relève point la théorie
littéraire de l'évolution (si c'est autre chose que le *changement*
qui se cache sous ce mot attrayant). Mais il va de soi que, par
une déférence assez naturelle pour un maître impérieux — et
toujours bon à suivre sur d'autres terrains, comme la discussion

sur le naturalisme et les luttes entre la science et la religion —
l'évolution devint à la mode vers 1895.

I. Babbitt. *Masters of Modern French Criticism* (Cambridge, 1912).
G. Casella et E. Gaubert. *La nouvelle Littérature 1895-1905* (Paris, 1938), II.
« L'Evolution des Genres ».
V. Giraud. *Ferdinand Brunetière ; notes et souvenirs avec fragments inédits*
(Paris, 1907).
R. de Gourmont. « Brunetière. » *Promenades littéraires,* 3e série (Paris, 1926).
Elton Hocking. *Ferdinand Brunetière* (Madison, 1936).
J. Huret. *Enquête sur l'Evolution littéraire* (Paris, 1901).
G. Larroumet. « Ferdinand Brunetière (conférencier). *Etudes de Littérature
et d'Art* (Paris, 1893).
Cr. Letourneau. *L'Evolution littéraire dans les diverses races humaines* (Paris,
1894).
L. Levrault et M. Roustan. *L'Evolution des Genres* (Paris, 1901-1911).
L. Maigron. *Le Roman historique* (Paris, 1898). [Démontrant la disparition
de ce « genre » évincé par l'histoire et le roman.]
L. Solvay. *L'Evolution théâtrale,* I (Paris, 1922).

S'il n'y avait de « régression » nulle part ailleurs, — et quand
elle serait en histoire naturelle, comme on l'a prétendu, la condition préparatoire, l'étape ou l'une des étapes d'un progrès ultérieur, — c'est dans l'histoire de la littérature et de l'art que l'on
pourrait encore parler de « rétrogradations » véritables ; et ce
seul motif suffirait à justifier l'emploi du mot d'évolution.

Je songe, en écrivant cette ligne, au reproche que l'on m'a souvent fait d'obscurcir, au moyen de ce mot d'Evolution, ce que je
voudrais éclairer. Mais si je l'ai souvent dit, je le redirai donc
encore : c'est que, si l'on se pique de parler avec un peu de précision, le mot représente ou résume tout un ensemble d'idées ; et
la pire confusion qu'on puisse faire c'est de le prendre pour
synonyme ou pour équivalent, même approximatif, des mots de
mouvement ou de *progrès.* Qui dit progrès dit continuité, et on
vient de le voir, qui dit évolution dit précisément le contraire.
« Ma théorie, disait Darwin, *ne suppose aucune loi fixe de développement,* obligeant tous les habitants d'une zone à se modifier
brusquement, *simultanément et à un égal degré.* » C'est une seconde différence : le progrès est total, si je puis ainsi dire, mais
l'évolution est toujours partielle. Le perfectionnement d'une espèce
animale ou d'un genre littéraire peut avoir pour condition la dé-
générescence ou la corruption d'un autre ; il peut l'avoir pour
conséquence ; et les deux se sont vus plus d'une fois dans l'histoire. Enfin l'idée de progrès implique la stabilité ou du moins

la longue durée du perfectionnement acquis, et par exemple, depuis qu'on a découvert la vapeur, il n'est pas possible que l'humanité consente, je ne dis pas à se passer de chemins de fer, mais à
revenir à la lenteur des anciens moyens de transport. L'idée d'évolution n'implique rien de semblable, et il est de son essence que
ses résultats soient toujours mobiles et changeants. N'est-ce pas
comme si l'on disait que le progrès est absolu, mais l'évolution est
relative ? et quand deux idées se séparent ou s'opposent l'une à
l'autre par tant de caractères, peut-on soutenir, en vérité, qu'il soit
indifférent d'user de l'un ou de l'autre des mots qui les représentent ou les expriment ? Ai-je besoin d'ajouter qu'il ne l'est pas
non plus de se servir indistinctement du mot de *mouvement* ou
d'*évolution*, si c'est une espèce de mouvement très défini que caractérise le second, un mouvement très composé, qui diffère du
mouvement en général, du mouvement par lequel on se porte d'un
point à un autre, ou de bas en haut, — exactement comme en
diffère le mouvement par lequel un chêne sort d'un gland, un
papillon de sa chrysalide, les jeunes des animaux de leur germe,
et l'homme lui-même de l'animal ?

...Il faudra résoudre un premier problème, qui est celui de la
détermination du « caractère essentiel » d'une littérature donnée,
la française ou l'anglaise, l'italienne, l'allemande, l'espagnole ; et
pour cela l'étudier dans son rapport avec les autres.[1] Je dirais à
ce propos que c'est ce que j'ai moi-même tâché de faire pour la
littérature française, si je n'avais un bien meilleur exemple encore
à produire, comme étant moins personnel, et c'est celui de la
définition du « caractère essentiel » de la peinture hollandaise,
telle qu'Eugène Fromentin l'a donnée dans ses *Maîtres d'autrefois ?*

...Au caractère essentiel ainsi reconnu par la critique, tous les
autres devront se « subordonner ». C'est par rapport à lui que se
fera la division des « âges » ou des « époques ». C'est son évolution qui nous servira comme de guide à travers la chronologie.
Aussi longtemps que nous n'aurons pas vu tout ce qui la précède
s'acheminer ou tendre de soi-même à la plus éclatante manifestation de ce caractère, comme aussi longtemps que nous n'aurons

---

1. On crée tous les jours, dans nos universités et ailleurs, — au Collège de
France, par exemple, qui ne fait point partie de l'Université de Paris, — des
chaires inutiles, et en attendant, seules ou presque seules au monde, les universités françaises n'en ont point de « Littérature comparée ». [Note qui, justifiée
en 1898 et lors de la publication d'un article de la *Revue de Deux Mondes*,
n'avait plus raison de subsister dans le volume.]

pas trouvé le secret de montrer dans l'affaiblissement de ce même caractère la raison de sa décadence, nous pourrons être assurés de n'avoir pas compris l'histoire de la peinture hollandaise. Son évolution, c'est son histoire, et elle n'a d'histoire que celle de son évolution.

Ce sont alors les grandes lignes de cette évolution qui déterminent le choix des écrivains ou des artistes que l'histoire doit retenir, et pour les retenir, commencer par les dégager de la foule de ceux qui encombrent les catalogues, les dictionnaires, et les manuels. Il s'agit en effet de jalonner une route, et non pas d'en décrire les moindres accidents. Ou encore, c'est comme si l'on disait que ce sont les « œuvres » qui importent, et non pas les « individus », leur histoire, celle de leurs amours, celle de leurs aventures, mais les « œuvres » significatives, et, en chaque « genre », celles qui ont marqué les étapes de ce genre vers la perfection...

C'est une autre utilité de la doctrine évolutive : elle déclasse, elle efface, elle chasse comme automatiquement les médiocrités de l'histoire de la littérature et de l'art ; et ainsi, par un détour tout à fait inattendu, une méthode, qu'on accusait de méconnaître les droits de l'originalité, aboutit précisément à ne retenir, pour s'en occuper, que les esprits vraiment originaux.

J'aurai de la peine, je le sais bien, à faire accepter cette idée, mais je sais aussi les raisons qu'on a de la repousser. Elle contrarie la prétention que tout le monde a toujours, en littérature ou en art, de « s'y connaître » aussi bien que personne... La grande raison, la raison de « derrière la tête » qu'on a de repousser l'application de la méthode évolutive à l'histoire de la littérature et de l'art, — comme aussi bien de toute méthode — c'est qu'on craint qu'avec la méthode un peu de précision, un peu de certitude ne s'y introduise, et, tôt ou tard, n'y finisse par faire échec à l'entière liberté des opinions individuelles.

Ferdinand Brunetière. « La doctrine évolutive et l'Histoire de la Littérature. » *Etudes critiques sur l'histoire de la Littérature française.* (Sixième série.. Paris, Hachette, 4e éd. 1922.)

Je crois, et je persiste à croire, depuis vingt-cinq ans, que, de toutes les hypothèses qui peuvent communiquer à une histoire de la littérature quelque chose de l'allure, du mouvement, et du caractère successif d'une histoire digne de ce nom, il n'y en a ni de plus conforme à la réalité des faits, ni de plus abondante, chemin faisant, en conséquences qui la vérifient. Elle a encore ceci pour elle qu'en général ceux qui l'ont attaquée ne l'ont pas comprise ; et, en vérité, pour la venger de leurs attaques, je n'aurais besoin contre eux que d'eux-mêmes. S'il faut en donner un exemple en passant, n'est-ce pas une dérision que, pour établir que les genres « n'évolueraient » pas dans l'histoire, on se soit acharné à démontrer que les genres littéraires ne sont point des « entités définies » ? Eh ! bonnes gens ! Mais c'est justement ce que nous ne nous lassons pas de dire au nom de l'évolution ; et nous croyons seulement que la fluidité même des genres littéraires étant soumise à des lois, ce n'est pas une entreprise vaine que d'essayer de découvrir ces lois.

Sur ce fondement, j'ai naguère essayé de démontrer, dans un *Manuel de l'histoire de la littérature française,* comment notre idéal classique, issu du mouvement général de la Renaissance, mais inconscient et d'abord assez incertain de lui-même, s'était rendu compte insensiblement de ses propres tendances en essayant de s'organiser ; comment, dans une deuxième phase de son évolution, il avait triomphé des résistances que l'imminence de sa domination avait en quelque sorte conjurées contre lui ; comment, dans une troisième, la plus courte, mais la plus féconde, il s'était réalisé dans des formes aussi voisines de la perfection dans leur genre que la grande peinture italienne ou que la sculpture grecque. Comment, au cours d'une quatrième phase, on avait prématurément et vainement essayé de secouer le joug non pas précisément et ainsi qu'on l'a dit des « règles », mais des « modèles » qu'il avait proposés à l'universelle admiration ; et comment enfin, dans la cinquième, rien d'humain n'étant éternel, il s'était désorganisé sous le triple effort de la longueur du temps, de l'exagération de son propre principe, et du besoin intérieur de se renouveler.

Ferdinand Brunetière. *Histoire de la Littérature française classique. Avertissement* (Paris, 1921).

VILLIERS DE L'ISLE-ADAM
(1840-1889)

L'idée d'évolution n'était prise, par un groupe important de critiques de la fin du XIXe siècle, qu'au sens large de *mouve-*

ment, de changement : surtout si un finalisme indiscret semblait y attacher un sens progressiste, les « symbolistes » en particulier se sentaient menacés dans leurs positions, d'ailleurs incertaines. Mais, si l'univers offrait à l'œuvre d'art des *équivalences,* des *ambivalences* excluant, de fait, tout solide fondement capable d'assurer une progression quelconque, comment admettre des chaînes assurées de créations sortant l'une de l'autre comme les emboîtages germinatifs des genres biologiques ? C'est ainsi qu'Albert Samain, dans des *Carnets* de 1899, commence par se mettre en règle avec un terme trop usité :

> Je ne saurais concevoir le mot progrès et lui donner un sens en art, en poésie pas plus qu'ailleurs. Quand une formule a une fois réalisé son maximum d'expression, tout est dit ; et l'on ne saurait songer à perfectionner le portrait de Rembrandt au Louvre, le torse de la Vénus de Milo, ou le sourire de la Joconde. Je prends donc volontiers le second terme, *évolution,* car il exprime une manifestation constante, indispensable, éternelle, de la vie, et que la poésie est avant tout vivante...

Le poète du *Jardin de l'Infante* était d'ailleurs d'un tempérament trop peu combatif pour qu'il faille lui demander de se mettre explicitement au service des tendances esthétiques dont s'autorisait le mouvement symboliste, de plus en plus décidé à trouver dans Baudelaire, puis dans Mallarmé, les principes sur lesquels appuyer ses revendications.

Mais, avant même ces déterminations plus distinctes, un esprit indépendant comme Auguste Villiers de L'Isle-Adam, bohème de haute extraction, idéaliste sans réserve et chevaucheur de chimères, « qui posséda souvent un lit, quelquefois une table, toujours un piano » dans ses gîtes de hasard, portraituré à dix-neuf ans par cet autre serviteur de l'idéal, Puvis de Chavannes, vivait dans un songe qui s'interrompit à peine avant 1870, plus notablement en 1883 avec les *Contes cruels* et en 1886 avec l'*Eve future,* et mourait chez les Frères Saint-Jean-de-Dieu, le 18

167

août 1889. Par Stefan George qui fut l'un des rares poètes présents à ses obsèques, une partie de son action a passé en Allemagne — pour s'y transformer — de même que le wagnérisme de la première heure se modifiait en rudes programmes ethniques et racistes.

R. de Gourmont. « Villiers de l'Isle-Adam », *Promenades littéraires,* 4ᵉ série (Paris, 1920).
M. Daireaux. *L'Homme et l'œuvre* (Paris, 1936).
R. de Pontavice de Heussey. *Villiers de l'Isle-Adam, l'écrivain, l'homme* (Paris, 1893).

Toute libre intelligence ayant le sens du sublime sait que le Génie pur est essentiellement silencieux, et que sa révélation rayonne plutôt dans ce qu'il sous-entend que dans ce qu'il exprime. En effet, lorsqu'il daigne apparaître, se rendre sensible aux autres esprits, il est contraint de s'amoindrir pour passer dans l'Accessible. Sa première déchéance consiste, d'abord, à se servir de la parole, la parole ne pouvant jamais être qu'un très faible écho de sa pensée.

Secondement, il est obligé d'accepter un voile extérieur — une fiction, une trame, une histoire, — dont la grossièreté est nécessaire à la manifestation de sa puissance et à laquelle il reste complètement étranger ; il ne défend pas, il ne crée pas, il transparaît ! Il faut une mèche au flambeau, et quelque grossier que soit en lui-même ce procédé de la lumière, ne devient-il pas absolument admirable lorsque la Lumière se produit ? Ceux-là seuls qui sont capables de s'absorber dans la préoccupation de ce procédé ne sauraient jamais voir la Lumière !

Le Génie n'a point pour mission de créer, mais d'éclairer ce qui, sans lui, serait condamné aux ténèbres. C'est l'ordonnateur du Chaos : il appelle, sépare et dispose les éléments aveugles ; et quand nous sommes enlevés par l'admiration devant une œuvre sublime, ce n'est pas qu'elle crée une idée en nous : c'est que, sous influence divine du génie, cette idée, qui était en nous, obscure à elle-même, s'est réveillée, comme la fille de Jaïre, au toucher de celui qui vient d'en haut.

Oui, d'en haut !... Car il s'agit de hauteurs où ne sauraient atteindre les géométries ; lorsque les poètes parlent des cieux, il n'est point question de ces firmaments restreints et visibles situés au bout de la lorgnette des astronomes, mais de choses plus sérieuses et plus vivaces, qui ne peuvent ni s'éteindre, ni passer.

Le moyen, le sujet, le drame est chose si indifférente en soi pour le génie, que le génie ne se donne presque jamais la peine de l'inventer. Il se superpose, voilà tout. Il fait ébaucher le marbre par l'élève, et prend son bien où bon lui semble, sans que personne ait à l'accuser de plagiat.

Villiers de l'Isle-Adam. « Hamlet », *Chez les Passants* (Paris, s.d.) 39-40.

RENE GHIL
(1862-1925)

Avec plus de mystère qu'aux temps où *l'Art pour l'Art* défendait le principe de beauté formelle dans la littérature, avec des extravagances éventuelles qui mettaient les rieurs *de l'autre côté*, le « symbolisme » était bien la seule tendance capable de tenir tête aux éléments destructifs de la littérature vers 1890. De ces principes attrayants parfois, mais nocifs dans une application totale, le plus dangereux n'était-il pas celui qui ne voyait que changement, soumission au milieu et détérioration par le temps, et supprimait implicitement toute *transcendance* dans la création artistique et son maintien, au moins relatif, au cours des âges ?

En raison du mystère d'ésotérisme et comme *d'initiation* qui paraissait l'acte important des « écoles », il fut entendu que « symboliste », « décadente », la logomachie débile de ces mécontents relevait de la clinique, ou tout au moins de la dérision continue des gens de bon sens. Un malentendu inévitable opposa de bonne heure aux revendications de Joséphin Péladan (1858-1918) et d'autres mages, puis à la sublimation du Verbe chez Mallarmé et René Ghil, et à leur « orchestration » plus ou moins arbitraire des mots français, enfin aux affirmations indémontrables de croissants adversaires des vulgarités courantes, la commode prétention du Réalisme courant, lequel n'avait pas en général la puissance d'évocation, et même de romantisme, du maître Zola.

Qu'une élite, non une foule, fût intéressée à cette sauvegarde, voilà qui n'est pas douteux. « On ne saurait faire entrer en ligne de compte, quand il s'agit d'art, la multitude qui ne pense pas et qui ne peut être comptée que numériquement. Le haut public intellectuel, le seul qui compte et dont les suffrages sont une consécration, celui-là en a bien assez. » (A. Baju. *L'Ecole décadente* [1887]).

En principe, le Symbolisme aurait dû se démontrer sans le secours d'aucune explication discursive : en d'autres termes, la critique aurait dû céder la place à l'œuvre ; mais les polémiques étaient si vives, qu'on ne pouvait se dispenser tout à fait d'élucidations et de plaidoyers qui sont, à l'heure actuelle, de précieux documents, alors qu'en plein combat ils n'avançaient que médiocrement les choses. René Ghil, auteur de *Traité du Verbe* de 1886, mérite d'être le premier cité pour son témoignage un peu partial, mais clairvoyant.

L'expression de cette Esthétique qui déterminait un concept artistique des relations émotives du Moi et du monde extérieur, concept non entièrement explicite et conscient, Mallarmé et les autres ne la trouvaient-ils point superbement en le poème tant rappelé depuis : « Concordances ».

Comme de longs échos qui de loin se confondent
Dans une ténébreuse et profonde unité,
Vaste comme la mort et comme la clarté,
Les parfums, les couleurs et les sons se répondent...

En ces vers était latente toute la théorie symboliste : en les développant selon le vœu spiritualiste enclos en eux, elle allait trouver toute la gamme des Analogies que Mallarmé nuancerait et immatérialiserait, à désincorporiser l'Idée, à la priver de tout signe, si possible ! — Or, Verlaine, malgré son enthousiasme, n'a pas été véritablement impressionné par l'esthétique baudelairienne, pas plus que n'en portent l'empreinte les divers poètes parnassiens. L'empreinte, si nous la trouvons si nette et durable en Mallarmé, c'est que Mallarmé était seul alors apte à s'assimiler l'entière et l'intime pensée de cet Art qui, comme toute expression de pensée vraiment neuve et nécessaire, dépassait la sensibilité et l'entendement de la génération présente.

Alors est-il tout indiqué d'admettre que Stéphane Mallarmé portait dès lors en lui, en énergie plus ou moins latente, plusieurs des vertus poétiques de Baudelaire, et tout particulièrement et en prime tendance le don de suggestion et d'analogie — ou Symbolisme, entendu tel que privé de ses intentions philosophiques plus tard mises au point, ou empruntées. Nous comprenons qu'il se produisît tout naturellement, de Mallarmé non encore en possession d'une volonté soutenante, vers Baudelaire aux puissances tant concentrées, un transport passionné ! Par l'impulsion complémentaire reçue, les qualités poétiques de Mallarmé vont premièrement à s'exagérer, à se troubler même, à s'adultérer. En cette période de « première œuvre » de dix à douze années, disions-nous, doit, il me semble, se voir un temps de recherche d'équilibre de sa personnalité violemment et intimement travaillée, accrue de conscience et d'éléments d'expression poétique au contact de l'œuvre du premier Maître...

René Ghil. *Les Dates et les Oeuvres* (Paris, 1923), p. 218.

JEAN MOREAS
(1856-1910)

Même sans son vrai nom de Papadiamantopoulos, mais avec une origine et un arrière-plan helléniques décidés, Jean Moréas se devait de sous-entendre presque toujours, à sa critique aussi bien qu'à son œuvre poétique française, la sobriété et l'eurythmie grecques. Les services par lui rendus à toute une génération de poètes, par ses *Stances* et par sa vigilance d'Hellène hostile à toute emphase, sont incontestables : Charles Guérin lui doit beaucoup, et Barrès n'est pas seul à se rappeler ce testament du mourant : « Romantisme, Classicisme, ce sont des mots. »

La vigilance, donc, avec laquelle Moréas s'avise d'un rien de maniérisme dans l'art « grec » d'André Chénier, de rousseauisme dans l'ingénuité homérique de Lamartine, l'hommage d'un frisson moins troublé chez Gérard de Nerval longeant l'île de Cythère : autant de témoignages d'un perpétuel éveil que ne saurait décevoir Hugo et son style « cyclopéen », que ne saurait, en dépit de la formule conciliante de la fin, satisfaire l'emphase ou le déséquilibre romantique : on n'a pas en vain honoré le sol sacré de Colonne, ni pour rien admiré d'instinct les lignes du marbre pentélique. Si bien que, dans l'ensemble assez courte, l'inspiration de Moréas est comme une « prière sur l'Acropole » plus instinctive, donc plus pure et plus assurée.

M. Coulon. « L'Unité de Moréas », *Témoignages*, I (Paris, 1910).
————. « Moréas dévoilé », *Témoignages*, II (Paris, 1913).

Pour être admiré, Maurice Barrès n'avait aucunement besoin de son entrée à l'Académie. Il faut cependant nous en réjouir. Une vie de grand artiste, harmonieuse dans le bonheur, n'est pas chose commune.

Un talent supérieur s'accommode, certes, de la mauvaise chance et des embûches de destin. Mais quel sombre plaisir de le constater !

Sans parler des exemples célèbres, qui foisonnent, n'avons-nous pas eu sous les yeux celui de Paul Verlaine ? Ce poète a vécu dans une discordance qui était une parfaite harmonie : ses malheurs et ses fautes ne lui firent point transgresser la règle de l'Idéal.

Je songe à son enterrement par une matinée d'hiver. Un blanc soleil rayonnait sur la ville, plein d'allégresse, malgré son peu de force et la bise aiguë. On descendit le cercueil, de cette maison d'un vieux quartier, morne et chancelante, où le poète s'était éteint. Après l'absoute, dans le joli décor de Saint-Etienne-du-Mont, le convoi traversa Paris. Les Lettres et les Arts accompagnèrent pieusement la dépouille de Paul Verlaine au doux cimetière des Batignolles.

Je n'ai pas oublié les paroles, nobles et véhémentes, que Barrès fit entendre sur la fosse du poète...

A chaque nouvelle production, le talent de Maurice Barrès gagne en hauteur, en vigueur, en pureté. On connaît le charme de ses premiers ouvrages. Ses grands romans firent voir qu'il excelle aussi dans le sévère et l'étoffé. *Du Sang, de la Volupté et de la Mort*, enivre et parfume. Et voici que le *Voyage de Sparte* récapitule et renforce tous ces dons précieux d'un tempérament souple et solide.

Les remarques y sont choisies, les descriptions d'une belle brosse. Ici, la passion tamise l'esprit, là l'esprit la passion. Quand l'auteur parle de Phidias ou d'Anaxagore, il enseigne sans peser. L'épisode de l'Arménien Tigrane touche comme une élégie ; l'assassinat de Capo d'Istria est une estampe.

Barrès a-t-il méconnu l'Attique ? Nous verrons tout à l'heure comment ses doutes et ses scrupules s'arrêtèrent soudain devant Pallas-Athénê, tels les coursiers du fils d'Hypérion, le jour où la déesse jaillit de la tête paternelle.

Enfin, offrande encore à la Grèce, le livre est dédié à Mme la Comtesse de Noailles, sœur d'Erinna et qui, comme elle, compose ses vers avec le miel des Muses.

Barrès avait amené à Athènes les ombres de Byron et de Chateaubriand. Ce sont des ombres pompeuses, qui parlent sans doute fort bien, mais avec cet accent rauque, parfois, du vieux spectre romantique avertissant Hamlet. Elles ne surent point guider le voyageur, et il demeura seul à analyser son désarroi, devant le Parthénon mutilé, sur la place occupée naguère par la tour franque.

Revenu dans sa Lorraine natale, il contemple, à Chamagne, les prairies automnales *transfigurées par un rayon de la lumière antique*. Et il se souvient que dans ce pauvre village naquit Claude Gelée.

Ah ! si Barrès s'était fait accompagner par l'ombre amie de ce grand peintre ! ils se seraient assis tous les deux, à l'heure du crépuscule enflammé, au bord du Céphise, ou sur le rivage de Phalère ; et Claude Gelée aurait dit à son compatriote, avec un tendre sourire :

— Le sang lorrain coulait dans mes veines, et mes pinceaux jetèrent sur la toile le plus pur de l'âme attique. J'aimais cependant bien nos mirabelliers.

A vrai dire, Maurice Barrès pouvait monter seul, et d'un pas sûr, les marches des Propylées. Ecoutons sa plainte, qui est mélodieuse et remplie d'une agréable coquetterie. Bénissons sa mauvaise humeur ; elle est féconde et va le ramener bientôt, par un détour, à une notion très fine de la nature et l'art antiques. Après cela, s'il doute encore et se désole, c'est à l'honneur de sa délicatesse.

Jean Moréas. « Maurice Barrès et l'Attique ». *Esquisses et Souvenirs* (Paris, 1908), pp. 59-62.

HENRI DE REGNIER
(1864-1939)

Le bel écrivain que fut Henri de Régnier était comparé par Rémy de Gourmont à un dahlia noir, aux pétales sombres et veloutés et aux éclatantes étamines. A travers une œuvre qui, sollicitée un temps par le Symbolisme et son émancipation prosodique, revint sans beaucoup tarder à une stylisation que n'eût pas désavouée son beau-père J.-M. de Hérédia, l'éclatant sonnetiste des *Trophées,* Régnier a toujours déféré à un culte de l'expression choisie, du mythe bien défini, qui eût valu d'être élucidé par cet écrivain ; mais « tout homme, à s'expliquer, se diminue », au gré d'un gentilhomme de lettres assez dédaigneux. Il a recherché dans l'hellénisme païen, puis dans sa réverbération de la Renaissance, enfin sous des formes qui étaient presque toujours des « dilutions » du « miracle grec », une continuité d'inspiration qui lui paraissait plus assurée de survie que tout l' « informe » dynamisme de Balzac lui-même.

Admirateur de Vigny, Henri de Régnier n'aurait voulu retenir de son œuvre que les affinités grecques du début ; même chez un « initié » comme le « fol » Gérard de Nerval, il apercevait moins le trouble quasi faustien que l'amoureux de Sylvie et du Valois, en une sinuosité du destin aboutissant cependant à la rue de la Vieille-Lanterne.

H. Dérieux. «L'Unité de l'Oeuvre d'Henri de Régnier, poète et romancier », *Mercure de France* (15 février 1935).
F. Gregh. « Henri de Régnier critique ». *Revue bleue,* 25 mai 1901.

Je rencontre souvent, en rêve, Gérard de Nerval... C'est un homme de taille moyenne et dont les traits n'offrent pas de particularités très significatives. Le visage est ovale, entouré d'un collier de barbe châtaine ; la moustache, assez fournie, cache la bouche ; les yeux sont gris sous un front haut. Le personnage est vêtu d'un habit noir. Un col de satin s'enroule à son cou. Il porte un pantalon de drap gris vert et des souliers vernis à guêtres grises.

174

Les poches de l'habit sont gonflées, et, de l'une d'elles, sort le feuillet d'un manuscrit. Ce promeneur tient le plus souvent un livre à la main, mais j'ai vu quelquefois le livre remplacé par des objets plus bizarres : un homard vivant qu'il serre sur son cœur, un beau coq qu'il presse contre sa poitrine. Quelle que soit son attitude, je le reconnais tout de suite comme la première fois où je le rencontrai en cette rue de rêve, et, sans attendre qu'il me parle, je lui dis avec un mélange de respect et de familiarité dont il ne s'offense pas et sourit avec bonté :

Gérard, Gérard, ô maître charmant, ô cher esprit, pourquoi errez-vous ainsi si tard à travers les rues ; quelle fantaisie de votre étrange et merveilleuse cervelle vous a chassé de chez vous, ou fuyez-vous quelque propriétaire intraitable ? Votre gousset est-il si vide que vous allez ainsi demander asile à quelque bouge ? Vos amis ne sont-ils pas là ? Lequel d'entre eux ne serait heureux de donner l'hospitalité au doux Gérard ? N'avez-vous point Nanteuil ou Du Seigneur, ou le brillant Arsène Houssaye, ou le bon Théo, ou l'excellent docteur Esprit Blanche et ses soins paternels en sa maison de Passy ? La nuit est longue à battre le pavé et la solitude est mauvaise conseillère. O Gérard, prenez garde ; il y a des carrefours dangereux et je sais des chemins qui n'aboutissent qu'à une fatale impasse !

...Il m'écoute, sourit et je continue :

D'où venez-vous, Gérard : d'Italie, de Hollande ou d'Allemagne, des bords du Rhin ou des rives du Nil, du fond de l'Orient, du Caire ou de Jérusalem où règne pour vous encore le Roi Salomon, de chez les Druses du Liban ou de chez les Turcs de Stamboul ? Arrivez-vous, simplement, de votre cher Valois aux nobles forêts, aux claires eaux bruissantes, de Loisy, de Mortefontaine, d'Ermenonville ou de *Chaalis,* de la douce contrée qu'arrosent la Nonette et la Thève ? Y avez-vous rencontré Adrienne et Sylvie ? Vous ont-elles murmuré ces chants populaires que vous aimez presque autant en leur simplicité rustique et chevaleresque que les énigmes orientales et compliquées de la Reine Balkis aux pieds de bouc ? Quittez-vous Cagliostro, Cazotte ou Restif de la Bretonne ? Etiez-vous allé au théâtre entendre la blonde Jenny Colon, ou les Chimères vous ont-elles retenu si longtemps dans leur cercle magique que votre esprit s'est perdu dans le rêve ?

Henri de Régnier. « Nerval », *Proses datées* (Paris, 1925), pp. 106-109.

CHAPITRE NEUF

IMPRESSIONNISME OU SOUCI SOCIAL

> Ce ne sont que des impres-
> sions sincères notées avec soin.
> J. Lemaître. Avant-propos
> des *Contemporains* I

ANATOLE FRANCE
(1844-1924)

Pour un Villiers, un Mallarmé, même pour un Péladan, l'admiration d'œuvres transcendantes avait beau être une sorte de
mystique, la rareté et la « distinction » — au sens étymologique
du mot — des pages ainsi « élues » (*Correspondances* de Baudelaire, tout Nerval, *Ulalumé* de Poe, le *Bateau ivre* de Rimbaud,
et tels autres morceaux étrangers) empêchaient d'office tout
glissement excessif vers des dilections trop faciles. Il n'en était
pas de même quand le dilettantisme consistait simplement en
des préférences toutes personnelles, bannissant un critère qui
n'eût pas été un goût pur et simple dont nul compte explicite ne
pouvait être rendu. Même des auteurs qui, par leur relativisme,
avaient encouragé cette attitude, comme Ernest Renan, s'ef-
frayaient ou s'amusaient d'un *indifférentisme* contre lequel la
réaction fut tardive, et qui imprégna pour longtemps la génération des Pierre Louys et des André Gide. Il va de soi que,
pratiqué par des artistes comme Anatole France, des lettrés tels

que Jules Lemaître, des inquiets à la Maurice Barrès, l'impressionnisme (qui était l'expression critique du dilettantisme) ne manquait ni de vues sagaces ni d'arrière-plans solides, en dépit du jeu de surface auquel se livraient les antinomies et les oppositions, essayant de concilier des contraires.

Moins de pyrrhonisme, donc, qu'il ne pouvait sembler se cachait dans *la Vie littéraire* qu'Anatole France, sa vie durant, a fait passer sous les yeux de la grande bourgeoisie française. Ce fils du libraire Thibaut, l'ancien garde du corps de Charles X que son humeur cocardière avait fait dénommer France, a parcouru toute la gamme des opinions politiques et sociales, quelques tons ou demi-tons de l'échelle chromatique religieuse, sans qu'on puisse dire que son goût de la phrase bien faite, du vocabulaire nuancé, des remous de l'âme que l'amour ou la galanterie révèlent chez la femme, aient jamais souffert de palinodies tenant évidemment à une parfaite absence de principes et à une certaine débilité de caractère. L'artisan littéraire, chez lui, aurait survécu au radicalisme le plus avancé, comme il se serait accommodé de la foi ascétique la plus anxieuse.

Maxime Revon. « Anatole France, critique littéraire ». *Les Marges,* 15 novembre 1924.

Telle que je l'entends et que vous me la laissez faire, la critique est, comme la philosophie et l'histoire, une espèce de roman à l'usage des esprits avisés et curieux, et tout roman, à le bien prendre, est une autobiographie. Le bon critique est celui qui raconte les aventures de son âme au milieu des chefs-d'œuvre.

Il n'y a pas plus de critique objective qu'il n'y a d'art objectif, et tous ceux qui se flattent de mettre autre chose qu'eux-mêmes dans leur œuvre sont dupes de la plus fallacieuse illusion. La vérité est qu'on ne sort jamais de soi-même. C'est une de nos plus grandes misères. Que ne donnerions-nous pas pour voir, pendant une minute, le ciel et la terre avec l'œil à facettes d'une mouche, ou pour comprendre la nature avec le cerveau rude et simple d'un orang-outang ? Mais cela nous est bien défendu.

...La critique est la dernière en date de toutes les formes littéraires ; elle finira peut-être par les absorber toutes. Elle convient admirablement à une société très civilisée dont les souvenirs sont riches et les traditions déjà longues. Elle est particulièrement appropriée à une humanité curieuse, savante et polie. Pour prospérer, elle suppose plus de culture que n'en demandent les autres formes littéraires. Elle eut pour créateurs Montaigne, Saint-Evremond, Bayle et Montesquieu. Elle procède à la fois de la philosophie et de l'histoire. Il lui a fallu, pour se développer, une époque d'absolue liberté intellectuelle. Elle remplace la théologie et, si l'on cherche le docteur universel, le saint Thomas d'Aquin du XIXe siècle, n'est-ce pas à Sainte-Beuve qu'il faut songer ?

Anatole France. « A Adrien Hébrard, directeur du *Temps* (1888) », *La Vie littéraire*, I (Paris, 1921), pp. III-V.

JULES LEMAITRE
(1853-1914)

Quand la *Revue politique et littéraire* (*Revue bleue*) commença, en 1883, à publier les articles de Jules Lemaître sur les *Contemporains*, le public lettré — province plutôt, d'abord, que Paris, universitaires plus que gens du métier — se récria d'aise : que d'aisance, de souplesse, de désinvolture, dans ces portraits d'auteurs tout engagés encore dans l'actualité, et qu'une critique à la fois informée et libre s'ingéniait à mettre à leur vraie place ! Que de judicieux redressements et d'équitables condamnations ! L' « éreintement » de Georges Ohnet, grand favori du public bourgeois, libéra bien des consciences ; quelques familiarités avec Victor Hugo, (« Espagnol retentissant, Lucain énorme »), immense mancenillier qui paraissait couvrir d'une ombre mortelle la plus grande partie du royaume des lettres, allégèrent une situation que la politique officielle contribuait à obscurcir, d'autant plus que Lamartine, « la poésie même », était invité à reprendre une partie de son domaine perdu. Même la franchise de Lemaître à l'égard de Verlaine et de Mallarmé, « auteurs obscurs », réconfortait plutôt les amateurs, attardés peut-être, d'une poésie moins aventureuse.

Il va de soi que le goût changeant de la postérité n'a pas adopté tous les points de vue du critique. Celui-ci, dès qu'il réunit en volumes ses *Contemporains* — comme plus tard ses *Impressions de Théâtre* — en ajoutant aux premiers les gentils *Billets du matin* que *le Temps* lui demanda, prit grand soin de protester de sa complète absence de dogmatisme : une citation de Joseph Delorme semble faire de lui un « suivant » du Sainte-Beuve quasi-initial, se contentant de « refléter » le paysage littéraire qu'il suit avec nonchalance. De fait, assez défiant à l'égard de tout exotisme (cf. son article de la *Revue des Deux Mondes* sur « l'Influence récente des littératures du Nord »), indifférent aux inévitables accords entre la Science, la Musique, la Poésie, mais admirablement préparé à déguster la forme racinienne du vers et à comprendre la prose magnifique des *Mémoires d'outre-tombe*, Lemaître devait (même comme conteur et dramatiste éventuel) représenter un goût très français, un peu timide, nuancé et délicat à l'extrême, averti par Renan de certains états d'âme et par le « doux » Sully-Prudhomme d'une expression sagement surveillée.

Paris, 30 mai (1889)

Ma chère cousine,

L'*Intermédiaire des chercheurs* m'a posé la question suivante :
« Quels sont les vingt volumes que vous choisiriez si vous étiez obligé de passer le reste de votre vie avec une bibliothèque réduite à ce nombre de volumes ? »

Voici la liste que j'ai dressée, après quelques hésitations :

1. La *Bible*.
2. Homère.
3. Eschyle.
4. Virgile.
5. Tacite.
6. L'*Imitation de Jésus-Christ*.
7. Un volume de Shakespeare.

8. *Don Quichotte.*
9. Rabelais.
10. Montaigne.
11. Un volume de Molière.
12. Un volume de Racine.
13. Les *Pensées* de Pascal.
14. L'*Ethique* de Spinoza.
15. Les *Contes* de Voltaire.
16. Un volume de poésie de Lamartine.
17. Un volume de poésie de Victor Hugo.
18. Le théâtre d'Alfred de Musset.
19. Un volume de Michelet.
20. Un volume de Renan.

Mais je n'ai pas envoyé cette liste, car je me suis aperçu qu'elle n'était pas sincère. Sans m'en rendre compte, je l'avais dressée, non pour moi seul, mais pour le public, et j'y exprimais des préférences « convenables », plutôt que d'intimes prédilections.

Or il ne s'agit pas ici de choisir les vingt plus beaux livres qui aient été écrits, mais ceux avec qui il me plairait le plus de « passer le reste de ma vie »... Voyons, de bonne foi, est-ce que j'éprouve si souvent que cela le besoin de lire la Bible, Homère, Eschyle, etc. ? J'ai bonne envie, ma cousine, de rayer mes dix premiers numéros. J'y substituerai les livres que je lis vraiment et d'où me vient presque toute ma substance intellectuelle et morale. Je mettrai là du Sainte-Beuve et du Taine, *Adolphe,* le *Dominique* de Fromentin, les *Pensées* de Marc-Aurèle, un peu de Kant, un peu de Schopenhauer ; puis un volume de Sully-Prudhomme, les poésies de Henri Heine, celles de Vigny, peut-être les *Fleurs du mal ;* un roman de Balzac, *Madame Bovary* et l'*Education sentimentale,* un roman de Zola, un roman de Daudet ; le *Crime d'amour* de Bourget, quelques Contes de Maupassant, *Aziyadé* ou bien le *Mariage de Loti* ; quelques comédies de Marivaux et de Meilhac, le *Silvestre* (sic) *Bonnard* d'Anatole France...

Mais je m'arrête : cela fait déjà beaucoup plus de vingt volumes. Ma foi, tant pis ! je raye toute ma première liste, et je n'y laisse guère que Racine et Renan.

Et n'allez pas vous récrier, ni me prendre pour un esprit dépourvu de sérieux. J'ai l'air de ne garder que les contemporains ; mais, en réalité, je garde les anciens aussi, puisque nos meilleurs livres, les plus savoureux et les plus rares, sont forcément ceux

181

qui contiennent et résument (en y ajoutant encore) toute la culture humaine, toute la somme de sensations, de sentiments et de pensées accumulés dans les livres depuis Homère, et puisque ceux d'à présent sortent de ceux d'autrefois et en sont la suprême floraison...

Mais je suis bien bon de me donner tant de mal. Les vingt volumes que je préfère aujourd'hui, les préférerai-je dans vingt ans ? ou seulement dans six mois ? D'ailleurs, j'en préfère bien plus de vingt ! Ah ! que ce monsieur me gêne avec sa question !

Jules Lemaître. « Quelques Billets du matin », *Les Contemporains*, tome V (Paris, s.d.), pp. 191-193.

PAUL BOURGET
(1852-1935)

On a parfois avancé que la vraie vocation de Paul Bourget, romancier de grand renom, était la critique, non la fiction : une présentation logique, construction et synthèse clarifiée des tendances reflétées dans les lettres. Les *Essais de Psychologie contemporaine* avaient en effet formulé, vers la fin du XIX⁰ siècle, un certain nombre de généralités où un élève de Taine rattachait ingénieusement, à des tendances sociales ou à des préférences philosophiques, des œuvres de poésie ou de prose récentes, et l'on a pu dire que, dans ces pages célèbres comme dans des *Essais* et des *Portraits* de plus tard, apparaissait un sens plus averti de la vie multiple et de l'art infiniment souple que dans la longue série des romans et des nouvelles de Bourget.

Ce qu'on peut accepter de ce paradoxe, c'est que le très habile narrateur qu'est resté Bourget et le critique intermittent qu'il n'a jamais cessé d'être sont l'un et l'autre dominés par des soucis identiques et persistants. Et comment ne le seraient-ils pas ? Le collégien avait été atterré par le spectacle tout voisin de la Commune à Paris, en 1871, et les dangers que fait courir à la société toute émancipation trop rapide ont toujours préoccupé un homme qui admettait avec Rivarol que les lettres risquaient de « percer » les digues sociales, et que leur action, aisément complaisante au mouvement « libertaire » des individus « anti-sociaux », devait être surveillée avec vigilance. Thèse moins dissimulée que dans la *Comédie* de son maître Balzac, et qui fait aisément dévier ses fictions vers l'artifice ; dans l'œuvre critique — surtout quand celle-ci expose et discute des points de technique, non de sociologie — une largeur de vues plus ample se fait jour.

Emouvante pour plus d'une génération de lecteurs, la harangue de l'auteur du *Disciple* à un « jeune homme » marque chez Bourget une sorte de « tournant » de la critique : la responsabilité sociale de l'écrivain domine désormais les jeux de l'esprit.

C. Du Bos. « Réflexions sur l'œuvre critique de Paul Bourget », *Approximations* (Paris, 1922).
A. Feuillerat. *Paul Bourget : Histoire d'un esprit sous la troisième République* (Paris, 1937).
A. Beaunier. « Paul Bourget, critique », *Revue des Deux Mondes* (1er décembre 1922).
A. Thibaudet. « Paul Bourget, critique. » *Revue hebdomadaire*, décembre 1922.

L'un des premiers, Stendhal s'est appliqué, pour employer une de ses expressions, « à y voir clair dans ce qui est ». C'était à ses yeux la fin dernière de l'art d'écrire : « Le public, » disait-il dans une de ses lettres, « en se faisant plus nombreux, moins *mouton,* veut un plus grand nombre de petits faits vrais sur une passion ou une situation de la vie. » Et ailleurs, parlant de nos plus illustres poètes : « Combien ne font-ils pas de *vers chapeaux* pour la rime ! Eh bien, ces vers occupent la place qui était due légitimement à de petits faits vrais. »

Recueillir le plus grand nombre de ces petits faits vrais et les rédiger en corps de romans, ce fut donc l'occupation constante de Beyle. De ce point de vue, il se rattache au groupe qu'on appelle, dans les termes des polémiques d'aujourd'hui, l'école du document. Il appelait cela « dépenser sa vie en expériences ». Mérimée, dans une sagace et forte notice consacrée à celui qui fut son unique maître, cite quelques exemples qui attestent jusqu'à

quel degré ce goût du détail significatif était poussé chez Stendhal :
« Dans chaque anecdote pouvant servir à porter la lumière dans
quelque coin du cœur humain, il retenait toujours ce qu'il appelait
le trait, c'est-à-dire le mot ou l'action qui révèle la passion. »

...Aussi Stendhal avait-il toutes les raisons, lorsqu'on lui demandait son métier, de répondre, au risque de passer pour un
espion de police : « Observateur du cœur humain. » D'un bout
à l'autre de son œuvre, c'est bien cette recherche du fait vrai qui
domine, et du fait énoncé dans un langage si lucide et si juste
qu'il n'y ait « rien à en rabattre à la réflexion ». Souci scrupuleux
de l'exactitude, goût de l'analyse sans autre but que l'analyse
même, haine de la rhétorique, absence absolue de prétention
d'esthétique ou de moralité, ne sont-ce pas bien là les points
principaux sur lesquels s'appuie le dogme de la littérature d'observation, et quoi d'étonnant si les adeptes de ce dogme reconnaissent l'auteur de *Rouge et Noir* pour un des initiateurs de la
doctrine ?

Il en est cependant de cette doctrine comme de toutes les
autres. La théorie semble très simple, l'application est plus com-
pliquée. Quand on a prononcé le mot d'observation, il semble
que l'on ait tout dit. Tout reste à dire. L'ensemble des phénomènes physiques et moraux qui constituent l'homme est à ce point
touffu et confus, mouvant et changeant, que l'observateur doit,
qu'il le veuille ou non, choisir parmi eux, et c'est de ce choix,
nécessairement partial, que dépend la direction finale de son œuvre.

Paul Bourget. « Réflexions sur l'Art du Roman », 1884 à propos d'une
réédition de Stendhal, *Le Rouge et le Noir*. Dans *Etudes et Portraits*
(Paris, 1903), p. 279.

...Ne sois ni le positiviste brutal qui abuse du monde sensuel,
ni le sophiste dédaigneux et précocement gâté qui abuse du
monde intellectuel et sentimental. Que ni l'orgueil de la vie, ni
celui de l'intelligence ne fassent de toi un cynique et un jongleur
d'idées ! Dans ces temps de conscience troublée et de doctrines contradictoires, attache-toi, comme à la branche de salut, à la phrase
sacrée : « Il faut juger l'arbre par ses fruits. » Il y a une réalité
dont tu ne peux pas douter, car tu la possèdes, tu la sens, tu la
vis à chaque minute : c'est ton âme. Parmi les idées qui t'assail-
lent, il en est qui rendent cette âme moins capable d'aimer, moins
capable de vouloir. Tiens pour assuré que ces idées sont fausses

sur un point, si subtiles te semblent-elles, soutenues par les plus beaux noms, parées de la magie des plus beaux talents. Exalte et cultive en toi ces deux grandes vertus, ces deux énergies en dehors desquelles il n'y a que flétrissure présente et qu'agonie finale : l'amour et la volonté.

Paul Bourget. « A un jeune homme, » 5 juin 1889 en tête *du Disciple.*

GUSTAVE LANSON
(1857-1934)

La probité, dans toute la force du terme, et dans tous les sens du mot, fut la vertu maîtresse de Gustave Lanson. Appelé à enseigner la littérature française à l'Ecole normale supérieure après avoir rempli diverses fonctions — dont celle de maître de français du tsarévitch Nicolas — il succédait rue d'Ulm à un rhéteur inopérant qu'avait discrédité l'impatience de plusieurs promotions. D'où sans doute, chez le nouveau maître, une accentuation de rigueur dans la « méthode », dont s'armèrent parfois les moins littérairement doués de ses disciples pour appliquer un souci de ne rien donner aux vagues développements, lequel, chez Lanson, ne signifiait nullement le dessèchement et la haine du bien-dire.

Accusée parfois d'être une morose copie de « méthodes d'outre-Rhin », l'histoire littéraire méthodique, à la Lanson, renouait pour les temps modernes une tradition que, par exemple, les bénédictins de Saint-Maur avaient pratiquée pour les premiers siècles. Appuyée sur des bibliographies soigneuses et des confrontations de textes, intéressée par les « sources » qui permettent de vérifier l'originalité réelle d'un écrivain, elle a précisé, pour le XVIIIe siècle et le XIXe surtout, ce que les Abel Lefranc, les Bédier, les Chamard faisaient pour le moyen âge et la Renaissance : un véritable renouveau d'études historiques fut tout à l'honneur des encouragements multipliés par Lanson.

D'autre part, l'Affaire Dreyfus qui se déchaînait vers la fin du siècle, en amenant des groupements *partisans* parmi les intellectuels de France, développa chez ce maître un souci « rationnel » et voltairien qui, fort légitime en soi, ne laissait pas de ménager en quelque sorte des cadres préétablis pour ses classements. Dans son *Histoire de la Littérature française,* son hostilité à Barbey d'Aurevilly, à Mallarmé, à Baudelaire est fâcheuse. Certains partis pris devaient être corrigés d'édition en édition ; le tableau général était « préfiguré » à l'excès.

Mais ces défauts n'étaient rien, à côté des vues qui vers le même temps se faisaient jour dans une Université de France qui se dérobait, par certains de ses représentants, à l'impartialité souhaitable. Que dire de ce jugement sur l'âge classique :

> En dépit des belles et flatteuses formules, le XVIIᵉ siècle ne peut se vanter d'avoir rendu beaucoup de services à la justice et à la raison, ni d'avoir eu un amour bien vif pour la vérité... Il constitue pour ainsi dire un temps d'arrêt dans la marche du progrès.
>
> Adrien Dupuy. *La Littérature française au XVIIᵉ siècle* (Paris, 1892).

Il va de soi que de fausses interprétations du XVIᵉ et une louange excessive du XVIIIᵉ « conditionnaient » l'âge de Descartes et de Molière. Sans qu'il faille exagérer la responsabilité de l'enseignement « officiel », certains de ses membres introduisaient, sans s'en douter parfois, la politique la moins impartiale dans un genre d'études fait avant tout pour exercer le jugement et former le goût. Qui s'étonnerait des réactions quasi instinctives des historiens de droite ?

Après avoir rappelé que la description des individualités éminentes est en fin de compte l'objet de l'histoire et de la critique littéraire, Lanson marque ainsi son point de vue :

> Mais beaucoup de personnes prennent le change sur ce mot d'*individualité* et croient qu'il s'agit tout simplement de retourner au procédé de Sainte-Beuve. Or, c'est plutôt le contraire.

Le mérite propre de Sainte-Beuve est ici hors de cause. C'est un des trois ou quatre maîtres de la critique en notre siècle ; et l'on ne vit jamais plus de curiosité d'esprit, plus de souplesse, de pointe et de finesse. Mais on peut dire, sans le diminuer, que sa méthode, qui fut à son heure un progrès, serait un recul aujourd'hui si l'on prétendait y revenir...

...Entraîné par son admirable intuition de moraliste, et par son sens impérieux de la vie, Sainte-Beuve en est venu à faire de la biographie presque le tout de la critique. Et ainsi je veux qu'il ait fait une « histoire naturelle des esprits », je veux qu'il ait déployé le plus rare talent d'historien moraliste : je veux même qu'il ait donné une collection d'études, et, comme disait Taine, de copieux « cahiers de remarques », qui seront des aides précieux pour tous les esprits curieux d'acquérir une exacte intelligence des œuvres littéraires : en réalité, pendant qu'il formait ces dossiers d'anatomie morale, il abandonnait la besogne de la critique littéraire ; et même, on peut dire que, si l'on prétendait, sur l'exemple de Sainte-Beuve, la réduire au genre d'études où il s'enfermait, Sainte-Beuve en aurait faussé gravement la méthode.

Car, au lieu d'employer les biographies à expliquer les œuvres, il a employé les œuvres à constituer des biographies. Il n'a pas traité autrement les chefs-d'œuvre de l'art littéraire qu'il ne traitait les mémoires hâtifs d'un général ou les effusions épistolaires d'une femme ; toute cette écriture, il la met au même service, il s'en fait un point d'appui pour atteindre l'âme ou l'esprit : c'est précisément éliminer la qualité littéraire.

Exemples : dans les lettres de Madame, mère du Régent, ou dans les souvenirs du général Joubert, on cherche surtout Madame et le général Joubert.

Encore une fois, Sainte-Beuve a bien fait ce qu'il a voulu faire : mais il ne faut pas généraliser sa méthode ni surtout l'estimer une méthode complète et suffisante de connaissance littéraire. L'homme, dans ses études, masque l'œuvre ; l'œuvre se subordonne à l'homme, et c'est le contraire qui est juste : pour obtenir la série des actes ou états réels d'un esprit, il décompose, dissout les œuvres d'art auxquelles ces actes ou états ont servi.

Port-Royal, par exemple, consacre bien moins de place aux *Pensées* de Pascal qu'aux *Provinciales.*

Prenez les tables des *Lundis,* et voyez combien sont rares les articles sur les grands écrivains, quelle multitude au contraire de causeries sur toutes sortes de gens dont le caractère commun est d'avoir écrit peu ou beaucoup, mais toujours en amateurs, jamais avec l'intention de créer une œuvre littéraire, femmes, magistrats, courtisans, généraux, princes, etc. Et lorsqu'il s'applique dans ses *Lundis* aux grands écrivains, n'évite-t-il pas soigneusement d'aborder de front les grandes œuvres ? ne les prend-il pas presque toujours par quelque biais, poussant de leur côté quelques pointes rapides, mais dirigeant sa principale attaque vers le portrait de l'homme ? Et choisissant pour moyens principaux les écrits secondaires qui font partie, si je puis dire, de la vie familière plutôt que de la création artistique de l'auteur ?

Partir d'où Sainte-Beuve était parti, était excellent : mais il fallait n'en pas rester là. Il avait donné une base solide aux études littéraires en ressuscitant l'individu, en donnant l'exemple de cette rare qualité : *le sens de la vie.* Avec cela, on pouvait former une critique qui ne se perdrait point dans le vague oratoire ni dans la logique abstraite : c'est ce que Taine, puis M. Brunetière ont fait : le premier en poussant sa recherche au delà de l'individu, en déterminant l'individu par la race, le milieu, le moment, anéantissait à vrai dire l'individu, qui n'était plus qu'un faisceau de phénomènes accidentellement formé par le concours des trois ordres de causes générales... mais... il replaça et maintint au premier plan, comme objet supérieur et constant de l'étude critique, les œuvres littéraires conçues comme des œuvres d'art... M. Brunetière est venu ensuite avec cette théorie de l'évolution des genres dont le nom même emporte un avantage considérable : il propose bien les *œuvres,* et non autre chose, comme objet d'étude.

Seulement il lui a fallu isoler celles des œuvres qui répondaient à sa conception du courant évolutif ; d'autre part, des résidus inexplicables résistaient à la détermination des précédents.

C'est donc alors qu'on revient à l'individualité : mais aussi on ne peut plus se méprendre sur la portée du mot. La définition de l'individualité est l'objet où l'analyse littéraire doit aboutir : elle consiste à marquer les caractères de l'œuvre littéraire, tous ceux qu'on explique par des causes littéraires, historiques, sociales, biographiques et même si l'on peut, psychologiques, mais tous ceux aussi qu'on ne peut expliquer et qui constituent l'irréductible originalité de l'écrivain. Dans ce travail, jamais on ne détache sa vue de l'œuvre ; on revient à l'homme toutes les fois qu'il le faut, on n'y reste pas, on ne s'y perd pas. On se représente l'unité vivante, agissante, d'un esprit, pour résoudre toutes les difficultés où la logique abstraite s'aheurterait comme à d'insolubles contradictions. Mais on n'oublie jamais que l'on est chargé de définir une œuvre d'art, non un individu réel, et l'on fait son métier en face de Racine comme on le ferait en face de Raphaël. Ainsi l'individualité que l'on poursuit, où l'on s'arrête, c'est celle qui se trouve dans l'œuvre, qui y correspond, qui la constitue, et rien de plus.

Pour conclure :

Gardons-nous d'être trop simplistes dans le choix d'une méthode pour nos études littéraires. Il y a de tout dans la littérature ; et il faut avoir de tout dans l'esprit pour la connaître comme il faut. Méthode scientifique, sens esthétique, intuition de la vie, tout sert. C'est précisément pour cela que l'éducation littéraire, bien comprise, est peut-être celle qui annonce le mieux le développement complet de l'intelligence.   Juin 1895

Gustave Lanson. « Avant-Propos », *Hommes et Livres* : *études morales et littéraires*, VII-XI (Paris, 1895).

E. Gosse. *Aspects and Impressions* : *Two French Critics* : *Faguet, Gourmont.* (New-York), 1922.

RENE DOUMIC
(1860-1937)

Une curieuse coïncidence avait, à l'Ecole normale supérieure, fait des voisins de promotion de G. Lanson et de René Doumic sans leur préparer des carrières identiques ni surtout des idées générales de même ordre. « Préfet de police des lettres parisiennes », a-t-on dit plaisamment de l'ancien professeur au Collège Stanislas qui, directeur de la *Revue des Deux Mondes,* secrétaire perpétuel de l'Académie française, appliqué à ses tâches, attaché à des conceptions étroites et détestant par tempérament toutes les aventures (même celle de la traduction en vers des poètes étrangers), se ralliait sans trop de mal aux nouveautés une fois qu'elles étaient admises et élargissait ses vues dès que le succès permettait de s'y risquer. Tout en se proclamant voltairien, ce sagace mainteneur des moyennes établies croyait salutaire de faire passer dans les choses de goût la prudence que les exigences morales et les sécurités sociales conseillent de pratiquer en d'autres domaines. D'où de singulières timidités dans la présentation et l'appréciation du monde de l'esprit dans toutes les entreprises qui relevaient d'une férule cauteleuse mais exigeante.

Quand on nous a fait connaître les beaux drames d'Ibsen, nous en avons admiré presque également la puissance et l'étrangeté. Nous nous sommes inclinés respectueusement, alors même que nous ne comprenions pas très bien, crainte de passer pour des imbéciles. Nous avons admis sans discuter que le symbolisme était né, comme il le devait faire, au pays des brumes, dans des régions où ne fréquente pas d'ordinaire l'esprit latin. C'est pourquoi nous n'avons pas été seulement surpris, mais nous avons été un peu fâchés quand nous nous sommes aperçus que les ouvrages de l'un de nos compatriotes n'étaient pas sans contenir des beautés du même genre. Ou le personnage de Lionnette de Hun est tout à fait inexplicable, ou il s'explique par les lois de l'hérédité. Il y a de l'Ibsen là-dedans. Césarine et mistress Clarkson sont des êtres chimériques et fantastiques autant pour le moins que Nora et la Dame de la Mer. Aussi est-ce avec une sorte de candide étonnement qu'au lendemain de la reprise de la *Femme de Claude,* on signalait la présence du symbolisme, là où on ne se souvenait pas qu'il dormît depuis vingt-deux ans : « Tiens, c'est du Dumas ! »

On comprend que je n'ai ni la sottise ni le mauvais goût de résumer dans l'œuvre de M. Dumas tout le mouvement du théâtre en France et hors de France, en y joignant tout le développement de la pensée contemporaine. Mais nous sommes volontiers oublieux et ingrats ; nous sommes d'une ignorance qui tient du prodige pour tout ce qui touche aux richesses de notre propre littérature : M. Alexandre Dumas a été le plus vigoureux initiateur du théâtre contemporain. Il a opéré, préparé ou présenté toutes les réformes qui s'y sont faites pendant un long espace de temps. Il est juste de lui rendre hommage pour celles qu'il a menées à bien. Et il sera prudent de ne pas recommencer tout de suite celles où il a échoué.

Mais surtout il me semble qu'au moment où l'on se plaint de toutes parts, et non sans raison, que le théâtre traverse une période difficile, il y a une leçon à tirer de l'œuvre de M. Dumas. Ce que ces dernières reprises ont contribué à en faire mieux ressortir, c'en est le mérite proprement dramatique. Nul en notre temps n'a été plus que M. Dumas un maître du théâtre ; nul n'a exercé sur le public une action plus considérable. D'où cela vient-il ? Alors même que le moraliste se trompe et que l'observateur est en défaut, l'homme de théâtre subsiste, qui peu à peu s'impose à nous, s'empare de notre attention, et, sans plus nous laisser le temps de réfléchir ni le moyen de nous ressaisir, nous tient jusqu'au bout haletants et frémissants, mais domptés. Comment expliquer cette puissance extraordinaire ? Faut-il invoquer l'entente des moyens de la scène, la science de l'effet, la connaissance du goût du public ? faut-il reprendre une fois de plus l'oiseuse et subtile distinction entre ce qui est « du théâtre » et ce qui n'en est pas ? L'explication est beaucoup plus profonde et en même temps plus simple. C'est de volonté que vit le théâtre plus encore que d'observation et de réflexion. Précisément le théâtre de M. Dumas déborde de volonté... Une volonté qui sait vers quoi elle tend, qui y tend avec énergie, c'est ce que M. Dumas a mis partout dans ses pièces, et c'est ce qu'oublient d'y mettre les plus distingués entre les dramatistes d'aujourd'hui. Là et non pas ailleurs est le secret de la force du premier et de l'échec des autres.

René Doumic. *Essais sur le Théâtre contemporain* (Paris, 1905), p. 26 A propos de la reprise de l'*Ami des Femmes* et de *La Princesse de Bagdad* d'A. Dumas fils.

J. ERNEST-CHARLES
(né en 1875)

Avec beaucoup de clairvoyance et d'allant, un jeune avocat venu de province à Paris se jeta, au début du siècle, dans la mêlée des idées, sans guère d'autre appui que son entrain et une malice qui ne redoutait pas les objections courantes de la camaraderie, des relations, des carrières académiques ou autres. Il s'y ajoutait un souci assez informé du tort que faisaient, aux lettres françaises et à leur bon renom, la pornographie plus ou moins déguisée, la simple frivolité dans la présentation des mœurs du pays, et l'indulgence mutuelle qui laissait en général passer avec un sourire des œuvres que, par ailleurs, on jugeait « représentatives ». Ernest-Charles, blasonné par certaines de ses victimes pour être « un homme sans nom, quoique avec deux prénoms », fit campagne à la *Revue bleue,* à la *Grande Revue* et ailleurs, prit la parole à des Congrès pour la Culture française — sans qu'on puisse dire que sa parole ou ses écrits aient eu de visibles résultats. Du moins son action soulageait-elle la conscience de lecteurs qu'horripilait le glissement du café-concert vers l'exhibitionnisme, et de la « pièce » vers le mélodrame. L'absence de style qui n'empêchait pas tels romanciers de « placer » une marchandise aussi abondante que pâteuse a, de même, été l'un de ses chevaux de bataille, non sans avantage pour la probité ou le talent de confrères moins favorisés du grand public. L' « industrialisme exaspéré » en littérature a été tenu quelque temps en échec par ce petit homme ardent.

Je ne pense pas que personne songe à attribuer à de Flers et de Caillavet une importance considérable dans l'histoire de notre littérature dramatique. Mais l'histoire et surtout l'histoire de demain intéresse peu ces hommes du présent. Ils ont une « grosse situation » qui tâche tous les jours à se transformer en une « grande situation ». On les dit ambitieux de tout, et je ne saurais les en blâmer. Si j'en crois les envieux, — ils ont autant d'envieux que d'amis et ceux mêmes qui sont leurs amis me semblent être aussi leurs envieux — il ne leur suffit pas de réussir, ils prétendent dominer. Ils ne manqueront pas de fournir ainsi sur le théâtre de la vie — vieille métaphore — un beau spectacle ; et je le suivrai avec plaisir. J'ai déjà commencé. Au surplus, leur ambition redoutable est aussi amène et souriante que tenace. Elle est vraiment plaisante et n'est nullement antipathique. Il y a beaucoup de bonne grâce chez ces balzaciens de taille moyenne. Si la bonne grâce disparaissait du reste de la terre — et elle en disparaît rapidement à moins que je ne me trompe — elle se retrouverait dans l'ambition de Flers et de Caillavet. Vous voyez bien que ces jeunes hommes ne sont pas négligeables. Dommage que leur théâtre le soit. Mais çà, c'est une autre question.

Bref, nous avons « le cas » de Flers et de Caillavet. Un cas bien parisien, s'il vous plaît. Ces dramaturges associés ont constitué une grande « marque » de théâtre. Ils produisent énormément et ils vendent beaucoup. Ils encombrent tous les marchés à Paris, en province, à l'étranger. Ils font diligence pour les accaparer. Serons-nous surpris s'ils y aboutissent, puisqu'ils procurent à la clientèle exactement ce que la clientèle demande ! Eh bien ! les confrères de MM. de Flers et de Caillavet ne leur savent aucun gré de leur activité sans effort, de leur opiniâtreté avenante, de leur talent aisé et de leurs succès faciles. Ils jugent que ces deux auteurs occupent trop de place. Ils n'en sont pas satisfaits du tout. Mais la puissance actuelle — et la puissance éventuelle — de MM. de Flers et de Caillavet les impressionnent. Ils flattent en rageant ces heureux conquérants de la scène... Et j'applaudis à mon tour, pour faire comme tout le monde, leurs triomphes funestes pour eux...

J. Ernest-Charles. « Le Théâtre de de Flers et de Caillavet », *Essais critiques* (Paris, 1914), p. 265.

GASTON DESCHAMPS
(1861-1931)

Empêché par la mort de Jules Ferry de remplir auprès de cet homme d'Etat des fonctions touchant à la politique, et que des relations de famille lui facilitaient, Gaston Deschamps ancien élève de l'Ecole normale supérieure et de l'Ecole française d'Athènes, avait trouvé au *Temps* une compensation. Succédant à Anatole France pour la chronique hebdomadaire de ce grand journal « bourgeois », il fit tomber de lance en quenouille, et d'impressionnisme en banalité, ce fameux « sceptre de la critique » dont l'importance était si grande : des millions de lecteurs se laissaient guider par des amplifications souvent brillantes, développant avec aisance quelques thèmes empruntés aux livres dont il s'agissait de parler.

Cependant son sceptique directeur passait pour répondre à des interlocuteurs se plaignant de cette déchéance : « Faites comme moi, ne le lisez pas ! » Une méprise délicieuse lui fit prendre pour un couplet de Verlaine des vers d'ailleurs charmants d'un débutant, *De la Flûte au Cor*. Et le poète Charles Guérin fut suffoqué, lui rendant visite en son cabinet de travail, de voir que le livre le plus « fatigué » qui se montrait sur sa table était *Les Idées révélées par les mots* — d'où était en effet tirée la partie la plus ingénieuse consacrée au *Cœur solitaire...*

Si l'on a une façon particulière d'entendre la critique des livres et de regarder le spectacle des choses, ce n'est point par des préfaces qu'on la révèle au public. Qu'il soit permis seulement de former un souhait. Je voudrais que l'habitude professionnelle d'étudier les hommes qui écrivent ne me fît jamais perdre de vue ceux qui lisent, et que le souci de ce qui se passe dans l'esprit des écrivains ne m'obligeât pas à oublier les sentiments et les pensées qui agitent l'âme tumultueuse des foules. Dans la démocratie qui s'organise autour de nous, et dont nous n'apercevons que les principaux traits, il y aura, de plus en plus, entre la littérature et les mœurs, des rapports étroits. L'effort qui a été fait par de généreux idéalistes pour mettre tous les Français en état de lire et de comprendre une page imprimée donnera des résultats bons ou mauvais : cela dépend de tous ceux qui tiennent une plume.

Chercher autour des livres le mouvement de la vie sociale qui les fait éclore, et qu'à leur tour ils pourront modifier, apercevoir, dans les résultats de l'enquête instituée par les écrivains, quelques indications sur l'état intellectuel et moral de notre pays, associer à l'analyse des œuvres l'observation des événements, faire de l'histoire littéraire une contribution à la connaissance de la société contemporaine, voilà un programme attrayant, sans doute téméraire, nullement chimérique. En tout cas, l'entreprise vaut la peine d'être tentée.

Gaston Deschamps. *La Vie et les Livres,* I (Paris, 1894).

Par une inconséquence singulière, *le mouvement de la vie sociale,* les événements qu'il s'agit d'observer sont immédiatement exclus des articles qui suivent ce programme et devraient en commencer l'illustration : des allusions au seul passé, des explorations lointaines, des exposés techniques sont la matière traitée par Koschwitz, Bonvalot, G. Charmes, Max Nordau.

REMY DE GOURMONT
(1858-1915)

Le pathétique exceptionnel d'une grave maladie de la face devait empêcher Rémy de Gourmont de continuer à se mêler à la vie. Condamné à une réclusion qu'il transforma en un cénobitisme érudit, réconforté par une « amazone » au grand cœur, il resta le fidèle collaborateur du *Mercure de France* sans pouvoir désormais continuer la ligne d'activité visible qu'avait annoncée son début dans les lettres. Petit gentilhomme normand ayant par sa mère des attaches avec la famille de Malherbe, persuadé que « les mots ont une beauté propre » et que la « dissociation des idées » n'était pas une moindre nécessité que l'associationnisme spencerien, il apportait des preuves de ces vues dans l'*Esthétique de la langue française*, le *Latin mystique,* dans la fondation de la *Revue des Idées,* et en somme dans toute la suite de ses *Epilogues* ou de ses *Lettres à l'amazone.*

Si les principes fidèlement suivis et appliqués ont une force supérieure à l'éventualité démonstrative et à l'éloquence passagère, l'action continue de Gourmont, sa fidélité à un « symbolisme » qui s'opposait par principe à tout avilissement du langage, sa haine des esprits « à la suite », comme la critique n'en multipliait que trop aisément les échantillons, ont fait de cet auteur réservé et secret un des mainteneurs par excellence d'une haute efficacité de la langue littéraire.

M. Coulon. « La complexité de R. de Gourmont », *Témoignages,* I (Paris, 1910).
P. E. Jacob. « Rémy de Gourmont, » University of Illinois Studies, XVI, no. 2 (1931).
M. Puy. « L'Oeuvre et les idées de Rémy de Gourmont », *Mercure de France,* I (octobre, 1935).

Lettre à M. d'Annunzio. — Ce qu'il y a de plus grave en votre aventure, Monsieur, c'est l'amitié littéraire que vous a vouée M. Gaston Deschamps, écrivain léger et dont les jugements font sourire. Ce critique n'a aucune autorité parmi nous, car nous jugeons qu'il y a un plagiat bien plus répugnant que celui des phrases, c'est le plagiat des formes intellectuelles. Naturellement amorphe, M. Gaston Deschamps a eu la patience, tel un plâtrier italien, de mouler sur le vif différentes parties de plusieurs cerveaux et de se composer ainsi, au moyen de pièces rapportées, un habitacle qui n'eût pas l'air, tout d'abord, d'avoir été dérobé : les morceaux les plus gros de cette construction alvéolique sont la bonhomie féline de M. Jules Lemaitre et le détachement dédaigneux de M. Anatole France. Il fait, comme le premier, profession de s'intéresser à tout en laissant deviner, comme le second, qu'il méprise tout : mais sa véritable nature est celle des faibles et des impuissants, l'esprit d'imitation, avec son revers, l'esprit de contradiction. S'il vous a mis dans ses prônes, ce fut pour faire comme M. de Vogüe, et ce fut encore pour singer cet ancien ambassadeur qu'il se donna en Italie la mission que M. Thovez[1] vient d'écourter si brusquement. La part de l'esprit de contradiction, c'est ceci : qu'il songeait moins à vous exalter pour vous-même qu'à se servir de votre gloire pour écraser, comme d'une roue, les nouveaux écrivains français indociles à ses manipulations

---

1. Critique italien qui avait signalé dans les romans de M. d'Annunzio des transpositions un peu trop nombreuses de textes français.

d'apothicaire. Car si j'ai dit roue, Monsieur, c'est que votre gloire est un orbe, figurativement, mais vous n'étiez entre ses mains qu'un pilon avec lequel il rêvait de broyer dans le même mortier toutes les cervelles mal pensantes.

Je vous crois trop intelligent pour admettre la sincérité d'un enthousiasme touchant la Renaissance latine ; vous savez, ayant lu Tolstoï, Nietzsche, Ibsen, et les Français et les Anglais, vous savez qu'il n'y a pas plus, à cette heure, d'esprit latin qu'il n'y a d'esprit russe ou d'esprit scandinave ; il y a un esprit européen, et ici et là, des individus qui s'affirment uniques, personnels et entiers. Alors la prétention d'une Renaissance latine se dévêt et la voici nue : joujou mal fait avec lequel on voudrait amuser le public et l'empêcher, ne fut-ce que durant quelques heures, de prendre garde à l'étrange sensation de l'Idée qui lui souffle dans les cheveux... Renaissance latine : la volupté pure et simple, la beauté plastique, quelques-uns de ces mots qui ne simulent le mystère que par ce qu'ils contiennent de peur, l'amour, la mort, un dosage heureux de Pétrarque et de Léopardi. Enfants, semez des roses, voici la mort qui passe. Mais sèmerez-vous assez de roses pour assourdir les pas de la foule qui se rue vers le grand désastre, assez de roses pour boire le sang des veines écrasées, assez de roses pour que l'odeur des roses étouffe dans les gorges les sanglots de la joie et les cris de la haine ?...

Renaissance latine ! Ainsi c'était vous, Monsieur, qui du fond de l'Italie désolée, ravagée par les recors, effeuillée par la folie sénile d'un Mazarinet, vous qui du fond de la terre des morts alliez surgir, chêne dodonique, sonore de prophétiques œuvres ? Vous qui alliez, seul debout en face de l'universelle angoisse, réduire à des jeux d'amour et à des pluies de fleurs tout le spectacle intellectuel ? Prenez un lys et mettez-vous à la tête du cortège : nous célébrerons dignement les funérailles de la Renaissance latine.

Pour ce que l'on vous reproche ? Non ; c'est si peu de chose. M. de Vogüé haïssait les *Fleurs du mal*, mésestimait la *Tentation*, ignorait Maeterlinck, méprisait l'*Ethopée* totalement, jugeait que Verlaine en vérité revêtait des toges de trop peu de cérémonie : et voici que, transportés en votre jardin, il admire ces œuvres, il aime ces hommes ! Cette aventure ne vous grandit pas, mais elle déprécie peut-être moins votre talent qu'elle ne diminue l'autorité professionnelle d'un jardinier si mal instruit. Quant à M. Gaston Deschamps, il fut penaud ; il ne fut que cela.

N'ayez pas de chagrin d'un tel malentendu, et croyez que si

nous goutâmes les autres en vous, nous y goûtons aussi vous-même, et avec moins de défiance que vous ne pourriez le supposer. Est-ce donc un crime que d'avoir vulgarisé en Italie quelques belles phrases ? A quoi donc, depuis qu'il prit sa retraite, s'occupa M. de Vogüé, sinon à vulgariser la pensée d'autrui ? Besogne honorable, même ; mais enfin, besogne et rien de plus. Et que fait M. Gaston Deschamps et que font tous les doumiculets sinon de vivre à même autrui, en dépeçant l'organisme qui les fait vivre ? Si à cette heure, Monsieur, vous surpreniez à rougir de vous quelques-un de ces parasites, laissez-les rougir et laissez-les dire : entre vous et le critique il y a encore la différence qu'il y a entre le fondeur de la cloche et le bedeau qui la sonne.

Rémy de Gourmont. *Epilogues, Réflexions sur la Vie 1895-1898*, I, 6ᵉ éd. (Paris, 1921), 34-38.

CHARLES PEGUY
(1873-1914)

Un lettré d'origine toute « populaire » et qui avait toutes raisons d'en être fier : né à l'ombre de la cathédrale d'Orléans, élevé dans la dévotion de la Pucelle libératrice, mais cela sans redondance ou artifice ; recevant sans nulle passivité l'enseignement universitaire et normalien, et, tout aussitôt, réclamant en faveur d'une conscience moins timorée des droits qui sont ceux des simples, des spontanés, des dévoués, et créant les *Cahiers de la Quinzaine* pour donner, à sa revendication et à des camarades de choix, les possibilités d'un idéalisme intense, alimenté aux sources légendaires et primitives de la tradition française. Silhouette curieuse du Quartier latin, avec sa pèlerine à capuchon, sa barbiche et son col droit, en abomination pour les pédants et pour les officiels — jusqu'à la guerre de 1914, où à la bataille sous Paris, il est le premier intellectuel de grande marque dont le corps

« Gisait dessus le sol à la face de Dieu ».

D. Halévy. *Charles Péguy et les Cahiers de la Quinzaine* (Paris, 1919).

H. Massis. *Jugements*, II (Paris, 1924).

J. Tharaud. *Notre cher Péguy.*

D. Sargent. *Four Independents* (New York, 1935).

Vae tepidis ; malheur aux tièdes. Honte aux honteux. Malheur et honte à celui qui a honte. Il ne s'agit point tant ici de croire ou de ne pas croire... Il s'agit de savoir quelle est la source profonde de l'incréance, quelles sont les profondeurs de ces marques, d'où viennent, d'où remontent ces incrédulités. Or nulle source n'est aussi honteuse que la honte. Et la peur. Et de toutes les peurs la plus honteuse est certainement la peur du ridicule, d'être ridicule, de paraître ridicule, de passer pour un imbécile. On peut croire ou ne pas croire (enfin nous nous entendons ici). Mais honte à celui qui renierait son Dieu pour ne point faire sourire les gens d'esprit. Honte à celui qui renierait sa foi pour ne pas donner dans le ridicule, pour ne point prêter à sourire, *pour ne point passer pour un imbécile. Il s'agit ici* de l'homme qui ne s'occupe point de savoir s'il croit ou s'il ne croit pas. Il s'agit de l'homme qui n'a qu'un souci, qui n'a qu'une pensée : *ne pas faire sourire M. Anatole France.* Il s'agit de l'homme qui vendrait son Dieu pour ne pas être ridicule. Il s'agit de l'homme qui craint, de l'homme qui a peur, du malheureux qui tremble dans sa peau de la peur d'avoir peur, de la peur d'avoir l'air d'être dupe (de ce qu'il dit), de la peur de faire sourire un des augures du parti intellectuel. Il s'agit de l'homme, du malheureux apeuré, qui regarde de tous les côtés, qui lance timoré des regards circonvoisins pour être bien sûr que quelqu'un de l'honorable assistance n'a point souri de lui, de sa foi, de son Dieu. C'est l'homme qui lance autour de lui des regards préventifs. Sur la société. Des regards de connivence. C'est l'homme qui tremble. C'est l'homme dont le regard demande pardon d'avance pour Dieu ; dans les salons.

Cité dans D. Halévy, *Charles Péguy et les Cahiers de la Quinzaine* (Paris, 1919), 220-221.

PIERRE LASSERRE
(1867-1930)

Bien que chez Léon Daudet les appréciations littéraires afférentes à l'attribution du Prix Goncourt témoignent d'une curiosité surtout attentive aux originalités du style, et que chez Charles Maurras (né 1868) un attachement natif à la beauté grecque et à ses prolongements méditerranéens domine tout autre critère, il va de soi que les critiques relevant de l'*Action française* (fondée en 1908) ne pouvaient se soustraire à la politique antirépublicaine, antimoderniste qui était leur ligne d'action. Critique traditionaliste, donc, mais centrée sur le XVII⁰ siècle absolutiste, plutôt que sur les réalistes de tout genre de ce même « grand siècle », et représentant par conséquent une attitude plus « romantique » au fond que ne l'admettaient les adversaires de cette infirmité si détestée : Pierre Lasserre (1867-1930) a reconnu lui-même que l'incompatibilité d'humeur qui crée certains aspects du Romantisme français (sa thèse principale de 1907) n'était pas sans analogie avec sa propre détestation de la démocratie régnante.

Dans l'attente de circonstances favorables qu'elle n'aurait pas créées, une minorité singulièrement agissante et bénéficiant de la vigilance des « élites » a donc pratiqué, à l'écart de toute doctrine officielle — même royaliste —, une surveillance de la littérature, surtout politique, mais aussi imaginative, avec laquelle il aura fallu compter.

J'ai mis à composer *Le Romantisme* français assez de temps pour que le sujet s'emparât profondément de moi. Ce qui m'est, après beaucoup de recherches, apparu comme la vérité, je l'ai, je l'avoue, embrassé avec passion. Ma pensée, laborieusement formée, s'est laissé traverser, sans y rien perdre de son contour, par une vibration de tout l'être. Cette vivacité, cette ardeur, non dans mon propre sens, mais dans le sens de ce que j'avais dégagé comme vrai, se sont communiquées à l'expression et y ont peut-être répandu une certaine flamme, quelque chose de pressé et d'intense. En outre, la longueur de mon élaboration a eu principalement pour but de filtrer, d'extraire ; j'ai fait passer trois et quatre fois mes documents, mes lectures sous le pressoir de la réflexion ; des idées sans nombre que j'acquérais spontanément au cours de cette préparation, je n'en ai précisément rejeté aucune, mais j'ai mis tout mon effort à les condenser en un petit nombre d'idées aussi générales que possible qui en continssent toute la substance en en surmontant la dispersion. J'ai désiré ne livrer au lecteur que sous la forme la plus aisément maniable le capital assez abondant que je m'étais constitué.

Pierre Lasserre. *Le Romantisme français : essai sur la révolution dans les sentiments et dans les idées au XIXe siècle.* Nouvelle édition. Paris, 1919 : *Préface* sur l'élaboration de la première édition (Paris, 1907), pp. VIII-IX.

F. Baldensperger. Compte-rendu dans la *Revue critique* (1907, I), pp. 456-7.

CRITIQUE « EXPLICATIVE » OU CRITIQUE « GENETIQUE »

> Si vous faites de la critique purement littéraire, ne vous attachant qu'à à la valeur artistique des œuvres, où vos appréciatives puiseront-elles force de loi ?
>
> Fernand VANDEREM dans la *Revue de France* (15 mars 1921) et *Le Miroir des Lettres*, IV, p. 6.

Sainte-Beuve l'avait dit sur le tard, quand il se refusait à suivre les généralisations de Taine, mal préparées à rendre compte de la création individuelle, et quand en même temps lui semblait en péril la possibilité des *jugements de goût* :

> Je vise toujours à juger les écrivains d'après leur force initiale et en les débarrassant de ce qu'ils ont de surajouté et d'acquis (N.L., V, 445).

Et d'autre part :

> Il y a lieu plus que jamais aux jugements qui tiennent au vrai goût, mais il ne s'agit plus de venir porter des jugements de rhétorique. Aujourd'hui, l'histoire littéraire se fait comme l'histoire naturelle, par des observations et par des constatations.

Nul doute que, surtout vers la fin du XIXe siècle, et en pleine crise de l'esprit national, il n'y eût là, pour des esprits qui voyaient avec anxiété le passage trop facile de l'impressionnisme à des généralités inquiétantes, des précédents dignes d'être suivis. L'*histoire littéraire* à la Gaston Paris faisait déjà son profit de préceptes analogues : *la critique,* moins aisément, dans l'absence de certitudes documentaires objectives, pouvait du moins *se proposer* une méthode semblable, revenant au fond à ce programme où Gœthe et Sainte-Beuve se trouvaient d'accord : « Qu'est-ce au juste que l'auteur se proposait ? Comment a-t-il rempli son dessein ? » Dans ses passagères campagnes critiques au *Matin,* Gustave Lanson pouvait ainsi transposer en quelque sorte la prudence que l'histoire littéraire lui avait permis de déployer.

Cependant le goût du développement, les effets de style ajoutant leur charme ou leur force à des « thèmes » pris comme points de départ (sans excès de certitude ou d'examen critique) — cette rhétorique séduisante, toujours sûre d'un succès auprès des lecteurs, ne pouvait manquer, elle aussi, de se maintenir et même de progresser à la faveur du trouble intérieur des temps. Il serait absurde d'avancer que « Droits de l'homme » et « Action française » servissent de « catalyseurs » à ces tendances opposées ; cependant les nécessités inhérentes à ces groupements et aux mentalités y afférentes semblent avoir divisé plus ou moins les possibilités critiques.

La critique, observe un moraliste juste avant la guerre de 1914, s'est développée surabondamment :

> Ses représentants sont légion ; c'est, autour de chaque écrivain célèbre, tout un monde affairé comme des fourmis sur leur proie. On compte leurs articles par milliers ; les revues et les journaux en sont pleins ; si l'on comparait le nombre des pages écrites par certain auteur au nombre de celles qu'il a inspirées, on serait stupéfait de la disproportion.[1]

Il va de soi que la façon de pratiquer la critique, parmi ces milliers de juges, varie infiniment selon l'auteur ci-dessus, qui

---

1. A Cartault. *L'Intellectuel : étude psychologique et morale.* Paris, 1914, p. 194. Chapitre IX, « L'Intellectuel et la Critique littéraire ».

ne voit pas très clair dans cette variété. Critique « admirative »
ou critique « dépréciatrice » ; critique essayant de maintenir
la « formule vaine » des *genres ;* critique recherchant « l'homme dans l'œuvre », ou s'efforçant de trouver les « sources » du
livre nouveau. C'est d'une critique littéraire strictement intellectuelle que cet auteur prétend se réclamer pour son compte,
et il en sera de plus en plus ainsi à mesure que les grandes
normes acceptées se différencient.

L'effritement des préférences, en un âge dominé par un indéniable individualisme, ne risquait-il point d'aller à l'extrême ? Pouvait-on trouver un *multiple commun* à des goûts
ne reconnaissant guère l'utilitarisme social, l'exigence huma-
niste, ni (sauf exceptions) la tutelle religieuse comme critère
de jugements dépassant le caprice personnel ? Les programmes
scolaires avaient beau se compliquer d'études scientifiques ; la
« rhétorique » était bannie de la nomenclature même des éta-
blissements secondaires : on ne saurait dire cependant que des
jugements moins morcelés résultaient, dans les publics et les
auditoires parisiens en particulier, de ces disciplines rationnelles.

La « querelle des manuels, » en 1922, marque l'une des plus
inévitables incompatibilités d'humeur entre les universitaires
qui, dans l'âge antérieur, manifestaient encore des réserves —
moins personnelles peut-être que pédagogiques — à l'endroit
de Baudelaire et de Flaubert, et les lettrés adultes, fâchés de
ne trouver que réticences dans des admirations dites officielles.
Et, d'autre part, un individualisme de goût et d'expression
aussi extrême que celui de J. Cocteau par exemple laissait-il
à des jugements objectifs aucune chance de jamais s'établir ?
Regardons-y donc de plus près.

Le classement le plus légitime des critiques français, depuis
1905 environ (fin de l'Affaire Dreyfus), ne saurait répartir
les talents, fort nombreux comme on pense, entre « hommes
de droite » et « hommes de gauche », traditionalistes et avan-

cés en littérature, ou même « humanistes » et « modernistes ». Ces différenciations, valables pour les théories sociales — assurément latentes en beaucoup d'esprits d'intellectuels — paraissent cependant, pour l'exercice de la critique, de médiocre importance.

En revanche, les maîtres en ce genre si prolifique, parfois avec un talent égal et des prédilections dont on aurait tort de suspecter l'impartialité, obéissent à des tendances, et comme à des facultés assez divergentes, susceptibles d'une répartition qui irait profond. Les uns, s'étant fait une opinion sur un ouvrage, une pièce, un auteur, une doctrine, sont surtout préoccupés de démontrer et faire accepter la validité de leur point de vue ; pour les morts comme pour les vivants, ils cherchent l'adhésion de leurs lecteurs grâce à la force, ou l'agrément, ou les « grâces » de leur commentaire. « Tout l'art de convaincre, en France, finit en des mérites de bien-dire », affirmait le maître secondaire de beaucoup de ces « guides » à venir de l'opinion. Les autres critiques tendent à renforcer et à « conditionner » leur examen de l'œuvre ou de l'homme, eu égard à sa valeur d'originalité, ou d'individualité, ou de « signification », qu'il s'agit dès lors de déterminer le mieux possible : par la connaissance du passé s'il s'agit des morts, par la meilleure conjecture possible, si le « problème » est actuel, des mérites particuliers qui lui confèrent sa substance et sa valeur.

Est-ce exagérer la recherche d'un classement que d'observer que l'Ecole normale supérieure, en général, préparait à la première manière, et que le précédent de Rémy de Gourmont et du *Mercure de France* encourageait plutôt la seconde — sans que, bien entendu, des sinuosités fussent exclues dans une frontière déterminée, après tout, par des « types d'esprits » et nullement par des cénacles ou des exigences préétablies ?

EMILE FAGUET
(1847-1916)

« Depuis huit olympiades, je n'ai fait absolument que de la critique. Quelques vers entre la dix-huitième et la trentième année (ils étaient bien mauvais), quelques commencements de romans et nouvelles qui m'ont tellement ennuyé moi-même que je me suis persuadé qu'il était à supposer qu'ils n'amuseraient pas les autres : c'est tout ce que je découvre dans mon passé, en dehors de cette envahissante et débordante critique. »

Ainsi parle Emile Faguet dans la *Revue latine* du 15 janvier 1903 : c'était, disait-il, la valeur de 150 volumes de politique et de morale, en même temps que de critique purement littéraire, qui était sortie de sa plume intarissable. Fils de professeur, sédentaire par goût ainsi que par tempérament, élève de Taine en général, mais bien moins assujetti à des systèmes, et se plaisant avant tout à « analyser des idées générales » et à en retracer les tenants et aboutissants, regrettant de ne pas avoir de l'esprit à la Champfort ou à la Rivarol pour ses feuilletons, et d'ailleurs célèbre pour avoir médiocrement goûté le XVIIIe siècle « qui n'est ni chrétien ni français », il a maintenu un contact, satisfaisant à tout prendre, entre les points de vue conservateurs de l'Université et les publics de bourgeoisie qui le lisaient dans les *Débats* ou dans les *Annales politiques et littéraires,* sans compter nombre d'autres collaborations. Les « jeunes » s'amusaient de le voir pratiquer une virtuosité imperturbable à analyser les œuvres comme autant de systèmes, sans beaucoup céder aux prestiges de la forme. On se souvient d'une comparaison truculente qui eut certain succès : « Faguet a l'air d'un chien qui s'est emparé d'une vieille savate et qui s'amuse à la jeter en l'air pour la retourner et la retourner encore. »

Il a certainement contribué à maintenir le goût des idées consistantes dans le grand public français, sans concéder grand

chose, naturellement, aux innovations et aux aventures. Son
« fonds » le plus authentique, pour ceux qui l'ont connu, se
retrouve surtout au sujet des écrivains qu'il appelle *Politiques
et Moralistes* : un libéralisme de bon aloi, ici encore, s'y manifeste.

A. Albalat. *Emile Faguet intime. Souvenirs de la Vie littéraire* (Paris, 1924),
nouvelle édition.

Oui, il y a solidarité nécessaire entre tous les citoyens d'une
même nation ; oui, il y a, d'autre part, dette réelle du citoyen
envers l'Etat. Voilà les vrais principes, qui, sans rien emprunter
à la zoologie, fondent suffisamment le droit de l'Etat.

Quant au droit de l'homme, existe-t-il ? Je crois que M.
Bourgeoit (sic) ne le croit pas (moi non plus, du reste). Mais
il sait, et cela peut suffire, que *c'est l'Etat qui est le plus intéressé
à ce que le citoyen garde tout entière la part de son activité dont
l'Etat n'a pas besoin.* Il proclame, et je m'étonne que ce ne soit
pas pour tout le monde l'évidence même, que « dans l'histoire
des sociétés comme dans celle des espèces, la lutte pour le développement individuel est la condition première de tout progrès ;
que le libre exercice des facultés personnelles peut donner seul
le mouvement initial ; enfin que plus s'accroît cette liberté de
chacun des individus... plus l'activité sociale en peut et doit être
accrue à son tour. »

Donc, malgré l'insistance avec laquelle M. Bourgeois parle de
la « solidarité » d'une part et du « quasi-contrat » de l'autre,
non seulement ses conclusions ne sont pas autoritaires, mais *elles
ne peuvent pas l'être.*

Elles sont d'un homme qui 1° rappelle que la société est notre
créancier, 2° proclame que, la dette payée, il n'y a qu'utilité
pour l'Etat à ce que le citoyen soit le plus autonome possible ;
3° engage le citoyen à faire profiter la communauté même de
son activité autonome, conformément à la loi de solidarité.

J'accepte pleinement ces principes et je félicite M. Léon Bourgeois de les avoir mis en si belle lumière. J'ai un penchant dont
on s'est assez aperçu à défendre âprement les droits de l'individu,
et il est assez probable que je mourrai dans la peau endurcie
d'un vieux libéral, mais le petit livre de M. Bourgeois, très attaqué, je ne sais pourquoi, au nom du libéralisme, n'offense nul-

lement le mien. Je dirai même, si j'ose m'exprimer ainsi, qu'il
l'épouse.

Emile Faguet. « Littérature Politique », à propos de *Solidarité,* par Léon
Bourgeois. *Propos littéraires,* (Paris, 1902), 295-296.

JOSEPH BEDIER
(1864-1938)

Le plus brillant des élèves français de Gaston Paris, celui
des « romanistes » qui, bénéficiant de conjonctures favorables
en même temps que d'une riche excellence de forme, a réelle-
ment fait entrer dans l'appréciation du grand public, non seulement la douloureuse fatalité des amours de Tristan et d'Iseult,
mais l'héroïsme religieux et guerrier des « légendes épiques »,
c'est Joseph Bédier (1864-1938). Dans quelle mesure a-t-il
dépassé la prudente méthode de son maître par une interprétation surtout « polygénétique » des contes populaires et par
la systématisation de plus en plus appliquée d'une ingénieuse
théorie rattachant à des sanctuaires médiévaux et à des routes
de pèlerinage la glorification des paladins et des barons féo-
daux ? C'est au détail des investigations et à la reprise des
hypothèses générales qu'il faudra s'en remettre pour de telles
mises au point ; et déjà l'assurance apportée, de même, par les
Etudes critiques a été réformée sur divers points. Mais une déférence initiale à la méthode « génétique » et à la recherche
des antécédents, pour donner juste mesure aux réussites littéraires, n'est pas douteuse dans la carrière illustre d'un grand
savant.

Autour de lui, comme autour de Gustave Lanson, mais avec
moins de cette « actualité » qui avait fait prendre parti à des
polémistes de tout genre, sans doute aussi avec une « légende »
plus favorable au Collège de France qu'à la vieille Sorbonne,
tout un groupe de « romanistes » a développé ses vues, non

sans les exagérer à l'occasion, ainsi qu'il arrive : et il est possible qu'à nouveau une « réaction » contre des théories absolues se manifeste : « Bédier hat uns in die Irre geführt » est une remarque déjà formulée de son vivant, peut-être injustifiée, accréditée en partie par le fait que la soi-disant étude des « documents » écrits était préférée peu à peu à la détermination profonde des raisons historiques : sorte de régression de la méthode « génétique », de l'explication partant d'un point de départ plus ou moins certain.

> Dans toute science relative à l'esprit humain, se pose, comme fin dernière la question d'origine. Le but suprême est de rechercher le point d'impulsion des forces que nous trouvons agissantes dans l'humanité. Où en est le germe initial ? Comment ont-elles passé de la puissance à l'acte ? dans quelles directions se sont-elles développées ?

L'auteur rappelle les conclusions auxquelles il est arrivé au sujet des contes populaires épars à travers le monde, analogues et parfois identiques dans leur fonds, et différenciés cependant de mille manières — ce qui ne permet pas d'attribuer à l'ensemble de ces récits l'une des explications (indianiste, bouddhique, anthropologique) proposées.

> Je crois, selon l'expression de M. Gaidoz, à la *polygénésie* des contes. Je crois qu'il n'y a pas eu de race privilégiée, indienne ni autre, qui, en un jour de désœuvrement, inventa les contes dont devait s'amuser l'humanité future...
> Je crois par contre, que l'immense majorité des contes merveilleux, des fabliaux, des fables (tous ceux pour qui les théories générales sont bâties) — sont nés en des lieux divers, en des temps divers, à jamais indéterminables.

Joseph Bédier. *Les Fabliaux* (Paris, 1893), pp. 241, 247, 248.

> Surtout sur les questions d'origines : tout était dit, je le croyais du moins, sur la formation de ces légendes, et leur mystère me semblait éclairci. Avec presque tous les critiques, je tenais pour

assuré que le héros principal de ces romans, Guillaume, personnage historique du temps de Charlemagne, avait d'abord été
transfiguré par la poésie dès le temps même de Charlemagne. Ces
premières formations légendaires, sous quel esprit convenait-il
de se les représenter ? Valait-il mieux imaginer à l'origine des
« cantilènes », des « chants-lyrico-épiques » — ou déjà des épo-
pées, déjà des chansons de geste, plus courtes seulement que les
chansons conservées — ou des récits héroïques en prose, transmis
oralement de génération en génération ? Les érudits en dispu-
taient, mais ce n'était là qu'un problème accessoire, car toutes les
théories connues des origines de l'épopée française se réclamaient
en dernière analyse d'un même principe général, accepté de tous
comme un axiome : à savoir que les romans du XII° et du
XIII° siècles ne sont que le dernier aboutissement d'un travail
poétique commencé plusieurs siècles plus tôt ; que l'épopée française, toute « spontanée » à l'origine et toute « populaire, » est
« née des événements, exprimant les sentiments de ceux qui y
prenaient part » ; que la légende de Charlemagne et de ses compagnons est essentiellement l'œuvre de leurs contemporains ; que
Guillaume d'Orange et Roland et Ogier et les autres furent d'abord
célébrés de leur vivant ou dès une époque voisine de leur mort,
en ces jours où « les guerriers se sentaient eux-mêmes personnages épiques et d'avance entendaient dans la mêlée la chanson
insultante ou glorieuse que l'on ferait sur eux »...

Une étude plus précise de trois légendes tout d'abord, Guillaume d'Orange, Girard de Roussillon, Ogier de Danemark, amène
le critique à excepter ces cas de l'explication proposée et à en
concevoir une autre.

Mais quand ces « exceptions » se furent multipliées et quand,
faisant nombre et masse, elles semblèrent, par leur nombre et
leur masse, tendre à me suggérer une thèse d'ensemble sur la
formation des chansons de geste,... je m'en alarmai...

Les enquêtes particulières ayant continué, dans un esprit plutôt
défiant,

Je n'ai guère réussi à trouver que des faits favorables à cette thèse... Ces fictions embryonnaires, les moines de diverses églises intéressées à retenir les pèlerins et à les édifier, les jongleurs nomades, sûrs de trouver aux abords de ces églises le public forain et souvent renouvelé qui les faisait vivre, les ont développées.

Joseph Bédier. « Avant-Popos » *Les Légendes épiques* (22 octobre 1907).

Où donc, sinon dans la critique *apologétique,* assurée de ses critères moraux, se trouverait à l'aise la tendance « explicative » ? C'est comme une réincarnation de l'ancienne *homélie* que l'adjuration, adressée par la foi, par la certitude, par la pressante insistance du croyant, à une audience plus ou moins immédiate qui devrait partager les opinions d'un critique religieux. Plus ou moins véhémente, plus ou moins armée d'arguments sortant de la croyance pour entrer dans la vie de l'art et des lettres, cette critique s'offre au public en des circonstances qui lui sont favorables ou contraires pour des raisons assez peu intellectuelles. Mais le mérite de Henri Massis ou de Charles du Bos pour citer les plus notables, est bien d'avoir maintenu un certain *humanisme chrétien* à l'arrière-plan de tendances aptes à glisser au dilettantisme complet.

L'inconvénient évident de cette critique est d'aider éventuellement par une apologie voulue l'interprétation d'œuvres ou d'écrivains annexés de la sorte. La « sainteté de Baudelaire » — *tarte à la crème* d'une absurde critique récente —, le jansénisme de Racine, prématurément évoqué à propos d'un homme qui a vécu intensément, et fructueusement pour l'art, des années de parfaite émancipation morale, sont parmi les méfaits de cette tendance en général. Et s'il est démontré que la *Princesse de Clèves* est plus probablement de Fontenelle que de Mme de La Fayette, c'est parmi les commentateurs que s'exécute naturellement un « massacre » de propos inopérants. L'histoire littéraire du passé, celle du présent dans la mesure où elle a conclu imprudemment, est forcément jalonnée par des débris de cet ordre : ils démontrent que certaines inférences étaient prématurées, que le cheminement de la pensée critique ne saurait être trop surveillé, et qu'une question préalable — celle de l'authenticité d'un point de vue — devrait *à la Bayle* précéder toute déférence trop cérémonieuse, trop emphatique, aux séductions du « développement ».

Marcel Langlois. « Quel est l'auteur de la Princesse de Clèves ? » *Mercure de France* (15 février 1939).
F. Baldensperger. « Complacency and Criticism : *La Princess de Clèves* » The American Bookman, Fall 1944.

HENRI MASSIS
(né en 1886)

Henri Massis a fait lui-même le vivant récit (*Evocations*) de son premier cheminement dans le monde des idées, émancipation de lycéen par Alain, bergsonisme enthousiaste, amitiés de la vingtième année — élans indispensables à un esprit que son premier maître, non sans raison, traitait de « dogmatique ». En effet, parmi le *relativisme* pratiqué volontiers par la critique contemporaine, et sans que fût entamée, comme chez certains de ses plus frémissants compagnons, sa foi dans la valeur supérieure des idées, Massis a occupé des *Avant-postes,* prononcé des *Jugements,* articulé une *Défense de l'Occident* qui continuent en somme la campagne, souvent injuste à force d'ardeur, menée par lui et G. de Tarde, contre la « nouvelle Sorbonne ». On ne dira pas, en tout état de cause, que sa dévotion à des « valeurs » de permanence, religieuses ou autres, soit le résultat d'un opportunisme dû aux circonstances.

La philosophie de Bergson était tombée en nouveautés enivrantes sur notre vingtième année. Bien que la vérité catholique dût nous conduire à conclure contre une œuvre qui, elle, n'a pas encore conclu, puis-je oublier l'immense bienfait de l'indispensable révision de valeurs qu'elle proposa aux hommes de notre âge ? Il est des âmes qu'elle a sauvées de l'athéisme des théories régnantes, en qui elle renouvela les sources de la vie. Elle a délivré la plupart d'entre nous des idoles du spencerisme, du socio-logisme, de la négation systématique et du scepticisme doctoral où nous avions grandi...

Nous revenions de si loin ! Fidèles ou infidèles, et quels qu'aient été ses prolongements en chacun de nous, nous ne saurions mé-connaître l'incomparable exaltation que nous causa la découverte de Bergson. « Il a rompu nos fers », disait Péguy ; et c'est bien de libération, de délivrance, qu'il faut parler pour expliquer sa singulière fortune. Quoi qu'il en soit, au point de vue métaphy-sique, du système bergsonien, quand Bergson a fait jaillir sa méthode, il a fait quelque chose de fécond. En dénonçant de vieilles habitudes de penser qui étaient de mauvaises habitudes, il a brisé nos entraves. Il nous a désaccoutumés de suivre certaines pentes mentales que le système rigide du monisme matérialiste avait imposées à nos âmes, au risque de les mutiler.

Evocations (Paris, 1931), p. 86.

CHARLES DU BOS
(1882-1939)

Sans grande capacité propre pour l'action, ni pour le déta-chement que comporte tout effort d'objectivité, mais avec l'axe inébranlable d'une belle conscience catholique, armée à l'oc-casion de scolastique, Charles Du Bos a donné le juste titre d'*Approximations* à ses recueils d'articles, souvent heureux dans leur recherche des affinités possibles entre ses sujets et son propre esprit. L'extrait suivant le montre accueillant à ce qui pouvait lui être le plus antipathique : un calviniste genevois comme « anémié » par le phénoménisme hégélien.

Par-dessous son esprit, le plus mouvant qui soit — sable d'or qui s'écoule sans fin dans le sablier — Amiel est bien, lui, cette âme immobile qui n'éprouve toujours son existence que comme un poids, jamais comme un élan : certes, l'on rencontre des élans dans le *Journal*, mais si l'on regarde de près l'on perçoit sous l'indéniable sincérité je ne sais quel caractère artificiel comme d'un exercice de la volonté. Rien de plus curieux à cet égard que les fréquents passages du *Journal*, où dans un premier paragraphe Amiel se peint avec une infaillible lucidité « tel qu'il est », puis dans un second paragraphe de longueur parfois égale « tel qu'il devrait être » : en les lisant on ne peut se défendre de penser au parallèle de La Bruyère et l'on se redit la conclusion : « Corneille est plus moral, Racine est plus naturel. » Je sais bien que dans tout journal envisagé comme un instrument de perfectionnement intérieur, l'opposition est inévitable et cet inconvénient presque fatal : le journal devient alors un livre de comptes dans lequel la notation du déficit quotidien l'emportera toujours, hélas ! en signification sur la prévision des recettes éventuelles. Chez Amiel cependant la peinture de ce qu'il devrait être reste souvent mécanique au point qu'il a l'air sans s'en douter de vouloir s'acquitter une fois pour toutes par une démonstration irréprochable : à la fin de certaines d'entre elles on a envie d'ajouter le C.Q.F.D. du mathématicien. Nous sommes loin de l'élan des grands mystiques, de leur force de rebondissement, de la fermeté de leur éclat. En ses régions les plus reculées l'âme d'Amiel demeure toujours invulnérable : il n'y a pas en lui le « point mystérieux ».

Approximations (Paris, 1922), p. 125.

ANDRE BELLESSORT
(1866-1942)

André Bellessort a de bonne heure corrigé par des voyages et des séjours à l'étranger ce que sa première formation scolaire risquait d'avoir d'un peu étroit. Professeur dans divers lycées de province, puis de Paris, très indépendant en politique, il a été un des meilleurs critiques du type universitaire de sa génération. On lui a reproché, dans ses nombreux livres de voyages, d'avoir volontiers considéré les plus lointains pays sous l'angle de la France du centre, à laquelle il appartenait de naissance et de formation ; dans sa critique dramatique (aux *Débats* en particulier) d'avoir eu, de même, des points de vue

limités par sa familiarité avec les classiques. Il est possible :
mais cette sorte d' « axe » est-elle si condamnable ?

Balzac avait bien des titres à la reconnaissance des femmes. Il
prolongeait pour elles, dans le roman, l'âge légal de l'amour. Ce
n'était pas seulement la femme de trente ans, dont il faisait parfois
son héroïne, c'était aussi celle de quarante ans avec toute la jeunesse de cœur qu'elle a gardée et l'expression pathétique d'un
visage où la passion « se réveille dans les plis de la douleur
et les ruines de la mélancolie ». Il savait rendre l'attrait de son
sourire qui commence à se faner et les raffinements de sa tendresse
inquiète. Ses jeunes gens posaient en principe que rien n'était
plus sot qu'un extrait de naissance ; et, toujours pénétré des
souvenirs de madame de Berny, il écrivait qu'il n'y avait que
le dernier amour d'une femme qui satisfît le premier amour
d'un homme. Il osait même dans son roman *la Vieille Fille*
nous montrer comment une demoiselle assez âgée, un peu ridicule,
mais d'une grande noblesse de sentiment, pouvait, sous la double
influence de sa fortune et de sa vie provinciale, enflammer un tout
jeune homme jusqu'à le conduire au désepoir.

A ces perspectives de bonheur possible qui reculaient l'horizon
des âmes solitaires ou longtemps déçues, il ajoutait une nouveauté
encore plus consolante. Par un coup de génie sorti d'une observation de la réalité, il ne demandait pas à la femme, pour lui accorder les joies de l'amour, la beauté décourageante qu'exigeaient
d'elle, classiques et romantiques, tous ses prédécesseurs. Ses aman-
tes les plus heureuses n'étaient presque jamais merveilleusement
belles. Quelques-unes, même, avant d'être aimées, comme madame
Claes, se soumettaient humblement « à l'opinion qui les procla-
mait laides ». Balzac ne craignait pas de les affliger d'une disgrâce
apparente, persuadé d'ailleurs qu'un léger vice de conformation
développe le goût exquis de la toilette. Il n'était pas loin de considérer que le triomphe de la femme n'est complet que si elle
nous fait adorer les défauts de son corps et que seules les femmes
qui y parviennent savent jusqu'où va la passion.

André Bellessort. « Balzac et le public féminin », *Balzac et son Oeuvre*
(Paris, 1925), 225.

VICTOR GIRAUD
(né en 1868)

S'il y a une sorte de touchant mérite à rester « à la suite »,
à pratiquer une simple loyauté à l'égard des chefs choisis ou
reçus à l'heure des faciles affiliations, et à amplifier ensuite
des vues à peu près constantes, exemptes en tout cas de ces
défections comme l'histoire littéraire en est pleine, Victor
Giraud peut revendiquer une palme de cet ordre. Ni pour
Pascal ni pour Taine, ni pour Chateaubriand ni pour Brunetière, un différend foncier dû à quelque émancipation du sens
critique ou du développement individuel n'est venu contrarier
l'appréciation initiale. D'où des travaux qu'on peut dire « tou-
chants » par leur docilité continue à l'endroit de « valeurs »
qui sont ainsi inamovibles, mais bien moins par une détermination objective des mérites que par un attachement tenace de
brave homme.

Singulière, mais assez explicable dès lors, est l'idée de désigner en 1914 comme « maîtres de l'heure », représentant la
« génération de 1870, » des auteurs admis à la *Revue des Deux
Mondes* (laquelle n'a jamais rien publié de Zola ou de Mallarmé, n'accepta Maupassant qu'après sa mort et Barrès qu'après
son entrée à l'Académie). Le morceau qui suit est à la fois
l'aveu d'une clairvoyance timide et d'une partialité avouée :
deux défauts qui deviennent des supériorités, en vérité, s'il s'agit
de fournir le grand public de développements qui justifient
ses propres commodités. Plus peut-être que la guerre avec la
Prusse, les sinistres démonstrations de la Commune, en 1871,
ont marqué les jeunes hommes qui touchaient à leurs vingt
ans à cette date. Les générations invoquées à l'appui de programmes ou d'écoles, surtout de communauté d'efforts ou
d'idéaux, n'ont pas été plus *unitaires* que celle-ci, et l'on imagine
mal XVIe, XVIIe siècles unanimes dans leur esprit « renais-
sant », classique, encyclopédiste, etc. Comment y aurait-il eu

plus d'unanimité dans les vues des Français d'après 1871, développant d'abord les exigences réalistes ou les résistances traditionalistes, les plasticités parnassiennes ou les souplesses vers-libristes, les mises en scène en trompe l'œil ou les évocations suggestives ,et affirmant ainsi des curiosités d'idées ou de formes variées ?

L. Maury. « Victor Giraud, historien de la littérature. » *Revue bleue,* 12 août 1911.

Je cherche une formule qui me serve à caractériser brièvement mais avec une suffisante exactitude le sens général et secret de son effort littéraire, et j'avoue que je ne la trouve pas aisément. Certaines générations — celle de 1550, par exemple, celle de 1660, celle de 1750, celle de 1850 — sont visiblement associées à une œuvre commune, ont un idéal collectif, parfois un même programme, forment, comme l'on dit, une école, et rien n'est plus simple que de savoir avec précision ce qu'elles ont voulu et ce qu'elles ont fait. Il n'en est pas ainsi pour celle dont nous essayons de dresser le bilan. Soit que les événements de 1870 eussent dispersé les groupements juvéniles de la fin de l'Empire, soit que, au lendemain de la guerre, les jeunes apprentis écrivains se trouvassent déconcertés, désemparés par les malheurs publics, en quête d'une doctrine d'art et de vie, qui leur pût pleinement convenir, eussent pris le parti de se frayer isolément une voie à leurs risques et périls, de travailler et d'écrire en tirailleurs, si je puis ainsi parler, on ne les voit pas, comme en d'autres temps, s'unir autour d'un maître, d'une devise, d'une théorie esthétique. A vrai dire, quelques années plus tard, l'école naturaliste était constituée, mais c'est une chose bien remarquable qu'à part Edouard Rod, qui s'y rattache un moment, aucun des écrivains dont nous avons eu l'occasion de parler n'en a jamais fait partie. C'est qu'en réalité — ils en avaient tous l'obscure ou nette conscience — le naturalisme retardait sur son temps.

Victor Giraud. « Conclusion : le 'bilan' de la génération de 1870 », *Les Maîtres de l'Heure,* Tome II (Paris, 1914), pp. 326-327.

LOUIS GILLET
(1876-1943)

Avec des points de départ en général excellents et un vrai talent d'exposition à la fois claire et chaleureuse, Louis Gillet échappera au reproche fait à son beau-père René Doumic de « mettre le plus froid de lui-même dans certains de ses développements ». Il lui a été reproché, surtout en matière d'histoire de l'art, de combiner des effets personnels de style avec un minimum d'investigation personnelle, et d'aussi bons juges que J. Bédier admettaient là son mérite propre : une mise au point, pour le public, de jugements ou de découvertes où d'autres avaient la plus grande part, mais où la « vulgarisation », au meilleur sens du mot, reprenait ses droits et ses vertus. Une œuvre variée et moins durable que brillante résulte dès lors d'un labeur facile et continu, allant de Dante à Shakespeare, de Pétrarque à Joyce, mais redescendant, sans effort, des cimes exceptionnelles à n'importe quels « côteaux modérés » et ne laissant pas toujours sentir la différence d'altitude.

J'ai eu le plaisir d'assister, l'hiver dernier, aux lectures que faisait Maurois des extraits de son livre, au public de la Société des Conférences ; j'écoutais cette voix charmante, qui semble être celle de l'intelligence, pressée de fuir l'applaudissement, d'écarter l'effet oratoire, la voix même du style de Maurois, qui est à la fois nette, fluide et évasive, presque sans matière, comme son corps, et qui vous prodigue, avec pudeur et avec la hâte d'en finir, les plus précieux trésors. Il tenait l'auditoire suspendu à ses lèvres. Sur l'estrade, toute la « Société Chateaubriand » approuvait. Le chanoine Mugnier buvait du lait. Le Docteur Le Savoureux, qui possède la Vallée aux Loups, écoutait avec ravissement chanter les louanges de son saint, et Mme la comtesse de Durfort, héritière de Combourg, apportait là, dans le voisinage de la rue du Bac et de l'ancienne Abbaye-aux-Bois, la présence de son grand-oncle et le masque de Chateaubriand.

Suivent quelques coups de revers légitimement portés à des détracteurs de l'auteur du *Génie du Christianisme,* trop aisément enclins à « opposer au restaurateur des autels les innombrables peccadilles de son interminable jeunesse ».

> C'est un grand mérite de Maurois d'avoir rompu avec cette tradition de dénigrement systématique (où le rigorisme de Sainte-Beuve et de Lemaitre ne paraît pas non plus dénué d'hypocrisie). Il semble qu'au bout d'un siècle les caprices de Chateaubriand aient perdu le pouvoir de nous émouvoir, ou plutôt de nous scandaliser ; nous n'éprouvons plus qu'une certaine pitié à remuer ces vieilles cendres. Avec toutes ses maîtresses, presque toutes charmantes, jamais Chateaubriand n'aura, dans notre souvenir, et dans le sanctuaire du cœur, la figure d'un grand amoureux, d'une de ces créatures vouées, dont l'amour est à la fois la tragédie et le destin. Il a eu l'amour de l'amour, plus qu'il n'en a été la proie et la victime. Il n'a pas été possédé. Il a été de l'une à l'autre, entre les bras de plus d'une sirène, comme le nageur bercé par la vague, n'aimant dans toutes et dans chacune qu'un même objet imaginaire, l'attrait d'une même illusion, qu'il leur demandait tour à tour. André Maurois excelle à démêler le secret de ces natures moins tourmentées qu'épicuriennes, plus voluptueuses que passionnées, et à décrire les malentendus ravissants, le mélange de sincérité, de plaisir, d'amour-propre et de littérature, qui composent le bonheur et les peines de cette espèce d'amants.
>
> Ce qui nous frappe, au contraire, à la distance où nous voici, et dans le recul de la perspective, c'est l'importance extraordinaire, le volume, si je puis dire, du phénomène littéraire que représente Chateaubriand, la place unique qu'il occupe dans l'histoire des sentiments et de la poésie.

Louis Gillet. « Chateaubriand ». *Nouvelles littéraires* (5 novembre 1938).

DANIEL MORNET
(né en 1878)

Voltaire prédisait volontiers, vers 1776, que « dans trente ans la raison aurait établi son règne contre tous les préjugés », et même son vieil amphitryon Frédéric II n'arrivait pas à le convaincre d'une certaine pérennité fondamentale de ce qu'aujourd'hui on appellerait des « mystiques ». Soit que Daniel Mornet (né 1878) ait cru devoir, à sa pratique consommée du XVIII° siècle « philosophe », une déférence analogue à la toute-puissante raison, soit que la « clarté française », heureusement appliquée par lui à des sujets scolaires, l'ait persuadé d'un prestige aveuglant de cette valeur analytique incontestable mais point unique, l'œuvre presque entière de cet historien littéraire si laborieux est dominée par des vues que les Encyclopédistes voltairiens de 1760 approuveraient. Une exigence rigoureuse en matière de faits, de dates, du « conditionnement » des œuvres les plus grandes par des circonstances intellectuelles et sociales peut-être inférieures — tel est le mérite de ce probe érudit à l'œuvre déjà considérable.

La revendication des droits de la société contre l'individu, de l'autorité contre la liberté, a été poussée jusqu'à ses limites extrêmes par des théoriciens et des polémistes.

Les œuvres du comte de Gobineau ont été publiées de 1853 à 1879, mais elles passèrent à peu près inaperçues. Elles ont été pour ainsi dire retrouvées, abondamment consultées et exaltées vers 1900. Gobineau (notamment dans l'*Essai sur l'inégalité des races humaines*, 1853-1855) tente de démontrer qu'il ne peut y avoir d'ordre et de progrès que par la domination des meilleurs sur les faibles. A l'origine il y avait des races fortes, à la fois maîtresses et protectrices des autres. Mais les races se sont mélangées et par là elles ont dégénéré. La race blanche, notamment, a été infectée par la race sémite qui a amené avec elle l'utopie mortelle de l'égalité et du gouvernement démocratique. Seule la race germanique a longtemps conservé sa « pureté » et par là sa vigueur. Mais elle aussi a été mêlée et corrompue. L'humanité, sous prétexte de liberté, s'enfonce dans une anarchie sanglante. Le salut serait le retour à une société autocratique et aristocratique, retour que Gobineau croit, d'ailleurs, très difficile.

Daniel Mornet. *Histoire de la Littérature et de la Pensée française contemporaine 1870-1927* (Paris, 1927).

EDMOND JALOUX
(né en 1878)

La dévotion aux lettres, et en particulier au genre multiforme du roman, a pris la valeur d'un vrai culte dans la vie et l'esprit d'Edmond Jaloux. De ses premiers récits, très nuancés et délicats, aux présentations plus ou moins irréelles de la mêlée humaine et des aventures qui la sillonnent dans le mystère et l'incertitude, la continuité est à peu près sans défaut, jalonnée par une production juste interrompue — et encore — par des fonctions de guerre à l'Information. On pourra dire qu'à Paris, en Suisse, aux eaux, en villégiature, en voyage, le plus conscient des romanciers aura vécu pour écrire, lire, commenter la fiction. Son activité critique, de bonne heure affirmée, a sur beaucoup de ses confrères l'avantage d'une clairvoyance *technique* dont le grand public ne tire pas toujours parti, mais qui donne, par exemple, à *L'Esprit des Livres,* sa chronique hebdomadaire des *Nouvelles littéraires,* une valeur spéciale. La « genèse », pour lui, serait surtout dans les ramifications sans fin des divers modes de fiction du passé, du présent, et peut-être de l'avenir. Pour un peu, la morale et la philosophie, la poésie et la description incluses dans l'absorbant, le dévorant « genre » du roman seraient, à son gré, les *sommes* de ce que possède l'humanité — et il est possible qu'en effet son action personnelle ait contribué à cette limitation des modalités d'expression et au développement particulier de l'une d'elles. Dans cet ordre d'idées plutôt limité, d'ailleurs, on voit pratiquer le plus souvent à Edmond Jaloux une recherche des « hiérarchies d'écrivains » par ordre de descendance et de supériorité.

J'ai signalé ici, il y a trois ans, avec grande sympathie, les débuts de M. Pierre de Lescure dans le roman : *Pia Malecot.* Ce livre me paraissait avoir de ces qualités qui promettent à son auteur un bel avenir. Les ouvrages suivants : *Tendresse inhumaine,* et *Souviens-toi d'une auberge* m'avaient moins touché, mais je retrouve dans *la Tête au vent* qui vient de paraître ce qui m'avait charmé dans *Pia Malecot.*

Je le retrouve avec quelque chose de plus. Ce quelque chose, dans la dédicace qu'il a bien voulu écrire sur l'exemplaire qu'il m'adressait, M. Pierre de Lescure le qualifie de « recherches de technique romanesque ». Si j'ai bien compris ces « recherches », elles visent surtout à élaguer du récit tous les intermédiaires, à faire constamment appel à l'allusion, à établir les aventures à la fois en dehors et au-dedans des personnages et à nous donner le plus vivement possible l'impression de la vie qui passe — et qui passe dans cette ignorance où nous sommes constamment à l'égard de nous-mêmes, des autres et des circonstances générales qui nous entraînent.

Mon Dieu, tout cela n'est pas absolument nouveau et nous avons, dans cet ordre d'idées, assisté déjà aux expériences de M. Edouard Dujardin (le premier en date, ne l'oublions pas), de Marcel Proust, de M. James Joyce, de M. Valéry-Larbaud, de Mrs. Virginia Woolf, etc., etc. Mais chacun a résolu le problème à sa façon, et celle de M. Pierre de Lescure a le mérite de ne rien devoir aux exemples d'autrui. Ce qu'il a voulu réaliser, je crois le comprendre mieux en lisant le récit de la visite à laquelle une jeune fille cosmopolite du nom de Varga (et qui se consacre à la peinture) convie un de ses amis ; visite à la galerie où sont exposées des sculptures en cuivre ou en fer découpé de Gargallo.

La conclusion, la voici :... oui, il faut user dans tous les arts d'un style elliptique.

Ou mieux encore de « l'art de sauter les transitions » : le secret de Montesquieu, de Poe, de Mérimée, de Stevenson, de Mallarmé. D'autre part, les grands romanciers ont ignoré ce secret — hors Tourguenieff. Seulement, il ne suffit pas d'accumuler les pages pour être un grand romancier...

La Tête au vent se compose d'une succession d'images, presque jamais expliquées. Influence du cinéma sur le livre. Ni dissertation, ni commentaire. Le lecteur est dans un fauteuil ; il voit des scènes précises, courtes, bien dessinées, qui lui donnent l'illusion d'une réalité vécue....

Cet intérêt est nouveau : je le répète, c'est celui d'un film....

C'est en somme le procédé impressionniste ; celui que les Goncourt ont créé et qui fut utilisé d'abord par leurs premiers disciples : J. K. Huysmans, J. H. Rosny, Francis Poitevin, George Bonnamour, François de Nion, Alfred Vallette ; mais l'impressionnisme de 1938, très pictural aussi, est beaucoup plus évasif et destiné à peindre les mêmes milieux que Charles Demailly ou Manette Salomon.

Edmond Jaloux. « L'Esprit des Livres », *Nouvelles littéraires* (26 novembre 1938).

FERNAND BALDENSPERGER
(né en 1871)

Mais si certains points de départ, dans la vie des choses de l'esprit et pour des curiosités aussi alertes que les écrivains modernes, devaient être cherchés *en dehors* des frontières linguistiques ou des bornes nationales, limites plus administratives que réelles dans le monde de la création intellectuelle? Comment, disait déjà la philosophie grecque, s'expliquer la singularité et la nouveauté, si les moyennes humaines sont modelées par des causes agissant sur tous, sinon par des contacts extérieurs ? Du coup la littérature comparée, pratiquée de tout temps par l'esprit français le plus actif (Du Bellay, Voltaire, Mme de Staël, Vogüé, illustrant pratiquement des instants décisifs de son action), se devait d'aider à l'explication *génétique,* à la fois pour le passé à déterminer au juste, et pour le présent à encourager dans certaines de ses tendances à la nouveauté.

Fernand Baldensperger de bonne heure amené à pratiquer la vie internationale en un sens dépassant le tourisme et la découverte pittoresque, prenant le contact de G. Brandes et de L. P. Betz, a donné à cette discipline, dès avant 1900, une impulsion des plus vives. Disposé pour son compte à ne point abuser du « mélange des genres » et peu enclin à conférer à ses études les gentillesses subjectives qu'il est plus normal de lui refuser (fût-ce pour en faire bénéficier le journalisme et la poésie), il a eu la satisfaction de renouveler certains problèmes ; et, pour d'autres, de proposer des hypothèses fondées que

l'avenir devra vérifier et développer. Le réel XVII° siècle, le
« cas » Voltaire, l'Emigration, Vigny, Balzac, ont bénéficié de
recherches qui toutes concernent les points par où se qualifient
au départ des œuvres individuelles ou collectives. « Briser la
glace pour retrouver le courant » (Sainte-Beuve) a, par exemple, permis à la Correspondance échangée entre Benjamin
Constant et « la dernière des Ninons », Mme Lindsay, d'arbi-
trer un long débat où A. Monglond, G. Rudler et d'autres
s'étaient mesurés.

F. Strowski. « Prof. Fernand Baldensperger », *Dictionnaire National des
Contemporains,* I (Paris, 1936), p. 42.
Mélanges d'histoire littéraire offerts à Fernand Baldensperger. 2 vol. (Paris
1930).

Ellénore, la douloureuse Ellénore d'*Adolphe,* est bien vivante
pour nous : si peu concrètes que soient les touches du portrait,
Benjamin Constant n'a-t-il pas laissé d'elle, dans sa sèche prose,
un crayon qui l'a rendue inoubliable ? Une Polonaise élevée en
France, « célèbre par sa beauté » quand Adolphe la rencontre
— et elle a dix ans de plus que lui, qui en compte vingt-trois à
ce moment ; mère anxieuse et passionnée, à la fois inquiète et
caressante, des deux enfants qu'elle a eus, hors mariage, d'un
homme venu après d'autres, auquel elle s'est dévouée dix ans
durant, et qui à présent la protège d'une tutelle un peu dédai-
gneuse ; ne recherchant pas la société, mais n'y faisant point
tache, et, comme il arrive, fort réservée dans le monde et même
assez prude à cause de sa situation fausse ; extrêmement attachée
au catholicisme, et, avec cela, superstitieuse et docile aux pressentiments, « pâle et prophétique » dans des accès soudains d'agita-
tion ; impulsive, momentanée, et si changeante d'humeur qu'elle
passe des transports de joie au tremblement convulsif ; s'étourdis-
sant de paroles quand elle est heureuse, et puis, l'instant d'après,
laissant paraître toutes ses angoisses d'amante sur un visage mobile
dont elle n'est jamais la maîtresse ; n'ayant guère su s'armer de
sagesse contre les frémissements de sa sensibilité, mais trouvant
tout à coup, aux heures de crise, une dure volonté à mettre au
service d'une imagination prompte à inventer des solutions, fussent-
elles romanesques...
Une grande amoureuse, à tout prendre, que cette « importune

Ellénore », la « pauvre créature », ne vivant que par les nerfs et le cœur, ardente à se dévouer lorsqu'elle aime et se sait payée de retour, déconcertée jusqu'à la mort, pourrait-on dire, par un caractère comme celui du clairvoyant, du cérébral Adolphe.

Fernand Baldensperger. « Dans l'intimité d'Ellénore », *Revue de Littérature comparée*, VI (1926), pp. 79-80.

L. de Constant de Rebecque. « Lettres à Madame Lindsay », *Revue des Deux Mondes* (15 déc. 1930), pp. 781-818.

PAUL HAZARD
(1878-1944)

Attiré — il l'a souvent dit — de sa Flandre natale par la chatoyante Italie des années apaisées du siècle commençant, puis par d'autres civilisations méridionales, Paul Hazard a succédé dans sa chaire de Lyon à celui qui l'y avait accueilli pour la préparation de ses thèses de doctorat. Plus enclin peut-être à diffuser qu'à scruter ses propres découvertes en fait de littérature comparée, et excellemment préparé à collaborer à la *Revue des Deux Mondes* en général, il a fait un exposé brillant, en particulier, de ce qu'il appelle la *Crise de la Conscience européenne* qu'on pourrait appeler aussi *la Conscience de la Crise européenne* (laquelle a peut-être commencé lors de la dislocation de l'Empire de Charlemagne).

Observant très justement que « les critiques modernes ont édulcoré le caractère de l'abbé Prévost », il s'est efforcé à « retrouver le courant » sous cette glace indiscrète. Tout le portait vers ce problème de préférence à beaucoup d'autres, une commune origine flamande, son éducation catholique première, et aussi les curiosités « comparatistes » de l'auteur des *Aventures d'un homme de qualité*.

Articles nécrologiques dans la presse de France et des Etats-Unis.

Quand on lit *Manon Lescaut*, on ne peut s'empêcher d'être frappé du « caractère ambigu » de l'ouvrage ; c'est une des impressions les plus fortes qu'on ressent ; c'est aussi l'une des plus difficiles à analyser. Peut-être ce mélange surprenant du sacré et du profane permet-il de l'expliquer pour une part. La passion mène le monde, chacun courant vers son plaisir ou vers son intérêt ; point de retenue, point de pudeur ; ces appétits sont naturels et légitimes ; les peindre, ce n'est pas complaisance, c'est vérité. Mais la Providence conserve aussi ses droits : qu'on arrange cet amalgame comme on pourra. La Providence intervient à tout moment dans les affaires humaines, pour les diriger, voire pour les corriger par les moyens les plus paradoxaux. Etrange théorie que celle que Des Grieux expose avec subtilité ! En exerçant sur les riches, par l'intermédiaire du jeu habilement dirigé, quelques adroites reprises individuelles, il ne fait que suivre une des lois de la volonté divine. La Providence, se dit-il en réfléchissant sur les différents états de la vie, n'a-t-elle pas arrangé les choses fort sagement ? La plupart des grands et des riches sont des sots. Cela est clair à qui connaît un peu le monde. Or il y a là-dedans une justice admirable. S'ils joignaient l'esprit aux richesses, ils seraient trop heureux, et le reste des hommes trop misérable. Les qualités du corps et de l'âme sont accordées à ceux-ci comme des moyens pour se tirer de la misère et de la pauvreté. Les uns prennent part aux richesses des grands et leur servent à leurs plaisirs ; ils en font des dupes ; d'autres servent à leur instruction : ils tâchent d'en faire d'honnêtes gens. Il est rare, à la vérité, qu'ils y réussissent ; mais ce n'est pas là le but de la divine sagesse ; ils tirent toujours un fruit de leurs soins, qui est de vivre aux dépens de ceux qu'ils instruisent ; et, de quelque façon qu'on le prenne, c'est un fonds excellent de revenu pour les petits que la sottise des riches et des grands...

L'abbé Prévost se moque-t-il, lorsqu'il prête à son héros de tels raisonnements ? Non pas : car il a soin de souligner, en bien d'autres endroits, la merveilleuse intervention de la Providence.

Paul Hazard. « Manon Lescaut roman janséniste », *Revue des Deux Mondes*, XX, sér. 13 (1 avril 1924), pp. 626-627.

F. C. Green. « Is ' Manon Lescaut ' a Jansenist novel ? » *Modern Language Review* (October 1938), p. 528.

Alors que certains pays étaient indifférents ou hostiles à ces recherches et démonstrations d'intercommunication littéraire, une branche importante de la critique « génétique », en France, se développait entre les deux guerres. Paul Van Tiegehm, J. M. Carré, H. Tronchon, E. Audra, H. Peyre, H. Bédarida M. Bataillon représentaient, avec les deux « comparatistes » précédents, une discipline dont le précurseur des organisations internationales, Léon Bourgeois, un pape érudit, Pie XI, suggéraient vers le même temps l'intégration dans l'ordre du monde cultivé.

On connaît le noble, l'héroïque précepte de Fustel de Coulanges, le rénovateur des études historiques en France après 1871 : « Des années de simple analyse avant une heure de synthèse ! » Comme si l'histoire littéraire s'était inspirée de cette austère maxime, les excellents travaux dont a bénéficié surtout l'enseignement supérieur, biographies, monographies de détail, ont accru considérablement notre connaissance intellectuelle du passé, non seulement de la France, mais de bien des pays étrangers. A. Angellier, Ch. Andler, A. Cazamian, H. Chamard, A. Chérel, G. Cohen, F. Gaiffe, H. Hauvette, J. J. Jusserand, E. Legouis, G. Michaut, A. Monglond, F. Strowski, P. Trahard : autant de noms qui, attachés à des œuvres qui font autorité, réunissent à des titres divers la sûreté de la documentation et l'objectivité des points de vue.

La critique de son côté, parfois impatiente des contraintes que trop d'érudition risque de faire peser sur les jugements, et surtout sur leur expression, désireuse de trouver accès auprès d'un public étendu revendique une spontanéité que la critique dramatique en particulier allègue, à l'appui de sa souplesse et de ses impressions immédiates. Alain, E. Henriot, P. Brisson, P. Souday C. Sée dans la presse, B. Crémieux, J. Cassou, R. Lalou, J. Prevost, M. Martin du Gard P. Lièvre dans divers périodiques, s'autorisent évidemment de critères différents de ceux qui guident A. Gide, J. Green, F. Mauriac dans les remarques critiques de leurs journaux intimes.

De l'activité d'un des jeunes maîtres de l'Université, et à titre d'échantillon, peut être extrait le morceau suivant.

PIERRE MOREAU
(né en 18...)

Quel passé, quelles origines poussent ainsi ce petit bourgeois de Montparnasse vers les pilotes de haute mer ? Quelques gouttes anglaises de son sang, celles de sa grand'mère maternelle ? Le site même de Boulogne, qui regarde vers l'Angleterre, et ce privilège d'avoir grandi dans une ville maritime ? Quelque lecture d'enfance, cette vieille collection de l'*Esprit des Journaux,* où il avait découvert en explorant une bibliothèque des analyses de poésies anglaises ? A dix-huit ans, il raconte ses matinées à son ami Sellèque : le bon temps qu'il passe avec ses livres, apprenant l'anglais tant bien que mal, s'essayant à le jargonner. A sa première escapade, en 1828, il passe la Manche ; il vit deux mois, près d'Oxford, de cette vie anglaise qui fleure le cottage et l'idylle lakiste. En 1829, il va chercher à Cologne, à Worms, à Francfort, le cadre de quelques-unes de ses *Consolations,* et des notes d'art qui puissent le mettre au ton de ses nouveaux amis, Hugo, Louis Boulanger. Peut-être même — on le devine à une lettre du 31 janvier 1830 — aspire-t-il à s'évader : si Villemain lui trouvait, parmi ses nombreuses relations, quelque comte russe, quelque baron allemand qui voulût un gouverneur, un précepteur, n'importe, avec quelle hâte il partirait se retremper ailleurs ! Ou bien quel Munich, quel Berlin, lui offrira dans son université lointaine, avec une chaire de littérature française, l'asile où il lui serait doux et bon de vivre avec quelques amis ? Les débris de ce rêve peut-être les trouvons-nous dans le rôle qu'il assigna, un peu plus tard, à la *Revue des Deux Mondes.* Il s'efforça d'en faire une revue de littérature comparée, ou du moins une vigie dressée aux quatre point de l'horizon.

Pierre Moreau. Compte-rendu de la *Correspondance de Sainte-Beuve,* éd. Bonnerot dans la *Revue de Littérature comparée,* XVII (1937), pp. 599-600.

PAUL VALERY
(1871-1945)

Précisément parce que ses curiosités scientifiques ont guidé son esprit loin des habitudes courantes de développement, Paul Valéry a toujours traité les sujets qu'il avait à considérer selon les lignes « génétiques » qu'on imagine : non pas tant la biographie développée — laquelle serait de l'histoire, et l'on sait la défiance de cet écrivain à l'égard de cette « bohémienne » incertaine ; mais le dégagement, pourrait-on dire, d'une force essentielle hors des circonstances adventices ou hostiles qui s'opposent, tout en la conditionnant, à la vertu créatrice.

Victime de son père, victime de gens de bien et de gens sérieux qui l'enchaînent ou qui l'ennuient, esclave assez peu esclave de ces pesants travailleurs du Conseil d'Etat, les piliers de l'Empire, consulteurs, rapporteurs qui devaient fournir sans relâche à la fièvre du maître, aux besoins d'une France immense et d'une situation perpétuellement critique, leur aliment de réponses, de règlements de détail, de chiffres, de décisions et de précisions, il avait connu de très près, noté, percé, raillé les sottises et les vertus des hommes en place ; observé quelquefois leur vénalité, toujours leur soif de l'avancement, leurs calculs profonds et puérils, leur futilité méticuleuse, leur goût des phrases et de l'importance, les embarras qu'ils se faisaient et qu'ils faisaient ; leur courage incroyable devant ces montagnes de dossiers, ces colonnes de nombres qui écrasent l'âme sans enrichir l'intellect, écritures infinies qui donnent au pouvoir l'illusion d'exister, de savoir, de prévoir et d'agir... Beyle oppose toujours quelque jeune homme pur et quelque homme d'esprit à ces monstres de besogne, de niaiserie, de cupidité, de sécheresse, d'hypocrisie ou d'envie, dont il a peint tant de fois les visages, les caractères et les actes. Il concevait par ses dégoûts, il s'assurait par soi-même que la véritable valeur peut être séparée des vanités, des paperasses, des mensonges, de la solennité, de l'automatisme. Il avait remarqué que ces hommes importants, si nécessairement associés à la bonne marche des affaires, sont nuls et muets devant l'imprévu. Un Etat qui n'a pas quelques improvisateurs en réserve est un Etat sans nerfs. Tout ce qui marche vite le menace. Ce qui tombe des nues l'anéantit.

On lit aisément dans Beyle qu'il eût aimé de traiter de grandes affaires en se jouant. Il crée amoureusement des hommes aux jugements nets et brefs, aux ripostes instantanées du même ordre de durée que les événements, aussi brusques, aussi surprenantes que les surprises — ministres ou banquiers qui mènent, tranchent, traversent les circonstances, combinent le plaisant au profond, dosent finesse et pertinence, et dont on sent bien qu'il les habite, qu'il intrigue ou qu'il gouverne à la légère sous leurs masques, et que, d'ailleurs, il se venge en les créant de ne pas être ce qu'ils sont. Tout écrivain se récompense comme il peut de quelque injure du sort.

Chez bien des hommes de valeur, cette valeur dépend de la variété des personnages dont ils se sentent capables. Henri Beyle, capable d'un bon préfet du type 1810, n'en était pas moins un diable d'homme toujours déchaîné contre ce qu'il y a de plus respectable. Ce sceptique croyait à l'amour. Cette mauvaise tête est patriote. Ce notateur abstrait s'intéresse à la peinture (ou s'efforce, ou fait semblant de s'y intéresser). Il a des prétentions au positif, et il se fait une mystique de la passion.

Peut-être l'accroissement de la conscience de soi, l'observation constante de soi-même conduisent-elles à se trouver, à se rendre divers ? L'esprit se multiplie entre ses possibles, se détache à tout instant de ce qu'il vient d'être, reçoit ce qu'il vient de dire, vole à l'opposite, se réplique et attend l'effet. Je trouve à Stendhal le mouvement, le feu, les réflexes rapides, le ton rebondissant, l'honnête cynisme des Diderot et des Beaumarchais, ces comédiens admirables. Se connaître n'est que se prévoir ; se prévoir aboutit à jouer un rôle. La conscience de Beyle est un théâtre, et il y a beaucoup de l'acteur dans cet auteur. Son œuvre est pleine de mots qui visent la salle. Ses préfaces parlent au public devant le rideau, clignent de l'œil, font aux lecteurs des signes d'intelligence, le veulent convaincre qu'il est le moins niais dans l'auditoire, qu'il est dans le secret de la farce, que lui seul sent le fin du fin. « *Il n'y a que vous et moi,* » disent-elles.

Ceci a fait merveille pour la fortune posthume de Stendhal. Il rend son lecteur fier de l'être.

Beyle ne peut se tenir d'animer directement ses ouvrages. Il brûle d'être soi-même en scène, d'y rentrer, à tout coup ; il prodigue la fausse confidence, les apartés, le monologue. Il agite en personne ses fantoches, dont il se compose une troupe sociale fort complète, où les emplois sont définis comme dans l'ancien théâtre. Il se fait des amants, des barbons, des prélats, des diplomates, des savants, des républicains, des militaires de l'ex-Garde. Ces types sont plus convenus que ceux de Balzac ; et, donc, plus dessinés. Il en voit les idées plus que la pensée, les sentiments plus que les ressorts et que la fonction dans le monde. Pour lui, Napoléon (par exemple) est un *héros* ; il est un modèle d'énergie, d'imagination, de volonté, une grande âme pourvue d'un intellect prodigieusement net, un amant de la grandeur idéale, qui aime la puissance et la gloire d'un amour passionné à la Stendhal. Mais Balzac voit l'organisateur et l'Empire, le Code Civil, la Révolution accomplie, consolidée, maîtrisée, la Société rétablie, la légende sortir de l'histoire, et, par la vertu populaire du mythe, envahir le domaine politique.

Beyle aperçoit de Napoléon des traits antiques, son aspect italien, ses caractères si fortement marqués où il retrouve Rome et Florence, le César et le Condottiere. Balzac considère surtout l'Empereur des Français.

On voit que le parallèle de Balzac et de Stendhal, si l'on prenait quelque intérêt à cet exercice, pourrait se concevoir et se poursuivre assez raisonnablement. Ils opèrent l'un et l'autre sur la même époque et la même substance sociale. Ce sont deux observateurs imaginatifs du même objet.

Paul Valéry. « Stendhal » (préface à l'édition de *Lucien Leuwen* publiée dans les *Oeuvres complètes de Stendhal,* éd. Champion, 1926), *Oeuvres* : Variété, 2ᵉ volume, Paris, 1937, pp. 109-112.

ALBERT THIBAUDET
(1874-1936)

L'intelligence si déliée, parfois si détachée, d'Albert Thibaudet, Bourguignon truculent, Normalien émancipé et lecteur omnivore, on a eu plaisir à la suivre dans la *Nouvelle Revue Française* surtout, pendant les années où lui-même trouvait, à Upsal et à Genève, de ces alibis comme Sainte-Beuve s'en donnait, observatoires en même temps que ruptures d'habitudes. Rehaussée d'un humour savoureux, où les crus et les mets rap-

pelaient que le « goût » concerne toutes les muqueuses, encline
à faire jouer aux choses envisagées un jeu des quatre coins dont
s'étonnaient parfois ses justiciables, cette critique est éminemment suggestive : au point qu'au lieu de se dire après l'avoir
lue, qu'on est mieux au fait d'un livre ou d'un auteur, on se
sent mieux informé de beaucoup d'autres choses, préparé même
à admettre que les choses de l'esprit sont moins nécessaires
qu'éventuelles, si capricieux est l'échiquier qui les porte ! C'est
que l'historien initial, chez Thibaudet, tient la bride aux « sauts
du cavalier » d'un admirateur convaincu, vers les vingt ans,
du Mallarmé du *Coup de dés* et du Barrès de l'*Homme libre,*
et que les responsabilités qui pouvaient ramener à plus d'humilité des consciences d'écrivains lui paraissaient moins précieu-
ses que le « jeu » intégral de l'esprit.

Je ne crois pas écrire de paradoxe en disant que le petit et
frêle recueil des poésies de Mallarmé est cher bien moins, et avec
moins de raison, aux amoureux de la poésie de Mallarmé qu'il ne
l'est aux amoureux de la poésie française. C'est Racine que nous
aimons d'abord en Racine, Hugo en Hugo. Mais si nous ne
cherchions dans Mallarmé qu'à aimer Mallarmé, nos raisons seraient un peu frêles. Nous n'éprouvons pas ici le contact avec un
grand courant de sensibilité, d'intelligence, d'humanité. Mais nous
éprouvons le contact avec la poésie française, à son extrémité la
plus fine, la plus logique, — la plus diabolique, allais-je dire, en
songeant que le diable est le meilleur logicien. Mallarmé n'a eu
qu'un sujet, n'a fixé que sur un point ses yeux interrogateurs et
rêveurs : le fait littéraire, l'existence et la vie du vers, du poème,
du livre. Il est, à ce point de vue, le Boileau du romantisme, ou
plutôt il indique d'un doigt tendu (comme le Saint Jean des
tableaux) la place que devrait occuper dans l'art du XIX⁰ siècle
un Boileau. Ne dites pas de mal de Nicolas, écrivait Voltaire :
cela porte malheur. Et Sainte-Beuve répondait à des railleries
vieillottes de Taine sur Boileau que celui qui méprise Boileau
risque de mépriser au fond toute poésie. Comme Voltaire et Sainte-
Beuve avaient raison ! L'auteur de l'*Art poétique* n'est pas un des
dieux de la poésie, mais il en est le prêtre, et on ne saurait guère
mépriser le rôle du prêtre sans mépriser la religion. Mallarmé a

tenu dans l'autre massif français qui équilibre la poésie classique une place analogue. Rien d'étonnant qu'il se trouve au croisement exact, à la patte d'oie de ces trois routes du XIXᵉ siècle poétique, le romantisme, le Parnasse, le symbolisme, et qu'on puisse presque indifféremment voir en lui l'aboutissement et la logique absolue de ces trois mouvements en apparence ennemis. Il ne se mêle pas à leurs disputes — *abhorret a sanguine*. Il fait partie du service spirituel. Il dit la messe également pour trois, la messe de la poésie pure.

L'influence essentielle exercée par Mallarmé a été celle de son exemple. Un homme avait mis son idéal à réaliser non pas une œuvre aussi parfaite, aussi vivante, aussi bienfaisante que possible, mais à pousser le plus loin possible dans la direction de l'absolu la poésie française, à atteindre une extrémité. Ainsi un explorateur qui, laissant à d'autres les Amériques et les Eldorados, ne s'attacherait qu'à planter un drapeau dans les glaces sur ce point mathématique qu'est le pôle. Certes, s'il avait à choisir entre l'un et l'autre, il vaudrait mieux découvrir l'Australie ou le Congo que le pôle Sud. Mais il n'y a pas à choisir. L'ensemble des explorations forme un bloc, un tout, déposé par une division spontanée du travail. Et le résultat c'est la découverte de la terre entière, où restent encore bien des espaces inconnus, mais où toutes les grandes lignes sont repérées. On pourrait voir dans la poésie, dans la littérature, un effort analogue. L'exemple de Mallarmé n'a fait naître aucun chef-d'œuvre, le pays de la *Prose pour des Esseintes* n'a encore produit ni sa *Légende des Siècles,* ni sa *Bovary*. Mais il a suscité tout un mouvement d'exploration. Les possibilités de la littérature française ont été examinées et sondées. Les nombreuses écoles littéraires d'avant-guerre et d'après-guerre (si différentes, mais qui ont ce trait commun d'aller à l'extrémité de quelque chose, de représenter des paroxysmes) n'ont pas encore trouvé de trésor, mais elles ont retourné un champ. Si Mallarmé n'eût pas existé, ni Claudel, ni Apollinaire, ni Romains, ni Proust, ni Giraudoux, n'eussent été avec cette bonne conscience allègre (et un peu provocatrice) vers l'accomplissement de leur destinée particulière. Ils eussent cherché plus de compromis. L'influence de Mallarmé ne s'est pas exercée sur le contenu de la littérature, mais sur la manière de poser le problème littéraire.

N'exagérons d'ailleurs pas cette restriction. Si l'influence de Mallarmé nous apparaît surtout comme une influence formelle, qui modifie l'atmosphère plutôt que les objets littéraires, il ne faut pas oublier qu'il a laissé un héritier direct, qui est Paul Valéry. Or Valéry est peut-être le moins discuté des poètes d'aujourd'hui. Tous ceux qui parlent de ses odes s'en déclarent les admirateurs. Et si les formes les plus récentes de sa poésie ne procèdent pas directement de Mallarmé, ce n'en est pas moins le doigt de Mallarmé qui lui désigne silencieusement la cime et l'air raréfié où atteindre. L'hommage à Valéry comporte, qu'on le veuille ou non, un hommage à Mallarmé. Quant à l'influence positive exercée par *Un Coup de Dés* (exhumé en 1894 du tombeau de *Cosmopolis*) sur les essais de poésie ou de prose littéraire ou calligrammatique, elle n'a donné que des curiosités de bibliothèque, qui font passer quelques quarts d'heure agréables, mais dont aucune ne rappelle évidemment en quoi que ce soit le caractère presque tragique de cet admirable poème.

L'influence de Rimbaud a été aussi différente de celle de Mallarmé que les deux auteurs étaient eux-mêmes différents. Mais l'un comme l'autre a aujourd'hui son représentant, son héritier direct. Si Mallarmé *genuit* Valéry, Rimbaud *genuit* Claudel. Et ce n'est pas un hasard si la gloire est venue à Claudel au moment même où Rimbaud agissait sur l'extrême-gauche littéraire.

Albert Thibaudet. « Mallarmé et Rimbaud », dans *Réflexions sur la Littérature,* 1ᵉʳ février 1922 (Paris, 1938), pp. 157-160.

CONCLUSION

Près d'un siècle et demi, cent trente années à peu près inin-
terrompues de critique et d'histoire littéraires ont projeté à la
surface intellectuelle de la France des impressions, des jugements, des opinions, des attaques et des apologies qui font
partie intégrante de sa vie nationale, au sens le plus distingué
du terme. Ces expressions d'une rare aptitude à « discerner »
sont acquises, Dieu merci, à l'ensemble français bien moins par
une déférence passive et morne aux instincts de la masse, ou
aux commodités de l'heure, que par un souci de véracité qui,
jailli d'abord d'une insistance toute « minoritaire », s'imposa
la plupart du temps à un public étendu ou, tout au moins, à
l'enregistrement authentique des mouvements de l'esprit. Des
initiatives tout individuelles, mais orientées dans le sens de
l'avenir immanquable, ont eu souvent, ainsi, gain de cause sur
l'épaisse adhésion des majorités à de commodes habitudes.

A quelques exceptions près, cette activité critique fut désin-
téressée, franche et directe ; passionnée parfois, imagée et
sensible souvent, rarement surchargée de métaphysique. On l'a
vu d'ailleurs, ce qu'on pourrait reprocher à l'effort critique
français, c'est l'absence de définitions et de principes nettement rattachés à une « esthétique » assurée. Mais sans doute
une spontanéité plus grande, la possibilité d'avoir des « pra-
ticiens », et non des théoriciens, comme interlocuteurs dans un
dialogue éventuel, compensent-elles largement cette indécision
métaphysique. S'il peut sembler fâcheux de n'avoir pas exactement de Coleridge ou de Lessing dans les rangs de la critique
française, on n'a qu'à constater le pauvre effet résultant, par
exemple, de trop de soucis de ce genre chez les Jean-Paul ou

les Otto Ludwig, pour se féliciter de voir un Gautier, un Mallarmé, ou même un Sainte-Beuve insoucieux de définir étroitement des termes. Inversement, les contacts d'un Joubert, d'une Mme de Staël, d'une George Sand avec la vie et la société pouvaient seuls garantir certaines qualités vivantes dont la critique française a pu faire état, pour des tâches qui vont bien au delà des simples appréciations littéraires : de vrais courants d'idées, dans bien des cas, ont été guidés par des voix avisées, qu'eussent difficilement remplacées les œuvres de la poésie et de la fiction, si elles étaient privées de commentaires appropriés.

Il est d'ailleurs possible qu'à envisager les très grands ensembles, cette excellence de la critique, surtout en étroite collaboration avec l'activité créatrice, ait eu deux résultats moins satisfaisants. Le premier peut avoir été de diminuer l'initiative des lecteurs ou spectateurs, et de multiplier à l'infini une réflexion trop souvent entendue à Paris dans les années 80 : « Nous verrons ce qu'en dira le prochain feuilleton de Sarcey ! » Alors que des époques sûres de leur goût et de ses raisons d'opérer se passaient de juges professionnels pour le détail des opinions, se contentant d'admettre une « législation » générale, il est évident que l'attrait des appréciations toutes faites dissuadait nombre d'esprits d'un jugement qui fût mieux qu'une impression de surface.

D'autre part, ne dirait-on pas que la valeur de ces discriminations *rationnelles,* appuyées d'arguments plus ou moins « évidents », a diminué la part qui doit revenir à la sympathie *intuitive* dans l'acceptation de « beautés » tenant leur grâce ou leur force de principes qui parfois ne gagnent rien à être *étirés* en articles « lisibles », en conférences « faciles à suivre », en polémiques et en programmes lucides ? Il y là un péril caché, qui d'ailleurs rejoint les mérites et les *handicaps* de l'esprit français en général, dans ses fameuses certitudes de « clarté humaine », peut-être nocives au foyer émetteur de ces lumières elles-mêmes.

Hâtons-nous d'ajouter que, *dans l'ordre occidental complet,* qui domine de plus haut encore les questions de ce genre, la critique française a contribué à des résultats que n'auraient pas toujours atteints d'autres démonstrations. Sans parler de Matthew Arnold, pour qui Joubert, Sénancour, Sainte-Beuve et Renan sont aussi importants dans leur dialectique que dans leurs créations, il fallait Sainte-Beuve pour démontrer, dans une revendication célèbre, que les lettres françaises, en 1836, n'étaient pas le dépotoir d'immondices qu'alléguait un périodique anglais. En Allemagne et en Russie, Taine porte la peine d'avoir encouragé de massives explications qui n'ont pas encore épuisé leur effet nocif. Par contre, en Allemagne encore, en Scandinavie, et aussi dans des pays slaves comme la Serbie, Zola a conquis sur des conventions surannées autant de terrain par ses offensives que par les *Rougon-Macquart* venant à l'appui. L' « Art pour l'Art, » si difficile à faire admettre à des littératures attachées à d'autres soucis, profita enfin de préfaces et de polémiques plus démonstratives à des étrangers que la langue raffinée que seuls des initiés pouvaient goûter. Enfin Villiers et Gourmont, l'un pour l'Allemagne de Stephan George, l'autre pour les Etats-Unis des « Imagistes », semblent bien avoir accompagné utilement les démonstrations opérées par les poètes contemporains ou antérieurs : ainsi se réalisait partiellement, mais non sans efficacité, le rêve romantique des *Sept Cordes de la Lyre* — accord harmonique de facultés associées, et capables d'exercer un effet total en raison de l'appui mutuel que se prêtaient, même pour pénétrer plus avant dans les ensembles humains, la Couleur, la Musique, l'Imagination, la Morale — et cette apparente Cendrillon, la Faculté de discernement.

TABLE DES MATIÈRES

FERNAND BALDENSPERGER, par Robert Tenger . . 9

AVANT-PROPOS 13

I. CRITIQUE DE RECONSTRUCTION 15

J. Joubert. Pensées sur le bon goût, « fonction »
de la société 17

L. de Fontanes. Le *Génie du Christianisme* de
Chateaubriand 23

J. F. de LaHarpe. L'orthodoxie des vrais classiques 23

F. R. de Chateaubriand. Examen nécessaire des
valeurs littéraires 26

Mme de Staël. Espoir dans la perfectibilité ; le
Génie contre le Goût 28

E. de Sénancour. Méditations sur l'ordre essentiel . 35

M.-J. Chénier. Espoir de continuité dans les
« Lumières » 36

J. L. Geoffroy. Profession de foi disciplinaire . . 38

II. CRITIQUE RETROSPECTIVE : LES DÉBUTS DE L'HIS-
TOIRE LITTERAIRE 41

Cl. Fauriel. Programme nécessaire : des périodes
bien délimitées 42

P. L. Ginguené. Un jugement sur Machiavel . . . 45

III. CRITIQUE DE MOUVEMENT 47

U. Guttinguer. Le Romantisme réactionnaire . . . 47

C. Nodier. D'où venait l'éloquence révolutionnaire . 49

F. Guizot. Juste milieu entre Génie et Goût . . . 52

Villemain. La liberté de la pensée littéraire . . . 54

Stendhal. Le « Romantisme » d'actualité 55

E. Deschamps. Répartition des genres vraiment vivants 59

V. Hugo. Indépendance du poète créateur 62

IV. CRITIQUE « AVANT-COURRIÈRE » 65

Sainte-Beuve. Programme de critique avant-courrière : ses mérites 65

A. de Vigny. Profession de foi dramatique . . . 70

H. de Balzac. Le plan de la « Comédie humaine » 74

G. Sand. Annonce pour l'Obermann de Sénancour 77

A. de Lamartine. Plaidoyer *pro domo* 79

Un dernier mot de Sainte-Beuve à ce sujet . . . 80

V. CRITIQUE DE SAUVEGARDE 83

L. Reybaud. Le danger du feuilleton pour la littérature 83

A. de Musset. Le danger de la littérature « humanitaire » 86

A. Nettement. Le Danger de la presse quotidienne 89

T. Gautier. Revendication de l'Art pour l'art . . 91

C. Baudelaire. Défense de la critique partiale . . 93

C. Mendès. Tardive défense du Parnasse français . 98

VI. L'HISTOIRE LITTÉRAIRE A LA RECHERCHE D'UNE TRADITION ÉLARGIE 101

D. Nisard. Bossuet sans défaut 103

E. Montégut. Les trois génies de l'Espagne . . . 106

E. Renan. La poésie des races celtiques 108

Sainte-Beuve. De la tradition en littérature . . . 112

A. Michiels. Insuffisance esthétique de la critique française 117

VII. CRITIQUE DE COMBAT 121

Champfleury. La querelle des réalistes et des idéalistes 122

E. de Goncourt. Pour un roman sans romanesque . 124

E. Zola. Le faux idéalisme religieux ; la République et la Littérature 128

A. Dumas Fils. Scribe le trop habile 131

H. Taine. Les trois « sources » de la création littéraire ; Saint-Beuve, sur Taine historien 134

L. Veuillot. Les Païens ; Champfleury 141

Barbey d'Aurévilly. Hugo ; Zola 143

E. Scherer. La « fumisterie » de Baudelaire ; les antinomies de Renan 145

F. Sarcey. Les docilités avouées du critique de théâtre 149

VIII. ÉVOLUTION OU TRANSCENDANCE ?

Cherbuliez. Relativités d'esthétique 154

J.-M. Guyau. L'élément de « sympathie » dans l'art 155

G. Paris. Les quatre éléments fondamentaux du moyen âge français ; Mireille de Mistral . . . 157

Hennequin. Critique scientifique 159

F. Brunetière. L'évolution des genres, seule explication 161

Villiers de L'Isle-Adam. La beauté, qualité, intrinsèque invariable 166

R. Ghil. Mallarmé continuateur de Baudelaire . . 169

J. Moréas. Barrès sacrilège, puis pénitent, à Athènes 171

H. de Régnier. Fantaisie sur Gérard de Nerval . . 174

IX. IMPRESSIONNISME OU SOUCI SOCIAL 177

A. France. Un programme de critique impressionniste 177

J. Lemaître. Les vingt volumes préférés . . . 179

P. Bourget. Stendhal analyste ; A un jeune homme 182

G. Lanson. Sainte-Beuve suivi et amendé . . . 185

R. Doumic. Ibsen aide à découvrir Dumas fils . . 189

J. Ernest-Charles. De Flers et Caillavet mis à leur vrai rang 192

G. Deschamps. Programme sans lendemain . . . 193
R. de Gourmont. Lettre à d'Annunzio : Deschamps
ne compte pas 195
Ch. Péguy. La foi radicale 198
P. Lasserre. Profession de foi 199

X. CRITIQUE EXPLICATIVE OU CRITIQUE « GÉNÉTIQUE » 203
E. Faguet. Discussion de l'idée de « solidarité »
dans l'Etat 207
J. Bédier. La question de l'origine des contes
populaires ; l'origine des légendes épiques . . 209
H. Massis. Le Bergsonisme libérateur 213
Ch. Du Bos. H. F. Amiel 214
A. Bellessort. Balzac et le public féminin . . . 215
V. Giraud. Une génération littéraire 217
L. Gillet. André Maurois sur Chateaubriand . . 219
D. Mornet. Le Comte de Gobineau 220
E. Jaloux. Pierre de Lescure et d'autres romanciers 222
F. Baldensperger. Dans l'intimité d'Ellénore . 224
P. Hazard. Manon Lescaut roman janséniste . . 226
P. Moreau. Sainte-Beuve et ses origines subcon-
scientes 229
P. Valéry. Stendhal 230
A. Thibaudet. Mallarmé et son importance . . 232

CONCLUSION 237